LES FORCES DE L'ÂGE

Propos recueillis par **Michel Coulombe**

Photos de **Véro Boncompagni**

Guy Saint-Jean ÉDITEUR

Guy Saint-Jean Éditeur
3440, boul. Industriel
Laval (Québec) Canada H7L 4R9
450 663-1777
info@saint-jeanediteur.com
www.saint-jeanediteur.com

· · · · · · · · · · ·

**Catalogage avant publication de Bibliothèque et Archives nationales
du Québec et Bibliothèque et Archives Canada**
Coulombe, Michel, 1957-
Les forces de l'âge
ISBN 978-2-89455-824-9
1. Personnes âgées - Québec (Province). 2. Vieillissement. I. Titre.
HQ1064.C3C68 2014   305.2609714   C2014-941512-5

· · · · · · · · · · ·

Nous reconnaissons l'aide financière du gouvernement du Canada
par l'entremise du Fonds du livre du Canada (FLC) ainsi que celle de la SODEC
pour nos activités d'édition. Nous remercions le Conseil des Arts du Canada
de l'aide accordée à notre programme de publication.

Gouvernement du Québec — Programme de crédit d'impôt pour l'édition
de livres — Gestion SODEC

© Guy Saint-Jean Éditeur inc. 2014
© Véronique Boncompagni 2014 pour les photographies
Édition: Élise Bergeron
Révision: Lyne Roy
Conception graphique: Christiane Séguin
Correction d'épreuves: Audrey Faille

Dépôt légal — Bibliothèque et Archives nationales du Québec,
Bibliothèque et Archives Canada, 2014
ISBN: 978-2-89455-824-9

Imprimé au Canada
1re impression, août 2014

 Guy Saint-Jean Éditeur est membre de
l'Association nationale des éditeurs de livres (ANEL).

14 duos
inspirants
témoignent
du temps
qui passe

La vie.
Tout simplement.

Depuis que je me suis lancé dans la préparation de ce livre, j'ai vieilli d'un an. Pas que moi d'ailleurs... Personne n'y échappe, à moins de passer de vie à trépas. Devant le temps qui passe, chacun de nous emprunte un chemin unique. Chacun tire ses propres conclusions.

Durant cette année, j'ai retourné la question de l'âge et du vieillissement dans tous les sens en rencontrant, par paire, 28 personnalités venues de tous les horizons. Je les remercie de m'avoir accordé leur confiance et d'avoir accepté de partager, si généreusement, leurs inquiétudes et leurs réflexions.

Un merci tout particulier à ceux qui m'ont soufflé des noms, proposé des idées de duos ou facilité l'accès à ces personnes. À cet égard, l'aide de Stéphanie Leclerc et de Laurent Boursier m'a été très précieuse. De même, l'impulsion de départ de Jean Paré qui a su, bien avant moi, qu'un livre pouvait naître de ces rencontres.

Les entretiens se sont échelonnés sur quelques mois, d'août 2013 à janvier 2014. Les interviewés étaient alors âgés de 48 à 98 ans. Le plus jeune frôle maintenant la cinquantaine. L'aîné pourrait bien devenir centenaire...

Ce livre doit beaucoup au talent et à la sensibilité de la photographe Véro Boncompagni. Il s'est nourri de notre amitié. Après chacune des rencontres, renvoyés à notre (jeune!) cinquantaine, Véro et moi ressentions le besoin de parler longuement. Puissent ces entretiens croisés provoquer le même effet chez le lecteur. Car il y a, dans la sincérité de ces tête-à-tête, dans la diversité de ces expériences de vie, matière à réflexion.

Au cours de ces rencontres, nous sommes passés du rire aux larmes, des confidences aux discussions parfois très vives, des moments de grâce à l'indignation. À l'ordre du jour, une multitude de sujets. L'alimentation, la maladie, la sexualité, l'activité physique. La transmission du savoir, les petits-enfants. Les nouvelles technologies. L'âge intérieur, les caps à franchir. Les maisons de retraite, la solitude, le suicide assisté, les deuils. Le temps qui reste. La valeur de l'amour et de l'amitié. L'âgisme. Et, bien entendu, le parcours distinct des hommes et des femmes, si différents par rapport au vieillissement.

Il a également été question d'un mot dont on ne semble plus savoir quoi faire aujourd'hui, un mot devenu embarrassant... vieux.

Oui, vieux.

Autant s'y faire, les enfants sont jeunes, les aînés sont vieux. C'est ce qu'on appelle la vie.

Tout simplement.

Michel Coulombe

Pierre Bruneau + Gilles Julien

Les grands frères

J'étais persuadé qu'ils se connaissaient bien. Pierre Bruneau et Gilles Julien, cela me paraissait évident. Le premier est le porte-parole de la Fondation Centre de cancérologie Charles-Bruneau, créée à la mort de son fils. Le second se donne corps et âme à la Fondation du Dr Julien dont le but est de permettre à chaque enfant de développer son plein potentiel. Étonnamment, l'inébranlable chef d'antenne de TVA et l'infatigable pédiatre social n'avaient encore jamais eu l'occasion de se parler. Échange animé autour de la soixantaine, à quelques pas de l'enfance...

Vous avez tous deux la soixantaine.

Pierre Bruneau J'ai 61 ans.

Gilles Julien Moi, 67.

PB Je ne me considère pas vieux!

Soit. Trouvez-vous que vous vieillissez bien?

PB Pas de problème avec ça, la vieillesse. [rires] Sauf qu'on prend conscience qu'il y a des choix à faire qu'on faisait peut-être moins avant. Quand on a 20, 30 ans, on part dans 56 000 projets et on veut tous les réaliser. Là, on commence à se concentrer sur certains.

GJ Je vois des personnes âgées qui se regardent dans le miroir et qui se trouvent encore belles, comme si elles avaient encore 20 ans. Le miroir ne reflète pas la réalité. C'est parfait.

PB C'est une perception, la vieillesse, beaucoup plus qu'autre chose. En ce qui nous concerne, travailler avec des enfants fait toute la différence.

GJ C'est évident. Les enfants nous gardent jeunes. Ça a l'air banal de dire ça, mais c'est tellement vrai. Moi, ça me garde dans un état...

PB ... d'alerte. Tout le temps.

GJ D'adolescence aussi. De créativité. De perpétuelle jeunesse parce que je les sens, je me retrouve.

> C'est une perception, la vieillesse.
>
> Pierre Bruneau

Les enfants au centre de leur vie

GJ Les enfants nous donnent de l'énergie. Quand je ne vois pas d'enfants, en vacances ou autrement, il me manque quelque chose. Et je suis sûr que si je continuais, je deviendrais terne et aigri, et peut-être amorphe. Les enfants nous en empêchent, ils nous allument continuellement.

PB Ils nous gardent connectés à la réalité du jour.

GJ On a vraiment ça en commun. Je ne serais pas jeune sans les enfants.

PB La Fondation accompagne les enfants atteints de cancer. Moi-même, j'en accompagne beaucoup dans les soins palliatifs. Et ils ne me considèrent pas comme une personne âgée qui fait les nouvelles, mais comme quelqu'un comme leurs parents. Alors, je suis resté parent, même si, dans la vraie vie, je suis devenu grand-père. On dirait qu'il n'y a pas d'âge qui nous sépare.

GJ Ils sont un peu nos petits-enfants. Bien souvent, les enfants, ici, m'appellent « papa » ou « grand-papa ». C'est parfait comme ça. Ça donne une raison de continuer.

PB Ça nous garde jeunes. Connectés aux réalités de ces jeunes. Avec leur tablette, leur iPad, leur iPhone... ils arrivent avec tout ça. Les enfants nous amènent à leur vocabulaire à eux, à leurs amis, à leurs attentes, à la mode, à tout. Quand je parle à mes amis de mon âge qui n'ont pas d'enfants, ils ne comprennent pas. En fait, ça ne les intéresse pas. Je les vois vieillir un petit peu plus solitaires.

GJ Au chalet, dans le bois avec mes petits-enfants, on vit dehors. C'est un petit camp de rien et, dans la nature, ils mettent de côté leurs instruments. Pas de télé, pas de téléphone, rien. On revient à la simplicité du jeu. Mon petit-fils de six ans est venu passer trois jours avec moi. Comme il y avait un menuisier, il a passé la journée à construire des maisons. Il a cloué toute la journée. Le bonheur total !

PB Ça crée une tout autre relation.

GJ Une relation extraordinaire. Il va se souvenir de son grand-papa, dans le bois, à son niveau, et d'avoir planté des clous avec lui.

PB Les miens aussi ont ça à vélo. Partir à vélo ensemble, ça crée un lien.

Le rapport que vous avez avec les enfants change-t-il votre rapport avec les adultes ?

GJ Je suis mal à l'aise avec les adultes, en général. Si je vais dans un *party*, même de famille, je finis par me ramasser avec les enfants. Les adultes m'ennuient. Ils m'irritent. Je ne comprends pas toujours leur langage. C'est vraiment bizarre. Je ne décode pas les adultes. Je ne les vois pas venir. Il y a trop de pelures. Les enfants, c'est plus frais, c'est à l'état pur.

PB La naïveté.

GJ Tu vois tout, tout, tout. Un enfant abusé, je le vois la première fois. L'adulte

Le vélo en commun

GJ On a le vélo en commun aussi.

PB 3100 km cette année !

GJ Depuis deux ou trois ans, j'ai ralenti. Mais j'essaie de venir au travail à vélo.

> Les enfants nous donnent de l'énergie. Quand je ne vois pas d'enfants, en vacances ou autrement, il me manque quelque chose.
>
> Gilles Julien

a une carapace. Si j'avais le choix de vivre avec des adultes ou des enfants, je vivrais avec des enfants. **Vous avez tous les deux une fondation centrée sur les enfants. Dans votre cas, Pierre, c'est lié à votre fils Charles.**

PB Sans ça, je serais plutôt allé vers quelque chose de social. Tout est parti d'une phrase de Charles pour un travail scolaire : « Illustrez ce que vous ferez quand vous serez grands. » Les enfants mettaient un camion de pompiers. Il avait écrit : « Quand je serai grand, je serai guéri. » Pour nous, ç'avait été un grand choc. On savait qu'il avait le cancer et on lui cachait la réalité, mais il la connaissait, la réalité. Alors on a pris conscience qu'il voulait combattre. Battre la maladie. Quand il est décédé, on a créé la Fondation Charles-Bruneau, pour mettre sur pied un centre de cancérologie et permettre à tous les enfants de guérir. Mais on pellette des nuages bien avant de pelleter la terre ! [rires]

GJ Quand je suis allé en médecine, c'était clair que j'y allais pour les enfants. J'avais l'impression d'avoir une compréhension hors-norme des enfants. Quand j'ai commencé en pédiatrie, je décodais certaines choses que les autres ne voyaient pas. Et j'étais très frustré, parce que la médecine passait à côté de plein d'affaires, surtout avec les enfants qui avaient des secrets. Je les voyais, je les sentais. Ça m'a beaucoup frustré, la pédiatrie d'hôpital. J'ai changé de cap.

PB J'accompagne des familles dont les enfants sont en phase terminale. Quand ils me regardent dans les yeux, les ados me disent : « Toi, tu l'as vécu. Toi, tu le sais. Toi, tu vas me dire la vérité. » Des fois, je me dis que j'ai une longueur d'avance sur des médecins qui en ont vu d'autres mourir, mais qui n'ont pas vécu...

On s'attend à un sans-faute de votre part, non ?

GJ Je trouve ça dur à porter. « Vous êtes un vrai saint. » On n'est pas des saints.

PB Ah, mon Dieu, je ne suis pas un saint !

GJ C'est lourd. Il peut nous arriver n'importe quoi. Tout pourrait s'effondrer du jour au lendemain. Si je ne suis pas là quand les grands donateurs viennent porter le chèque, ça ne marche pas.

PB C'est donnant, donnant. Quand on a créé la Fondation, j'ai eu des semonces de la Fédération professionnelle des journalistes du Québec : « On ne peut pas s'associer à des causes. » Ça s'est arrêté là quand je leur ai répondu : « Qu'est-ce

Si j'avais le choix de vivre avec des adultes ou des enfants, je vivrais avec des enfants.

Gilles Julien

que j'ai à gagner, mon fils est mort ?» Je sais que je peux changer les choses pour des familles qui vivent la même situation. Alors regardez-moi bien aller. Aujourd'hui, tout le monde veut s'impliquer dans une cause. Tant mieux. On n'a pas idée, mais les gens nous observent beaucoup. Ils reprennent même des façons de faire de notre fondation. Les tours cyclistes, c'est à la mode aujourd'hui. Quand on a commencé à faire le Kilimandjaro, on m'a appelé : «Comment vous faites ça ?» J'apprends après qu'ils l'ont fait, et c'est correct. Je passe l'information. Rien ne nous appartient. Démarquez-vous par vos projets pour faire connaître votre cause. On influence énormément aussi par notre attitude.

GJ Ça, c'est un bonheur ! Là, on sent qu'on peut changer quelque chose. J'ai toujours des résidents en médecine ou en pédiatrie en stage. Beaucoup de bénévoles. Sûrement chez vous aussi.

PB Oui, on en a besoin !

GJ À la fête des bénévoles, je leur dis à quel point je les apprécie, je les trouve courageux. Et, systématiquement, c'est toujours la même chose : «C'est nous qui vous remercions de nous avoir permis d'accéder aux enfants.» Ils ont perdu l'accès aux enfants ! Ils le retrouvent.

Troublant, non ?

GJ Troublant.

Des coureurs de fond

PB Ça fait 25 ans que Charles est décédé. Les gens me disent : «Quel âge il aurait ?» Je m'arrête à y penser. Il aura toujours 12 ans. C'est un privilège ! Je vais avoir 80 et j'aurai toujours un fils de 12 ans ! [rires] Mon engagement me vient de lui. Parce que lui-même était porte-parole à l'époque. Quand je suis allé le reconduire la dernière fois à l'hôpital, il m'a dit : «Ça marche pas, mon affaire. Qu'est-ce que les gens vont dire ? Que je suis un lâcheur...» Perception toujours. Puis il a dit : «Promets-moi une chose, c'est toi qui vas continuer.» J'ai dit : «Charles, on est ensemble, on va continuer ensemble.» Il a dit : «Non. C'est toi qui vas continuer.» Je ne pensais pas que ça allait être une mission dans ma vie. C'est devenu une mission. Et on ne lâchera pas.

GJ Mais il y a des raisons : c'est très rentable ! [rires]

PB Il suffit de voir ce que ça a apporté à la société.

GJ Il y a une rentabilité quotidienne ici. Je suis comblé.

> Je sais que je peux changer les choses pour des familles qui vivent la même situation.
>
> Pierre Bruneau

Faire le vide, décanter, ventiler et continuer

Gilles, il y a deux ans, vous avez dit: «Je m'aperçois que je vais crever et que je n'aurai pas changé grand-chose.» Vous vivez des moments de découragement?

GJ Globalement, fondamentalement. Pourtant, à la fin de la journée, la somme est toujours positive. Je ne suis jamais parti d'ici en me disant: «Je n'ai rien fait de bon aujourd'hui.» Au début, ç'a été extrêmement difficile. Une chance que ma femme était là! Maintenant, j'ai appris à vivre avec ça. Le vélo m'a aidé. Quand je pars à vélo à la fin de la journée, j'évacue. Faut faire le vide. Il faut ventiler, décanter. Heureusement, je ne suis pas tout seul.

PB Moi, je fais du vélo et je marche tous les jours, deux heures. Le soir, je n'écoute pas la télé du tout.

GJ Moi non plus.

PB J'ai lu et écouté tous les réseaux toute la journée, alors le soir, on marche! Ça nous a tellement permis d'être un couple plus fort. On règle tous nos problèmes, on parle de tout. C'est extraordinaire, ces moments-là. J'ai découvert Montréal. J'aime Montréal! Et ça m'alimente parce qu'on garde un contact avec tout le monde. C'est incroyable, les gens qu'on rencontre dans la rue. Le respect qu'ils ont à mon endroit me dépasse. Même les itinérants m'appellent «monsieur Bruneau».

> Ça nous a tellement permis d'être un couple plus fort.
>
> Pierre Bruneau

GJ Même chose. Je suis près de *L'Itinéraire,* alors ceux qui le vendent dans la rue viennent tout le temps me parler, veulent me donner le journal, me félicitent. Ça nous garde *groundés* et ça fait qu'on continue. Les gens sont très polis: «Bravo, continuez, on vous suit, on vous admire.» Ça, là...

... c'est du carburant.

PB Mets-en!

GJ Partout. Dans le métro, quelqu'un m'a donné un billet de 20 $: « Tiens, j'ai pas grand-chose, mais prends ça!» De quoi me mettre mal à l'aise. On ne peut pas se permettre d'arrêter.

PB Quand j'étais en banlieue, les samedis, je faisais du vélo. Des gens descendaient de voiture et venaient me porter un 20 $: «Pour vos œuvres!» [rires] Vos bonnes œuvres! Ça me faisait toujours rire. Alors pas question de lâcher.

GJ Idéalement, je vais mourir ici et c'est parfait.

Leurs modèles

Pierre, vous avez dit qu'à votre retraite vous iriez faire du bénévolat à l'étranger.

PB J'ai dit ça il y a quelques années. Depuis, la Fondation a pris de l'importance. Les attentes sont élevées. Alors on craint de me voir vieillir. [rires] Je ne sais pas si c'est la même chose chez toi, à la Fondation.

GJ « Gilles, as-tu pensé à la pérennité, à la relève ? » J'y pense tous les jours.

PB En même temps, ceux qui nous entourent souhaitent nous garder le plus longtemps possible.

Parce que vous êtes des modèles, non ?

PB Certainement pas ! On sait qu'on a une influence. C'est extraordinaire de la sentir. Mais notre préoccupation première est toujours notre cause. J'espère que d'autres vont venir après et faire mieux.

Avez-vous eu des modèles ?

GJ Bien sûr, ça prend des modèles. Sans modèle, c'est difficile d'avancer, mais les modèles, c'est transitoire.

PB Exactement. Je suis allé en journalisme parce que j'ai eu un prof de français, le père Saint-Amant. Un maître de salle extraordinaire. On se sentait égal. Quand j'ai commencé dans le métier, Jacques Morency m'a beaucoup influencé. La rigueur, ça te suit toujours. Quand est arrivée la maladie, il y a eu le docteur Demers. Avec lui, on a créé la Fondation Charles-Bruneau.

GJ Ce sont des gens qu'on rencontre sur notre parcours qui jouent un rôle de motivateur, qui servent d'inspiration. Ce qui compte encore plus dans mon cheminement, c'est les décisions que j'ai prises au bon moment. Il faut prendre le train quand il passe, parce qu'il ne repassera pas. Tous les trois ou quatre ans, j'ai changé de cap radicalement. Il y a des signes : t'es pas tout à fait bien, pas satisfait, c'est pas ça vraiment que tu veux faire. On m'a qualifié d'instable, de bohème, pendant quelques années.

PB En fait, tu cherchais la vraie voie.

GJ Ma femme – nous, ça fait 23 ans, c'est mon deuxième mariage – m'a dit : « Faudrait que tu écrives, parce que si tu n'écris pas, tu ne seras jamais crédible. » J'ai présenté mon premier manuscrit, écrit à la main, et elle l'a tellement critiqué, je l'ai mis à la poubelle ! [rires]

PB Ma femme et moi ne vivons pas un drame de la même façon. Elle s'est lancée dans le chant. Elle fait partie de bien des chœurs. Quarante ans qu'on est ensemble. Trente-sept ans que je suis à TVA, même heure, même poste ! Je ne suis tellement pas à l'image du Québec d'aujourd'hui. Stabilité au travail, stabilité en amour, stabilité dans une fondation. Comment puis-je être un modèle ? Les gens me disent : « C'est tout ce qu'on cherche à être, ce qu'on ne réussit pas à être. Quel est votre secret ? » Y en a pas de secret. On est heureux de même. On a toujours été très heureux, très proches. Les enfants – c'est encore par les enfants – nous ont fait grandir ensemble.

Le dépassement

**Pierre, vous recherchez constamment le dépassement.
Le Kilimandjaro, l'Everest, les tours à vélo.**

PB Les gens s'attendent maintenant à ça: «On a un projet. On le ferait si vous veniez.» Le Kilimandjaro a commencé comme ça: «Je serais prêt à organiser quelque chose pour vous, mais il faudrait que vous veniez.» Laissez-moi juste aller voir Internet. Le Kilimandjaro! [rires] J'ai embarqué. Ma femme aussi. Aujourd'hui, c'est devenu un mode de vie. Le tour cycliste, ça fait 18 ans. Ça permet des rencontres tellement extraordinaires. On parrainait cette année 75 enfants sur le parcours. Chacun des cyclistes avait un macaron avec la photo d'un enfant, et l'enfant avait la photo du cycliste. Ça fait un jumelage extraordinaire. On traite la maladie par la santé. Toujours des activités sportives, des activités de dépassement. Moi je dis tout le temps: «Tu montes une côte. Ah... tu la trouves difficile, mais tu baves sur le macaron de l'enfant qui, lui, en bave depuis qu'il a un nuage sur la tête. Alors, tes petites douleurs, tes petits problèmes sont minimes comparés à ce qu'il vit. Ça te ramène aux vraies valeurs, à toi aussi.»

GJ Je ne suis pas un grand sportif, mais j'ai fait beaucoup de vélo et du patin à roulettes. Là, je n'ai pas le temps, malheureusement.

PB Ne néglige pas ça, parce que ça nous aide à prolonger tout ce qu'on peut faire d'autre. Quand t'es en forme...

GJ On ne peut pas être plus en forme qu'en patin à roulettes! Il y a un sentiment de liberté, de folie aussi. Je suis un peu excessif. [rires] En même

Ce sont des gens qu'on rencontre sur notre parcours qui jouent un rôle de motivateur, qui servent d'inspiration.

Gilles Julien

temps, moi, il faut que je gère des émotions. Toi aussi. On est vraiment dans du lourd. Alors je fais de la sculpture sur pierre. J'ai commencé à m'y intéresser quand je travaillais chez les Inuits. À cause des tempêtes, j'étais souvent *pogné* dans les villages et j'aimais regarder les sculpteurs. Alors, j'ai suivi des cours, et c'est devenu une activité fondamentale. Je libère beaucoup d'émotions. J'ai des outils pneumatiques et des scies à diamant, c'est fou raide! La fin de semaine, j'essaie d'aller dans le bois. J'ai fait un sentier de sculptures, je bûche de six heures le matin à six heures du soir. Ça m'aide. En plein milieu du bois, je peux faire le bruit que je veux. Et j'exprime plein d'affaires. C'est très dur physiquement. La sculpture, c'est du travail de bûcheron.

PB C'est intéressant ce que tu dis là. Le matin, l'après-midi, des familles m'appellent et je vis leurs émotions jusque vers 14 heures. Je suis en ondes à 17 heures. Les gens qui m'écoutent ont tous leurs préoccupations. Souvent, je donne de la mauvaise nouvelle, alors je ne vais pas, en plus, faire passer mes émotions ou faire sentir mes états d'âme. L'activité sportive m'amène à gérer ça.

Les soupapes nécessaires

Est-ce parfois difficile de gérer ses émotions?

PB Il y a une gymnastique: rester dans l'instant présent. On a de petits tiroirs. Essayer de ne pas les verrouiller, mais les fermer. Ça ne donne rien que tout s'entremêle. C'est comme dans une pièce où tout est à l'envers: t'es à l'envers. J'ai une vie assez classée. Le travail, c'est le travail. L'émotion, c'est l'émotion. Mais parfois, inévitablement, les choses s'enchevêtrent.

GJ On est capables de compartimenter. J'ai aussi mes problèmes personnels, mais ça s'en va dans le tiroir. On ferme le tiroir et on est sur autre chose. C'est une force de pouvoir compartimenter parce que les gens, en général, mélangent tout. Et ils ont de la difficulté à gérer leurs émotions à cause de ça. On ne peut pas fonctionner bien si on est incapable de compartimenter.

PB On connaît tous des gens qui vivent des *burn-out*. Tu remarqueras – et je ne dis pas ça de façon péjorative – que souvent ils se dévouent à 100 % à leur travail. Ça va devenir leur seule préoccupation, excluant toute autre chose. Il suffit d'un petit élément déclencheur et ils sont complètement envahis.

Vous avez tous deux des soupapes.

PB C'est nécessaire.

GJ Ce sont des modes de régulation des émotions. Certains font du sport, d'autres, de l'art. La créativité m'a permis d'apprendre à gérer mieux mes enfants. Avant de sculpter, je ne fais pas de dessin ; je ne sais pas ce que sera ma pierre. Je rentre dedans, comme un vrai fou! Je la laisse s'exprimer. Les sillons, les veines. Elle me dit ce qu'elle veut être. L'enfant, c'est exactement le même phénomène. Je l'écoute et je vais aider à ce qu'on le façonne avec ses talents, ce qu'il veut être.

> J'ai une vie assez classée. Le travail, c'est le travail. L'émotion, c'est l'émotion. Mais parfois, inévitablement, les choses s'enchevêtrent.
>
> Pierre Bruneau

PB Tu interviens à un moment de sa vie où il est en difficulté. Même chose pour moi. Je rencontre les familles quand arrive un drame et après je n'en entends plus parler sauf si les enfants sont en phase terminale.

GJ Les enfants font leur chemin et reviennent si ça va mal. C'est comme une famille.

Êtes-vous heureux?

PB Oh, oui. Tous les jours. Je me lève le matin en disant: «Merci, mon Dieu, pour ce que j'ai. Merci, mon Dieu, pour ce que je peux être. Merci, mon Dieu, pour ce que je suis.» Le samedi matin, je suis à la maison de campagne au bord de l'eau. Il y a des terres agricoles devant nous et quand je me lève, je me dépêche de voir le soleil sur la rivière. C'est un privilège incroyable. Et le soir, le soleil se couche dans les terres agricoles. On voit les fermiers sur leurs terres. Je me pince tous les jours.

GJ C'est beau et je suis content d'être là.

PB C'est beau et je suis content d'être là.

GJ Ma vie est pleine, aussi.

PB Pleine d'autres choses! [rires]

GJ Ça va ensemble. Juste être là en extase, ça ne marcherait pas.

PB Je ne m'imagine pas prendre ma retraite et m'asseoir pour regarder le soleil se lever et se coucher! [rires]

GJ C'est ma pire crainte.

> # Je me lève le matin en disant: «Merci, mon Dieu, pour ce que j'ai. Merci, mon Dieu, pour ce que je peux être. Merci, mon Dieu, pour ce que je suis.»
>
> Pierre Bruneau

On vous imagine mal à la retraite.

GJ Vraiment pas pour moi. Un voyage organisé trois fois par année, non, non!

PB Non, non.

GJ Je fais tout ce que je veux, là. Je me sens tellement privilégié de pouvoir agir comme ça, avec un pur bonheur. C'est clair.

PB Une chose est claire dans mon esprit: on n'est pas éternel. Je me demande parfois si mes collègues américains ne sont pas empaillés. Je ne veux pas me rendre là, par respect pour ceux qui me regardent et pour mes collègues de travail. Il vient un temps sans doute où il faut céder la place. En même temps, je me dis: «Pourquoi j'irais m'asseoir à la maison, regarder quelqu'un faire le travail que j'aime, pour lequel je suis passionné?»

GJ On a une expertise incroyable. Avec les enfants, c'est comme le travail de la pierre. Des fois, je me questionne, je ne sais pas. Puis quelque chose se passe et je comprends, je sais où je m'en vais. J'ai une expertise, parce que je le sais qu'à la fin je vais y arriver. Il est très rare que ça n'arrive pas, mais des fois, c'est long. Je vois les jeunes qui ne comprennent pas trop comment je suis arrivé là. L'expertise qu'on a développée est précieuse, il faut l'enseigner.

PB La retraite à 55 ans, c'est épouvantable!

GJ Ça m'horripile. Si quelqu'un me dit : « Docteur Julien, je vais aller vous aider, à ma retraite, je vais avoir 55 ans l'année prochaine », je lui dis : « Non, viens pas. Je ne veux pas de vieux! »

[rires] Je ne veux personne à la retraite. Je l'ai essayé et ç'a toujours été désastreux. Vraiment. Comme s'ils lâchaient. En plus, comme société, on paie ça! Incroyable! On paie la vieillesse! On paie le monde à être vieux. Faut le faire. C'est Félix qui disait…

… la meilleure façon de tuer quelqu'un, c'est de le payer à ne rien faire.

GJ Exactement. Ça fait du monde vieux. On n'est pas fait pour être vieux.

PB J'aime mieux que ça ne soit pas dans mon vocabulaire. On regarde en avant, en face. Sans doute qu'il vient un temps où quelque chose nous appelle à autre chose, mais c'est pas une retraite. Je ne laisserai pas ce que j'aime pour aller m'asseoir à RDI ou à LCN faire les nouvelles le samedi et le dimanche. Si tu fais un deuil, c'est un deuil complet. Il y aura autre chose après.

GJ La pire chose qui arriverait, c'est que le Collège des médecins m'enlève mon droit de pratique parce que je suis vieux. Quoique si je ne vois plus, c'est correct! [rires] On ne peut pas se permettre, comme être humain, si on est en santé, de ne pas contribuer à la société, de passer le reste de ses jours à profiter de la société. C'est une notion contre-productive, qui n'a pas de sens pour une société saine. Il faut que cette notion soit revue. Les syndicats s'y opposent. Forcément. Jusqu'à un certain point, ils empêchent la société d'évoluer. Les syndicats ont été utiles, mais là-dessus, ils ne le sont pas. La mentalité « J'ai donné, donc je reçois », ça ne marche pas.

PB D'abord, on ne mérite rien.

GJ Exactement.

PB Je peux préparer un avenir, mais c'est pas parce que je l'ai « mérité ».

GJ Je ne tiens rien pour acquis, jamais.

PB Je ne dirais pas qu'on est assis sur nos lauriers, mais il y a une aisance. Quand on commence dans le métier, on est intimidé. Aujourd'hui, il n'y en a plus un qui va m'intimider deux secondes.

GJ J'étais très timide jusqu'à l'adolescence. Je fuyais le monde. Aujourd'hui, je rencontre le ministre des Affaires sociales, le ministre de la Santé, et ça ne m'intimide tellement pas! Ce que je trouve difficile à supporter, c'est les écarts. Je vois ma petite mère de 23 ans, avec deux bébés, qui ne mange pas à sa faim et qui me demande si je peux lui trouver des draps. Tout de suite après, je vois un grand donateur qui ne sait pas quoi faire avec ses millions. Je ne juge pas celui qui a de l'argent, je le trouve chanceux, et c'est correct.

PB S'il en fait profiter d'autres.

GJ Il y a beaucoup de misère. C'est inimaginable. Je suis privilégié de pouvoir voir ça quotidiennement. Mais ça vient me chercher. Quand l'itinérant te dit : « Tu parles de nous et on apprécie », c'est un cadeau monumental.

PB Je sais d'où je viens, je sais aussi où je veux aller. Wilson, un psychiatre américain, disait : « Le plus grand drame dans une vie, c'est de ne pas avoir vécu. »

GJ Se laisser aller et penser que la vie va le faire pour toi? Non, jamais. Faut tout construire.

> ## La vieillesse, c'est une notion, pas une réalité.
>
> Pierre Bruneau

Vous vous sentez tous deux en pleine possession de vos moyens.

GJ Totalement.

PB On a de l'influence dans notre milieu. De l'expérience. La communiquer est un autre défi.

GJ Comme société, on est tellement bête. On laisse partir des gens de qualité qui ont de l'expertise, qui influencent les jeunes. On perd la substance de la société, une continuité, en essayant de réinventer continuellement. C'est complètement débile, c'est pour ça que notre société n'avance pas.

PB Sur le dernier contrat que j'ai signé avec TVA, la date de fin est suivie d'un grand trait. Ils m'ont dit : « À toi de mettre la date. » [silence]

GJ Ouf... [silence] Ça ne doit pas arriver souvent?

PB Non. J'ai cette chance-là. Ils savent que je n'en abuserai pas. Mais il y a des clauses si je deviens capoté! [rires]

> La vieillesse, c'est vraiment dans la tête.
>
> Gilles Julien

La vieillesse

À quoi associez-vous le mot *vieux*?

PB Cent ans et plus!

GJ Même pas. On rencontre des gens de 30 ans qui sont vieux.

PB Tu as raison. Ça n'a rien à voir avec l'âge.

GJ La vieillesse, c'est vraiment dans la tête, à mon sens.

PB Une dame à Boucherville m'a écrit : « Ma mère célèbre ses 100 ans, au centre d'accueil. » Je suis allé la voir. Elle me connaissait parce que j'ai habité Boucherville. Elle me dit : « Ce que je trouve le plus difficile ici, c'est que les gens sont tellement vieux. » Elle, elle ne se considérait pas comme eux. L'an passé, j'ai été invité pour ses 105 ans ! Des parents me disent : « Je suis vieux. » « Quel âge as-tu ? » « Trente-huit ans » « T'es tombé sur la tête ! Sais-tu quel âge j'ai ? » Mais c'est ça, la vieillesse, c'est une notion, pas une réalité. C'est sûr qu'il y a un cheminement, une évolution physique. La vieillesse n'est que physique quand la santé ne va pas bien. Sinon, on n'est pas vieux. On n'est jamais vieux, à mon sens, quand on est alerte. Si on n'a pas de défis, pas de projets, on vieillit.

GJ Ça ne me fait pas peur, la vieillesse. Ça ne me dérange pas deux minutes ! J'y pense même pas, parce que je ne suis pas vieux. On parlait de l'exercice. L'année passée, je n'avais pas le temps de faire beaucoup d'exercice, je me suis acheté des *bounce fit*. J'ai appelé le gars qui fait ça à Toronto. Il venait justement à Montréal la fin de semaine suivante. J'ai chaussé ça au Reine Elizabeth, dans la grande salle, et je suis parti avec ! [rires] C'est comme si tu marchais sur un trampoline. Tous les matins à six heures, une demi-heure de sautillage! Ça nous grandit et on sautille comme des enfants. Un midi, je suis venu au travail avec mes bottes. Les employés ont tellement apprécié: leur patron, leur docteur Julien, fou comme un enfant! Ça met en forme, et tu retombes en enfance.

PB J'avais les deux genoux complètement amochés. À 50 ans, c'était tellement douloureux. L'arthrose. À 55 ans, deux prothèses complètes. Ça m'a remis au monde. J'ai – je touche du bois – zéro douleur. Rien, plus rien. Jamais mal aux genoux. Je monte trois fois par jour les 10 étages à TVA par l'escalier.

Quand je serai vieux, je...

PB Je continuerai!

GJ Je ne serai jamais vieux, je pense. [silence]

PB Ce n'est pas dans notre vocabulaire. En fait, c'était dans mon vocabulaire quand j'étais petit parce que mon père avait 50 ans quand je suis venu au monde. Ma mère en avait 46. Quand j'avais 10 ans, j'ai eu ma première paire de patins. Mon père est venu à l'aréna avec moi et il a attaché mes patins. Quand il est sorti de la chambre, les petits gars ont dit: «T'es chanceux, ton grand-père est avec toi.» Là, j'ai eu la notion de vieillesse. Quand j'ai rencontré Ginette – elle aussi, ses parents étaient âgés –, ça a cliqué tout de suite. On s'est dit: «Nous autres, on est faits pour être ensemble.» À 20 ans, on était mariés et à 23, on avait un enfant. Mais à 25 ans, j'apprenais que Charles avait le cancer. Depuis ce temps-là, je suis toujours à 25 ans.

GJ On est vieux quand on lâche. On peut lâcher jeune et là on devient vieux. Sinon, on n'a pas de raison d'être vieux.

Affronter la mort

Pierre, vous avez accompagné plus d'une personne en fin de vie.

PB Pour moi, l'humain est plus important que tout. Un jour, Robert, qui vendait *L'Itinéraire* en face de TVA, me dit: «Je rentre à l'hôpital. J'ai peut-être un cancer.» Une semaine après, j'apprends qu'il est en phase terminale, alors je suis allé le voir à l'hôpital Notre-Dame. Il dormait. Je lui ai juste frôlé la main et il a fait comme un saut. Je lui ai massé la main, un pied, et au bout de 10 minutes, il a ouvert les yeux. Le grand sourire. Je suis resté une demi-heure, puis je suis rentré chez moi. Vingt minutes après, Ginette reçoit un appel: la femme d'un homme qu'on connaît était, elle aussi, en phase terminale. Nous sommes retournés à l'hôpital. Les deux sont morts dans la nuit. Mes amis me disent: «Viens pas me visiter si je suis à l'hôpital!» [rires] Tout a commencé avec mon fils. À 12 ans, il savait qu'il allait mourir. Ma femme lui demandait s'il était inquiet, s'il avait peur. Moi, je n'étais pas capable. Elle lui a demandé: «As-tu peur de mourir?» Il lui a répondu:

On est vieux quand on lâche.

Gilles Julien

« Je te le dirai quand je serai prêt. » Quelques jours avant sa mort, il ne marchait plus, ou difficilement, il a fait le tour de la table en se tenant sur le dossier des chaises et il a dit : « Je sais que je vais mourir. Je veux être enterré avec mon corps parce que j'ai souffert avec mon corps. Je veux être exposé parce que je veux voir mes amis une dernière fois. Et je veux avoir mes funérailles dans la vieille église à Boucherville parce qu'elle est en avant du fleuve, et le fleuve, c'est la vie. » Il avait 12 ans ! [silence] On s'est regardés. C'est exactement ce qu'on a fait.

GJ Il avait pensé au processus.

PB Pensé, repensé... Ça a sorti d'un trait, comme ça. « Je veux voir mes amis une dernière fois. » Pas : « Je veux qu'ils viennent me voir. » C'était lui. Quand je rencontre des ados atteints du cancer, ils disent à leurs parents : « Je vais parler à Pierre. » Ils me posent toujours la même question : « Qu'est-ce que tu as dit à Charles en dernier ? » Je leur dis [silence] : le plus important, c'est ce qu'on va se dire, nous.

Vous ne répondez jamais?

PB Je les ramène à leurs propres préoccupations. Une ado de 16 ans m'a dit: « J'ai tellement peur que les gens m'oublient. » [silence] Son père était mort un an avant. Je lui ai dit: « Joanna, tu te rappelles, tu m'as dit que tu as souvent l'impression que ton père est là, près de toi. Crois-tu que tu as une âme? » Elle a répondu que oui. Alors je lui ai dit: « Moi, je pense que quand on meurt, notre âme éclate en millions de parcelles. Et chaque fois que quelqu'un pense à toi, tu reviens au monde à travers cette personne. » Elle m'a fait un grand sourire. Je venais de la libérer d'un poids. J'ai ajouté: « Je vais penser à toi tous les jours. » [rires] Elle riait.

GJ Il faut rire, hein?

PB Beaucoup.

GJ Je ris beaucoup aussi avec les enfants. Normaliser, dédramatiser: je suis toujours là-dedans. Des fois, c'est assez catastrophique et on finit par rire. Les mères pleurent, les pères sont tout croches, et on finit par rire. Là, on a réussi!

La vie doit l'emporter

GJ Même si je ne suis pas dans la thérapie du rire...

PB T'es pas le docteur Clown! [rires]

Vous êtes des passionnés.

GJ Comme ça n'a pas de sens!

PB On est de la même souche.

GJ Une passion nous anime. Elle pourrait nous empêcher de dormir! D'ailleurs, moi, à cinq heures, je suis debout et j'ai hâte. Je suis dedans.

PB J'ai une passion incroyable de ma profession et de l'engagement. Avec les années, j'ai appris à gérer les moments qui nous appartiennent comme couple et comme famille. Quand je pars deux semaines avec Ginette, je suis déconnecté de tout le reste. À vélo aussi. C'est ce qui me permet de me ressourcer. La passion s'alimente par plein de choses. Par notre entourage et par nos activités. Mais aussi par soi-même.

La passion s'alimente par plein de choses. Par notre entourage et par nos activités. Mais aussi par soi-même. Pierre Bruneau

Véro les photographiait dans la cour du centre de pédiatrie sociale, dans le quartier Hochelaga-Maisonneuve, sous le regard curieux du voisinage. Je pouvais voir qu'ils avaient refermé la parenthèse. Le tiroir. Les grands frères avaient la tête ailleurs. La première rencontre de ce livre venait de prendre fin. Pas de doute, il y avait beaucoup à dire sur l'âge et le vieillissement. M.C.

Louise
Portal
+
Janine
Sutto

Les femmes du 17ᵉ

Trois ans plus tôt, j'avais raté mon rendez-vous avez Janine Sutto. Je l'avais invitée à participer au tournage d'*Octos dynamos,* un documentaire consacré à quelques dynamiques octogénaires, parmi lesquels il y avait Antonine Maillet, Janette Bertrand, Monique Mercure, Richard Garneau et Edgar Fruitier, et il n'avait pas été facile de trouver un moment dans son horaire surchargé. Quelques jours avant le tournage, une fracture de la hanche l'avait mise au repos forcé.

Trop heureux de pouvoir rattraper une occasion perdue, je suis passé la prendre pour l'amener chez Louise Portal. Janine Sutto habite au 17ᵉ étage d'un immeuble situé tout près de l'oratoire Saint-Joseph. De sa fenêtre, elle ne le voit pas mais, dit-elle, elle le sent. Exposée au vent de ce début de novembre, des rafales à 90 km/h, la doyenne des acteurs québécois paraissait plus fragile que jamais. Menue, certes, mais d'une vivacité peu commune. Rien ne lui échappe.

Comme elle, Louise Portal habite au 17ᵉ. De chez elle, on domine le fleuve. Les deux comédiennes se sont installées au salon, et Louise a sorti un cahier, le 92ᵉ de ces cahiers auxquels elle se confie depuis des années. Quatre-vingt-douze, l'âge de Janine Sutto... Certainement un signe.

Louise Portal C'est un beau privilège de se rencontrer comme ça. On se croise toujours entre deux portes, comme deux soubrettes dans une pièce de Feydeau ou de Labiche. « Le maître vient de partir. Ciel ! Mon mari… » [rires] Mais on s'est toujours senties de la même essence, on est proches.

Parlons de l'âge

LP J'ai 63 ans.

Janine Sutto Et moi, 92.

LP Vingt-neuf ans d'écart !

JS Je t'ai enseigné au Conservatoire d'art dramatique. Tu m'as dit que c'était en 1971. Ça n'a pas de sens ! J'avais 50 ans.

LP Ça fait 42 ans et c'est encore « madame Sutto ». Je ne suis pas capable de la tutoyer et de lui dire Janine.

Et je dis Janine...

JS Ah ben, j'espère!

LP Si j'avais joué dans *Les belles-sœurs,* je l'appellerais Janine. [rires] Pour commencer, j'aimerais vous lire une page de journal. J'ai écrit ça en prévision de notre rencontre. «*Rencontre avec madame Sutto.*» Alors, on va respirer pour ne pas être trop dans les émotions. [Elle lit.] «*Faire cette rencontre en compagnie de Janine Sutto me ramène inévitablement à mes débuts, alors que j'étudiais au Conservatoire d'art dramatique et que madame Sutto était mon professeur pour le cours d'interprétation. Elle m'avait fait travailler Poil de carotte.*»

JS Qui était le contraire de toi.

LP «*J'ai quitté au milieu de cette troisième année. Ce qui a fait dire à madame Sutto, dans une entrevue pour* Échos Vedettes: «*Je viens de perdre ma meilleure élève.*» *Comme ce petit article m'avait fait plaisir. La reconnaissance, nous en avons toujours besoin. Au début d'une carrière et même longtemps après.* [sanglots] *Le temps a passé, j'ai vu mourir mon père, ma mère, ma sœur jumelle.* [sanglots dans la voix] *J'ai fait deux fausses couches et rencontré le grand amour.*»

JS T'as de la chance, ma belle!

LP «*Le temps m'a appris beaucoup sur moi, et sur la vie, et sur les autres. Qu'il ne faut pas se nourrir de regrets ni s'abreuver à la nostalgie. Vivre ici et maintenant est ce qui compte. J'ai fait mienne cette maxime: "Faire les choses autant pour sa réalisation spirituelle qu'artistique est la clé du succès." J'aime retourner à cette phrase qui m'accompagne depuis longtemps et me permet de vivre le processus et non le résultat. Une autre phrase fait partie de mon avancée intérieure: "Assieds-toi au bord du silence et Dieu te parlera. Pour rester dans l'écoute et la compassion, pour faire taire le verbiage mental, pour s'approcher un peu de la sagesse et de la sérénité." Le temps qui passe m'achemine vers cette lumière. On meurt comme on a vécu. J'espère mourir sereine et entourée d'amour.*»

JS Comme tu es raisonnable. Tu es Taureau.

LP [rires] Oui.

Parce que vous n'êtes pas aussi raisonnable?

JS Pas du tout. Moi, je suis Bélier. Vous savez, le genre qui fonce sur les portes ouvertes. C'est moi, ça!

Encore aujourd'hui, vous vous voyez ainsi?

JS Non, mais j'ai souvent été comme ça. On fonce sur quelque chose, on n'a pas assez réfléchi. La porte est ouverte, on n'avait pas besoin de foncer.

> Le temps m'a appris beaucoup sur moi, et sur la vie, et sur les autres.
>
> Louise Portal

LP J'ai foncé, moi aussi, sur des portes déjà ouvertes. Avec le temps, j'apprends à faire confiance. Ce qui a à être sera.

JS Sûrement. Ça t'a amenée à écrire, Louise, n'oublie pas ça.

LP Les mots m'aident beaucoup à comprendre, à calmer le cheval, le bélier ou le taureau. Je suis Taureau ascendant Bélier, j'ai quand même des cornes! Je fonce.

Croyez-vous vraiment à l'astrologie, à l'horoscope, ou est-ce un hasard de la conversation?

LP Je ne suis pas attachée à l'horoscope, mais dans ma nature, dans mon comportement, je retrouve des traits de caractère très proches de la description du Taureau. Je vois des affinités. Ce n'est pas tellement pour lire l'avenir.

Vivre ici et maintenant est ce qui compte.

Louise Portal

JS Moi... lire l'avenir. [rires]

Alors qu'en est-il quand on vous parle de projets de tournée ?

JS Quand on m'appelle, je dis : « C'est dans combien de temps, ça ? » Puis je dis : « C'est à vos risques, hein ! » Quand René-Richard Cyr m'a appelée pour me dire qu'on partait en tournée avec *Les belles-sœurs,* je lui ai répondu : « Si Dieu le veut ! » Qu'est-ce que tu veux que je dise ? Je ne veux pas les attrister, mais vraiment, je ne peux pas ignorer que j'ai plus de chances que vous de partir. Vous remarquez que je dis « chances ».

J'ai commencé à être bien vers 35 ans.

Janine Sutto

Lassée par la vie?

JS Non. Parce que j'ai mes petits-enfants, Mireille, Jean-François. Mais quand Catherine est partie, je serais partie avec. C'est très dur. Quand on a un enfant trisomique ou différent, on pense à tout ça. On pense qu'il vaudrait peut-être mieux qu'elle parte avant. Elle est partie. [silence]

Des regrets?

JS Pas de regrets, pas de nostalgie. Sauf les dernières années. Avec le départ de Catherine, ma vie a changé complètement.

À travers les âges

Vous rappelez-vous à quoi ressemblaient vos 63 ans?

JS C'était beau, 63! J'ai adoré tous mes âges. Mais je ne regrette pas mon adolescence. Vingt ans, je n'ai pas aimé ça. J'ai commencé à être bien vers 35 ans.

LP La vingtaine, c'est des années très difficiles. J'essayais de me réaliser comme artiste et comme amoureuse, mais je ne choisissais pas les bons compagnons. Je m'organisais pour prendre des hommes qui n'arrivaient pas à la cheville de mon père. De façon inconsciente.

JS Quand on a 20 ans, il y a une curiosité. Tu ne sais pas où tu vas, tu veux tout essayer. J'ai détesté ça, je ne le revivrais pas.

LP Des années de défrichement. Y a beaucoup de ronces, beaucoup d'épines. La trentaine, c'était des années de semence: commencer à s'aimer, se connaître. Quarante ans, c'était des années de récolte. À 50 ans, j'ai commencé à sentir que je pouvais redonner, enfin. Des années d'héritage.

JS T'as de la chance de penser tout ça.

LP L'écriture me porte à l'analyse. La soixantaine, c'est de belles années. On est plus serein. Tout devient bien plus léger, en vieillissant. [silence] On est moins à l'affût de ce que les autres vont penser. Dans le film *Les loups*, de la réalisatrice Sophie Deraspe, il y a des plans où je ne suis vraiment pas à mon avantage. Mais le personnage est tellement là: on voit Maria; Louise, on ne la voit plus du tout. L'âge et le vécu sont là. Je voulais qu'ils me fassent une cicatrice et ça marche. Il y a des actrices qui ne veulent jamais être laides.

C'est menaçant de laisser toute la place au personnage. Pourtant, c'est ça le métier d'acteur: laisser la place, se tasser, mettre tout son être au service de l'œuvre.

JS Moi, j'ai toujours été entourée de gens qui avaient besoin de moi. Pouvoir aider les autres, c'est ce qui est important.

C'est ce qui a défini votre vie?

JS Beaucoup.

LP Ça change, de ne pas avoir eu d'enfant et d'avoir vécu toute seule. Quand j'étais mélangée, essayer de me comprendre m'appartenait. J'ai beaucoup cheminé à cause de ça. Ma maternité, je l'ai toujours vécue à travers les comédiens, les comédiennes qui ont joué mes enfants. Et on a des préférés! Sébastien Ricard, Marie-Chantal Perron, Catherine Trudeau...

JS Tu les choisis bien! Tu n'as pas eu d'enfant, mais tu viens d'une grande famille, non?

LP Cinq enfants.

Tout devient bien plus léger, en vieillissant.

Louise Portal

JS Ah, non, c'est une petite famille.

LP La petite famille des années 50. Mon père vivait avec sa femme, ses quatre filles et en plus la grand-mère dans la maison. Arrive mon frère Dominique...

JS Ton père devait être aux oiseaux! Catherine a été le bonheur de ma vie. Ça n'a pas été une épreuve du tout, même si tout le monde considérait ça comme ça. C'était le contraire. **Vous dites volontiers que vous avez eu de la chance.**

JS J'ai beaucoup travaillé parce que j'ai eu beaucoup de chance. Choisir la bonne chose, c'est ça la chance dans la vie.

LP Vous croyez au destin?

JS Oui.

LP Il y a un destin. Comment se fait-il que ma route m'a amenée là? En plus, il y a toutes sortes de synchronicités. Les choses s'entremêlent. Le lendemain du décès de Pauline, ma jumelle, j'ai commencé à jouer dans un téléroman qui s'appelle *Destinées*. Mon personnage s'appelle Pauline, alors toute la semaine, le réalisateur m'a appelée Pauline. Savez-vous quoi? Ça m'a aidée.

JS Ce métier, tellement dur et terrible, a sa raison d'être. Il y a des choses qu'on trouve terribles et qui sont, en somme, profitables. Ça, ma petite Louise, c'est le cours de ta vie. Tu penses que ça va se passer comme ça, ça ne se passe pas du tout comme ça. Faut être prête à toute éventualité!

LP Quelque chose nous pousse à continuer d'avancer. [silence] Avoir une passion dans la vie, comme nous pour notre métier, c'est un privilège. Beaucoup de gens se lèvent tous les matins et vont faire quelque chose qu'ils n'aiment pas.

JS Je pense souvent à ça.

LP C'est une épreuve. Il y a tellement de matins dans une vie. Il faut être appelé vers quelque chose. J'ai le sentiment d'avoir réalisé ma mission de vie. Avez-vous ce sentiment?

JS Le seul moment où j'ai eu l'impression, plus

Choisir la bonne chose, c'est ça la chance dans la vie.

Janine Sutto

que l'impression, d'avoir fait quelque chose, c'est quand j'ai eu mes filles. Ça, c'est quelque chose.

LP On est-tu chanceuses !

JS Si on y va avec les comparaisons, on est très chanceuses. **Chanceuses, bien que vous ayez toutes deux perdu, il y a peu, une jumelle.**

LP Parfois, je traversais des choses difficiles avec Pauline et je vous croisais chez Jean Coutu. [rires et sanglots]

JS Pour nous, Jean Coutu, c'est quelqu'un de très important ! [rires]

LP [pleurs] Vous avez toujours été tellement encourageante : « T'en fais pas, Louise, ça va être correct. Ça l'a été pour moi. »

JS Le temps passe, tout passe. [silence]

LP Tout passe. Mais c'est inscrit.

JS Le temps atténue peut-être, mais je ne suis pas rendue là.

LP J'étais bien plus émotive que ça à ma ménopause. C'était effrayant ! Avez-vous déjà été pleurnicharde ?

JS Non, mais j'ai beaucoup pleuré au théâtre. [rires] Et comme actrice, et comme public. Comme actrice, c'est dangereux. C'est le public qui doit pleurer, pas nous. Ça, c'est difficile à comprendre.

Le temps passe, tout passe.

Janine Sutto

Quand vous allez au théâtre, vous pleurez aussi ?

JS Et je suis tellement contente ! Tout ce que tu demandes quand t'es assise dans le public, c'est qu'on t'entraîne quelque part.

LP Dans notre métier, plus on vieillit, plus on avance, plus on arrive à canaliser et à ne pas tout donner. Maintenant, c'est très rare que je pleure dans un rôle. L'élastique tire et je le retiens. La retenue, c'est plus fort encore.

Les deuils

Sage et sereine, Janine ?

JS Je ne veux pas l'être. Je ne suis pas sereine. La journée commence, il faut que je la prenne à bras le corps.

L'absence de sérénité vient-elle des limites que vous impose l'âge ou vient-elle du deuil ?

JS Le deuil. Vous êtes les seuls avec qui je parle de ça. Je n'en parle jamais.

Préférez-vous ne pas en parler ?

JS Non. C'est correct.

LP Tout le monde n'est pas capable d'entendre, d'accueillir ça. Quand t'es endeuillé – que ce soit d'un amour, de ta santé ou d'un être cher –, les gens sont toujours là pour te dire : « Regarde, ça va aller mieux » ou « Faudrait que tu passes à autre chose. » Comme si vivre un deuil était malsain. Mais vivre ça, c'est tellement intense.

Parfois, les gens fuient.

LP Ils ne savent pas quoi faire.

JS Je les comprends, d'ailleurs. Devant le deuil d'une amie qui vient de perdre son mari ou son père, on est démuni. Alors, je ne veux pas mettre les personnes près de moi dans une mauvaise situation. Je n'ai pas besoin de ça. C'est pour ça que… [silence] Mais qu'est-ce que tu veux, la vie est là.

LP Cette passion qu'on a pour la vie, pour les êtres, c'est une partie très intime, très secrète, qui n'appartient qu'à soi. Chacun la vit différemment. Je pense à Pauline qui est une partie de moi. J'ai un rituel, tous les jours. J'ai ma petite assiette. [Elle s'éloigne et rapporte une assiette, un autel à la mémoire de Pauline.]

JS Je crois à ça.

Tout ça, c'est Pauline ?

LP Oui. Avec le signet, Pauline et moi, petites. J'allume mon lampion tous les

> Dans notre métier, plus on vieillit, plus on avance, plus on arrive à canaliser et à ne pas tout donner.
>
> Louise Portal

matins. Ça a fait deux ans au mois d'août 2013.

JS On ne peut pas penser à ce qu'on va faire dans 20 ans quand on regarde ça. J'ai des choses comme ça à la maison.

LP De son vivant, j'allumais un lampion pour Pauline, pour être avec elle dans ce qu'elle traversait.

JS Quand je suis rentrée chez moi après mon séjour à Villa Medica, il y avait ma tasse et la tasse de Catherine dans la cuisine. J'ai eu une nausée et, depuis ce temps, je ne bois plus de café. C'est bizarre. [silence] C'est tombé sur le café, ça aurait pu tomber sur autre chose! [rires]

Une réaction physique.

LP Chargée de peine, de toutes sortes de choses. [silence]

JS On réagit d'une façon tellement bizarre.

Rassurant de constater qu'on réagit, non?

JS Absolument. De toute façon, c'est un manque, mais je ne peux pas dire que

La cause de Janine

Janine, vous êtes marraine du Baluchon Alzheimer. Pourquoi vous êtes-vous intéressée à cette maladie?

JS D'abord, à cause de Gilles Richer, l'auteur de *Moi et l'autre* et de *Poivre et Sel*. La dernière année de *Poivre et Sel*, on était sûrs qu'il faisait une dépression. Il n'arrivait plus à écrire. Il avait 49 ans. Tout à coup, il disait: «Où est-ce que je suis? Qu'est-ce qu'on fait, là?» Il est resté comme ça au moins deux ans. Ça été long: 10 ans. Mon frère a été Alzheimer pendant 11 ans. [silence] Les premières années, les gens ne s'en aperçoivent pas. Quand on a fêté mes 70 ans, personne ne pouvait se douter que c'était commencé, et pourtant... À l'époque, quand on prononçait le mot *Alzheimer*, tout le monde vous tombait sur le dos: «Voyons donc!» Quand j'ai vu que mon frère ne savait plus où était le téléphone, j'ai dit: «Vous savez, Alzheimer...» Je me suis fait injurier. Sa femme est morte avant lui, épuisée. [silence]

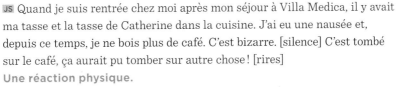

je suis triste toute la journée. Je ne suis pas triste. D'abord, je suis occupée. Moins, hélas, mais je fais une heure d'exercice par jour. Je ne voudrais pas être comme mon personnage de *Les belles-sœurs* dans son fauteuil roulant! Ce qui est embêtant, c'est que je ne peux pas sortir seule: j'ai peur du monde! Peur des gens. Pourtant, j'adore faire des commissions et j'aime les faire toute seule. [rires]

LP Quand on prend de l'âge, on perd certaines capacités. C'est un deuil chaque fois, ça aussi. Accepter, c'est ce que je trouve dur. Je n'ai plus 40 ans. On doit accepter les nouvelles réalités, constamment s'adapter.

JS C'est très difficile.

LP Quand je me lève le matin, j'ai mal aux pieds, aux genoux. Je commence à faire de l'arthrose.

JS C'est un autre aspect de la vieillesse. Je ne veux pas vous faire une conférence là-dessus, mais on veut prendre quelque chose en haut et non, on ne peut pas y arriver. Faut s'adapter. Comme actrice, déjà à partir de 40, 50, 60 ans, il faut s'adapter parce que les rôles changent. La carrière se métamorphose. À un moment donné, le téléphone ne sonne plus. Aujourd'hui, le travail ne peut être que restreint, je ne peux pas être sur une scène longtemps debout. Je trouve ça très, très, très difficile d'accepter la vieillesse. Heureusement que c'est graduel. Parce que si c'était d'un coup, personne ne résisterait. On mourrait tous, c'est certain. [Louise rit.] C'est vrai! Les forces s'en vont et le moindre geste demande tellement de temps. Je suis occupée toute la journée à vivre.

LP Tout est plus long.

JS Tout est long! Je fais mes exercices parce que je n'ai vraiment pas envie de m'en aller. J'ai une canne et je veux que ça reste une canne! Mais c'est difficile.

Vous avez une nature impatiente.

JS J'ai moins de patience.

LP J'ai beaucoup de difficulté à avoir une routine exemplaire. Je suis un peu paresseuse. Écrire mon journal tous les jours, aucun problème, mais faire mon yoga... Aller marcher, ça va. J'y vais le plus possible. Est-ce qu'il y a eu un âge ou un événement qui vous a fait dire: à partir de maintenant, y a des choses à faire?

JS Je me suis sentie vieille quand ma petite fille est tombée malade. [silence]

Quel âge aviez-vous?

JS Quatre-vingt-sept! [rires] Je ne me sentais pas vieille, moi, à 80. À 70,

> ## Je suis occupée toute la journée à vivre.
> Janine Sutto

on a fait un gros party. À 80 aussi. Je me suis occupée. Je suis intéressée par les gens.

LP Ça vous gardait dans l'énergie du moment. Être là pour l'autre donne un sens à nos vies, à nos heures, à notre cœur, à notre présence. On se sent toujours mieux après.

JS C'est certain, mais tout le monde ne peut pas le faire. Pour ça, c'est difficile de juger quelqu'un : « Me semble qu'elle pourrait s'occuper de... un peu plus... » Non, parce qu'on n'est pas à sa place. On est tous tellement différents. Si une personne fait quelque chose qu'on ne peut pas faire, ce n'est pas qu'elle est meilleure, c'est qu'elle a une force.

Il faut considérer le parcours de vie, la génétique, l'histoire familiale.

JS Avant 87 ans, quand on me demandait d'aller dans les résidences parler aux personnes âgées, je ne voulais pas : qu'est-ce que j'allais leur dire ? [rires]

Vous ne vous sentiez pas concernée ?

JS Non. Je me sentais gênée devant des gens avec des marchettes. Tu leur dis : « Il faut marcher. Tous les jours. » T'as l'air bête !

LP Ça m'arrive de faire des conférences dans des foyers pour personnes âgées. J'aime beaucoup ça. Je leur chante des chansons qu'elles ont aimées dans leur jeunesse. Je leur parle de mon parcours de vie, et ça les intéresse parce que j'ai une vie trépidante d'actrice.

JS Vous savez, s'occuper des autres est quelque chose de magnifique, mais parfois la dame assise là n'a pas la force de s'occuper des autres. Ou elle n'a pas l'élan. Et culpabiliser les gens, c'est abominable.

LP Les gens, ce dont ils ont besoin, c'est d'être inspirés. Pas qu'on leur donne des leçons. Juste exprimer quelque chose. Tant mieux si nos mots ou notre rayonnement inspirent. Quand on vit le moment présent dans une rencontre, c'est inspirant. C'est ça qu'il faut cultiver.

Parlons d'amour

Heureuse, Louise ?

LP Très heureuse. À 43 ans, j'ai rencontré Jacques, un homme exceptionnel. On est complémentaires. Il me comprend, me respecte, me permet d'être totalement moi-même. On a pris la décision d'être toujours ensemble. Notre slogan, madame Sutto, c'est : « On préfère être ensemble. » Jamais je ne

> Les gens, ce dont ils ont besoin, c'est d'être inspirés.
>
> Louise Portal

sens que je n'ai pas mon espace de création. Si je pars à l'étranger faire un film, il vient avec moi, mais il ne vient jamais sur le plateau de tournage. Il fait ses affaires. Il y a des choses que je ne ferais pas si Jacques n'était pas là. On joint toujours l'utile à l'agréable. Je me sens mieux dans ma peau qu'à 40 ans. Vraiment mieux. Je m'accepte dans mes beautés et dans mes manques, et je suis plus en harmonie avec la femme que je suis. Quand j'ai lu votre biographie, j'ai vu à quel point l'amour avait été important dans votre vie. En même temps, c'est déchirant, c'est difficile, l'amour.

JS C'est difficile pour les gens qui sont avec toi, mais on ne peut pas avoir de regrets.

LP Vous avez connu l'amour-passion. Avez-vous connu le grand amour?

JS J'ai eu trois grands amours. Je regrette, mais c'est trois. Ça fait drôle de les compter. J'ai cessé d'être en activité, si vous voulez. Un jour, l'amour ne m'a plus intéressée. Ça ne m'intéresse plus du tout. Mais c'est pas tout le monde, ça, Louise. Décourage-toi pas! [rires]

LP Quand Lise Payette a perdu son compagnon, Denise Filiatrault lui a dit: «Lise, tu as connu un prince. Quelle chance!» Je voyais qu'elle n'avait pas connu ça.

JS Ah! Denise! Des fiancés, toujours des fiancés. [rires]

LP J'avais envie de parler d'amour parce que je pense que pour être une bonne actrice, il faut avoir vibré à l'amour. J'ai été une grande amoureuse, et ça m'a beaucoup servi dans mes incarnations. Ça m'a nourrie dans ma vie littéraire, dans ma vie d'actrice aussi. À 23 ans, je me suis fixé une règle; j'y ai failli une ou deux fois, pas beaucoup plus. Ne pas mélanger l'amour avec le travail. Trop compliqué. Je ne dis pas que je n'ai pas eu de béguins pour des partenaires – on vit tellement de choses intimes, surtout quand on travaille de nuit –, mais c'est terrible! Je suis raisonnable, hein?

JS C'est ton côté Taureau.

Doit-on comprendre que vous l'avez moins été?

JS Moi? Non. [rires]

LP Elle est plus coquine que moi. [rires] Vous le dites très bien dans votre biographie.

> ## Je me sens mieux dans ma peau qu'à 40 ans.
>
> Louise Portal

Le goût du partage

JS Dis-moi, ma petite Louise, quand as-tu commencé à faire des conférences?

LP En 2001, avec mon premier roman, *L'enchantée.*

JS Je l'ai lu.

LP J'ai été invitée à donner des conférences dans des bibliothèques. Je chante,
je lis des extraits de mes livres, je raconte des anecdotes, je peux jouer une
scène, faire un personnage. On me dit qu'on n'a jamais vu un auteur faire
des conférences comme les miennes. Savez-vous ce que j'ai réalisé? Tous
mes talents pouvaient être au service de la prestation. La chanteuse, la
communicatrice, l'actrice, l'écrivaine. Mes conférences m'ont permis de refaire
de la scène. L'année dernière, j'ai fait ça pour une coopérative funéraire. J'ai
parlé du deuil de Pauline, de mon père, d'un livre qui s'appelle *L'Angélus de mon
voisin sonne l'heure de l'amour.* C'est sur le deuil, tous les deuils qu'on doit faire
dans la vie. Quand on m'invite, je demande toujours aux gens de me créer un
petit décor: un fauteuil, un guéridon, un paravent, une plante verte, une lampe
torchère.

Janine, Louise demeure votre «petite Louise»?

JS Je ne peux pas m'empêcher de dire ça.

LP C'est tellement touchant! [sanglots] Et madame Sutto, ça devient comme
une maman, une grand-maman. Moi, je suis «sa petite Louise». C'est un
cadeau de la vie. Quand je vois André Melançon, il me dit toujours: «Allô, p'tite
sœur!» Je suis restée sa petite sœur depuis le film *Taureau.* Ça fait 40 ans!

Je ne suis pas comme mon amie Janette Bertrand. Elle, 125 ans, ça ne lui fait pas peur.

Janine Sutto

JS Pour ce qui est de ma biographie, je mets un bémol. C'est vu par mon gendre*. En passant par ses yeux. Jean-François Lépine est journaliste. Il cherche les pourquoi. Tu dis : « J'ai mal aux genoux, ce matin. » « Pourquoi ? » C'est ça, Jean-François. Moi, au contraire, j'ai enlevé le mot *pourquoi*.

LP C'est mieux de s'interroger sur le comment des choses, parce que ça nous aide à y remédier. Le pourquoi est en dehors de nous. C'est un peu fataliste.

JS Quand on vieillit, Louise, on cherche. Comment peut-on s'améliorer ?

LP Avant 50 ans, pfft ! N'importe quel homme qui m'aurait plu, j'aurais pu le séduire. C'est quelque chose pour une femme de réaliser que ce temps est révolu. La séduction change de territoire.

Le regard des hommes change.

JS Est-ce que tu sens le regard des autres ? Moi, je ne voyais pas ça. [rires]

LP Je le sens encore, mais c'est vrai que c'est différent. Il a fallu que je m'adapte. Moi, de toute façon, je prends toujours un peu d'avance. À 57 ans, j'ai commencé à dire que j'allais avoir 60. Et Jacques me disait : « Louise, attends ! » Je me préparais. Quand j'ai eu 60 ans, j'étais à Boston, le téléphone a sonné et mon agent m'a dit : « Tu viens d'avoir un rôle. » Ce jour-là, le Canadien a gagné. C'était vraiment plaisant.

Si je vous souhaite de vivre jusqu'à 100 ans, Janine...

JS Non. Je n'y tiens pas du tout.

Vous y voyez une malédiction ?

JS Ne me souhaitez pas ça. Je trouve ça dur. Mon deuil m'a vraiment terrassée. Et j'ai eu cette fracture à la hanche qui m'empêche de vivre une vieillesse un peu plus facile. Naturellement, à la maison, je connais le terrain. D'ailleurs, je deviens une vraie spécialiste des terrains. Mais 100 ans, mon Dieu ! Je ne suis pas comme mon amie Janette Bertrand. Elle, 125 ans, ça ne lui fait pas peur. Mais moi, ne me souhaitez pas ça. [silence]

LP J'espère me rendre jusqu'à 83.

JS Pourquoi 83 ?

LP J'ai toujours dit ça. C'est un chiffre qui a monté en moi. Ma mère est morte à 58, mon père à 60, ma jumelle à 60 ans. Je suis en supplémentaire. [rires] J'ai le goût d'aller vers les 70 ans et j'aurais le goût des 80, vivre ce qu'il y a à vivre là. Je veux vivre en santé. Continuer d'être active. Vivre comme madame Sutto, dans mon appartement, avec des amis, des projets.

* C'est à Jean-François Lépine que l'on doit la biographie de Janine Sutto, *Vivre avec le destin.*

Quand on vieillit, Louise, on cherche. Janine Sutto

Louise Portal et Janine Sutto ne manifestent pas leurs émotions de la même façon. L'une pleure sans retenue. L'autre s'efforce de demeurer en contrôle de ses émotions. Elles sont d'ailleurs apparues ainsi au début de la séance photos, du moins jusqu'à ce qu'une émotion très forte les connecte. Le temps d'un éclair. Véro a croqué l'instant. Les femmes du 17e se sont tues. Que dire de plus sinon qu'on venait d'assister à un rare moment de communion entre une jumelle orpheline et une mère en deuil d'une de ses jumelles. M.C.

Les vieux amis

Dans la bouche de Marcel Sabourin, un rien peut devenir un moment merveilleux. Sa capacité d'émerveillement semble sans limites. D'ailleurs, il dit les plus jolies choses qui soient à propos des gens qu'il aime. C'est d'ailleurs ce qui me plaît chez lui. Sa générosité sans calcul. Son authenticité. Ses emportements. Et même son imprévisibilité. Il y a quelques années, au bout de deux heures d'entrevue, il m'a regardé droit dans les yeux et m'a annoncé, le plus sérieusement du monde, qu'il fallait tout reprendre de zéro. S'agissait-il d'un caprice? Non. Même qu'il avait raison! La deuxième fois, c'était beaucoup mieux.

Quand je lui ai proposé un tête-à-tête avec Gilles Vigneault, il s'est tout de suite emballé. Son vieil ami est l'une des rares personnes avec qui, croit-il, il peut discuter sans craindre de prendre trop de place. Gilles Vigneault nous a donné rendez-vous à Saint-Placide, dans les Basses-Laurentides, dans un ancien restaurant dont il a fait son lieu de travail. À peine arrivé, Marcel Sabourin, encore sous le choc de la mort du cinéaste Michel Brault, enterré la veille, a fait cette mise au point : plus jamais il n'assisterait à des funérailles. Sa décision était sans appel! Trop éprouvant. Valait-il mieux quitter ce monde le dernier par égard pour ses amis ou partir le premier pour n'avoir plus à revivre le deuil et le chagrin? La question n'a pas été résolue. Un long silence s'est engouffré dans la pièce. On n'entendait plus que le tic-tac de l'horloge. Rencontre d'exception avec deux monuments de la culture québécoise.

Marcel
Sabourin
+
Gilles
Vigneault

Ils se souviennent

Vous connaissez-vous depuis longtemps?

Gilles Vigneault [silence] Oh...

Marcel Sabourin Tu commençais à chanter dans une boîte à chansons à Québec. Je revenais de Paris, et Lise Lebœuf me dit : « Je connais un ancien instituteur, qui a chanté pour la première fois hier. Et une de ses chansons, c'est *La Pitoune.* » Ah ben, eille! Vite, on y va. Le soir même, je me rends à la boîte à chansons et je découvre Vigneault. J'en reste tout à fait baba. Mais il ne chante pas *La Pitoune.* [rires]

GV J'ai peut-être chanté *Jos Monferrand* ?

MS Je crois que je l'ai entendue par la suite, à ton premier spectacle à Montréal. Ça m'a reflanqué à terre!

Vous êtes allé le voir dans les coulisses?

MS Ce qui s'est passé est extraordinaire! J'en reviens pas.

GV En 1960?

MS Probablement. Je lui ai dit « Vous n'avez pas chanté *La Pitoune* ! » « Je peux bien vous la chanter. » Gilles fredonne *La Pitoune*. Il voyait mon air perplexe: « C'est pas la bonne *Pitoune*. » « Comment ça, pas la bonne *Pitoune* ? » Ah ben, maudit! Monique Miville-Deschênes avait écrit en même temps que Gilles une chanson intitulée *La Pitoune* ! Là, Gilles m'a invité: « Avez-vous quelque chose à faire ? Retournez-vous à Montréal ? » J'ai dit non. « Venez donc prendre un verre chez nous. » Je l'ai suivi, il m'a lu une pièce de théâtre qu'il avait écrite. Je ne me souviens plus exactement de ce que c'était, mais j'ai pas trouvé ça très bon. Je le lui ai dit, avec un bon p'tit verre de vin, et un autre p'tit verre de vin, et un p'tit verre de scotch. Gilles m'a dit: « Ah, bon! » et il m'a chanté autre chose. Je suis parti de là à quatre ou cinq heures du matin.

Depuis, vous ne vous êtes jamais perdus de vue.

GV Non.

MS On a écrit ensemble. On ne s'est pas chicanés. Jamais.

GV On est capables tous les deux de revenir sur nos positions et de se regarder. Quand on écrit, il faut toujours avoir l'œil critique. Si on ne l'a pas, on n'écrit pas longtemps ou on écrit mal. [silence]

MS Il n'y a jamais eu un mot plus haut que l'autre. Pourtant, on peut être bouillants ! Je n'ai jamais eu peur de lui enlever sa place. Pourtant, je parle beaucoup et très fort.

GV Tu exagères un peu. [rires]

MS Du tout. Tu vois comment il est ? Généreux. En même temps, quand il te laisse la place, t'as jamais peur d'en prendre trop, parce que tu sais très bien qu'il est capable d'en prendre une aussi grande, sinon une plus grande. C'est comme jouer avec un pro au tennis, tu n'as pas peur de lui faire des coups de cochon, tu sais très bien qu'il va aller chercher la balle et te la relancer. [rires]

Sages réflexions

Vous êtes de « vieux amis ». Vieux, ça vous va ?

GV On n'en prend pas ombrage. Parler de vieillesse et d'âge, ça me fait toujours penser à un arbre. Il y a une métaphore que j'aime bien à ce sujet. La métaphore de la feuille de peuplier, très, très, très haut dans le ciel. Les racines vont assez profond dans la terre. Un moment donné, une branche du peuplier penche tellement avec le vent qu'elle va toucher la terre. La petite feuille voit de gros membres, des veines qui vont dans la terre. Elle dit: « Mais qui es-tu ? » L'autre répond: « Je suis vos racines. » « Mais tu es toujours dans la terre comme ça ? » « Oui. Des fois, je sors un peu, mais très peu. Rarement. D'ordinaire, je vais encore plus profond dans la terre. » « Oh ! Que ça doit être difficile à vivre ! Dans le haut de l'arbre, on est toujours dans le vent, et c'est le bonheur. On a le soleil, la pluie, le soir, les étoiles. » Elle se vante de toutes sortes de choses. Et la racine répond: « Je comprends ! On reparlera de tout ça, ensemble, à l'automne. » [Silence, puis Marcel rit.]

Parler de vieillesse et d'âge, ça me fait toujours penser à un arbre.

Gilles Vigneault

Tout est dit.

MS Ça m'a fait grand plaisir de venir faire un tour! La sagesse... maudit que c'est beau! Gilles a toujours une manière extraordinairement terrestre, terrienne, et de mer aussi, de raconter des histoires. Moi, je suis né à Montréal et j'y ai vécu toute mon enfance.

Vous partez fort!

GV Petite métaphore qui nous dit à la fois la jeunesse, la frivolité, le rêve et l'espoir. Et la poésie qu'il y a à être en haut de l'arbre et dans le vent. En même temps, elle nous dit: «Mais d'où viens-tu, petite feuille parfois orgueilleuse et prétentieuse? N'oublie jamais de respecter ceux qui sont en dessous ou ceux qui sont venus avant.» Pour moi, c'est une leçon d'histoire parce qu'on est porté à croire que tout ce qu'on fait, c'est du nouveau. En général, ç'a été fait, plusieurs milliers de fois. Souvent, ç'a été bien fait et pas reconnu. D'autres fois, mal fait et très reconnu. Mais ç'a été fait. Donc, tenir compte du temps passé, c'est respecter son devenir. Respecter tout ce qui va venir après.

Ce n'est pas de se dire vieux ou de constater qu'on est vieux qui est dangereux et qui appelle la mort. Ce n'est pas de parler de la mort qui est dangereux. C'est de n'en pas parler et de croire que ça ne viendra pas. Ça, c'est inquiétant. On peut voir la vieillesse de toutes sortes de façons. J'ai entendu un homme – pas très âgé, il avait 60 ans, un jeune, quoi! – [rires] et qui m'a dit: «Ah! La vieillesse! Vieillir, cher monsieur, c'est mourir à petit feu.» Ça dépend de l'attitude qu'on a avec la vie et de l'attitude que la vie a eue pour nous. Il y a des gens pour qui vieillir, c'est mourir à petit feu. Ils ont commencé très jeunes à mourir à petit feu.

MS Y a des gens pour qui vivre, c'est vivre à petit feu.

«La sagesse... maudit que c'est beau.»

Marcel Sabourin

GV Vivre à petit feu, c'est mourir à petit feu! Il y a des gens qui n'ont pas eu le choix de vivre à petit feu toute leur vie. La mort devenait une délivrance.

MS Peut-être que personne n'a le choix.

GV Personne n'a le choix. Mais quand on a eu une vie raisonnablement heureuse et fructueuse, quand on a eu une enfance, une véritable enfance, quelle chance!

Ce n'est pas donné aux sept milliards qui sont sur la planète. Je viens d'écrire une chanson bilan, *Inventaire*. Je regarde ce qu'est la planète aujourd'hui. Sept milliards d'humains… Il y en a au moins un milliard qui n'a rien dans les pieds, rien sur la table et pas d'avenir. Pas de devenir. On n'a pas l'air de le remarquer ou de s'en préoccuper. Ces gens-là, ce serait nous autres, si on était nés dans ces pays-là. [silence]

Nés ailleurs.

GV Nés ailleurs. On a une chance incroyable d'être nés dans un lieu et à une époque où il n'y a pas de guerre. Quand on lit, quand on voit ce qu'est la guerre, et surtout quand on se la fait raconter par des humains qui l'ont vécue, on pense autrement. On en a peur autrement. Tous les deux, on est nés à une époque de paix relative. Moi, c'était la grande débâcle de 1929, mais chez nous, on ne vivait pas plus riche avant qu'après. Il y avait du poisson dans la mer, du gibier dans la forêt, et tout le monde avait un toit au-dessus de la tête. Pas un loyer qui vient tous les mois. Pas une fin de mois inquiète.

Une vie sans grande inquiétude.

GV Presque sans inquiétude. Sauf: qu'est-ce qu'on va faire à l'avenir? Quand on dit une vie sans inquiétude, on oblitère le fait qu'il y a des rêves. Dans toutes les vies, il y a des rêves énormes de réalisation de soi-même. Les rêves, on les oblitère au début: «Tu ne feras pas ça. Tu ne réaliseras pas ça.» Moi, je rêvais d'étudier. Monseigneur Labrie avait trouvé que, d'après le père Jean-Marie Hulaud, le curé, j'avais quelque talent et que ce serait bien de m'envoyer au collège. Je suis allé au séminaire de Rimouski, j'y ai passé huit ans dans l'espoir, toujours pour monseigneur Labrie et le père Hulaud, que je devienne…

MS Que tu écrives une messe… Excuse! [rires]

GV Ç'aurait été un mauvais cadeau à faire à l'Église et je l'ai expliqué à monseigneur. Il a compris. Il m'a dit: «Gilles, fais ce que tu veux, mais fais quelque chose de ta vie.» [silence] Là, j'ai pris leçon. Je suis allé le voir sur son lit de mort et je lui ai dit ce que j'avais fait de ma vie. Il m'a dit: «C'est bien, Gilles. Continue.»

L'heure des bilans

Regardez-vous souvent derrière?

GV Oui, oui, oui, oui. C'est prudent! Va voir d'où tu viens!

MS C'est la seule façon de voir le «Je me souviens». «Je me souviens»

> Tenir compte du temps passé, c'est respecter son devenir.
>
> Gilles Vigneault

points de suspension... pour aujourd'hui et demain. Si on se penche sur le passé avec mélancolie et qu'on se dit que le bon temps était dans ce temps-là, c'est inutile et même nuisible à ceux qui vivent maintenant.

GV Oui. Étymologiquement, *mélancolie* signifie « bile noire ».

Vous n'êtes pas mélancoliques.

GV Pas du tout.

MS Je ne braille pas sur mon passé.

GV Si on me disait : « Tu vas recommencer », je dirais non. Je suis bien, maintenant. Je ne voudrais pas être jeune, maintenant. Ah ben non !

MS Moi, je signerais pour 1000 ans, n'importe quand.

GV Moi aussi. Mais je ne repartirais pas.

MS Ce serait difficile. J'enseigne à des gens qui ont 20 ans, 25 ans. Ils sont tellement plus étonnants, plus créatifs, plus merveilleux, plus ouverts.

GV Ils ont plus que le droit, mais as-tu vu les inquiétudes qu'ils ont ? Est-ce que t'avais peur pour la planète, toi ?

MS J'ai toujours eu peur pour la planète. Quand j'étais au collège, il y avait la bombe. Je connais un médecin, un homme extrêmement froid vis-à-vis de la vie, de tout, intelligent, brillant, qui s'est fait construire un abri atomique. Je suis tombé de ma chaise quand j'ai appris ça il y a quatre ans ! Il est mort depuis longtemps, sinon je lui aurais téléphoné pour qu'il me raconte.

GV C'était de l'angoisse.

MS Au collège Sainte-Marie, les jésuites nous disaient : « N'oubliez pas qu'il y a une épée de Damoclès sur la planète. » C'était la bombe atomique.

GV L'épée est toujours là.

MS À ce moment-là, il y avait le petit bouton rouge. Et le téléphone rouge. Maintenant...

GV ... il y a des garde-fous, mais...

MS Ça fait de moi un optimiste. C'est pour ça que je signerais pour 1000 ans, parce que ça n'a tellement plus de rapport avec l'anxiété, l'angoisse dans laquelle ont vécu les humains jusqu'à maintenant.

GV Tu signerais pour 1000 ans ? Moi aussi, mais on ne signerait pas pour 1000 ans de maladie.

MS Ah ben non !

GV De décrépitude.

MS En forme, comme je suis maintenant. Comme on est. Parce que j'ai un maudit fun. [rires]

GV Ce qui est embêtant avec « vivre 1000 ans », c'est…

Parce que vous y avez pensé avant aujourd'hui ! [rires]

GV Je l'ai même écrit. Ce qui est embêtant, c'est qu'il y a un moment où on vit dans un cimetière.

MS Non, Gilles ! Si on vivait 1000 ans, les autres ne mourraient pas non plus, on inventerait des planètes artificielles où on *pitcherait* le monde. Peut-être qu'on vivrait sur une planète artificielle qui serait pour notre âge.

GV Euh… Qui c'est qui va nourrir tout ce monde-là ?

Ça va être compliqué !

GV Y a des complications, quand même.

MS Oui, mais est-ce qu'il y a un moment dans la vie, et surtout dans la vie de l'espèce, où il n'y a pas eu de complications ? [rires]

GV Non et heureusement. Les complications ont amené le développement.

Aimeriez-vous être jeunes aujourd'hui ?

MS Moi, jamais !

GV Pas du tout. Ça aussi, c'est compliqué.

MS S'il ne s'agit pas de redevenir jeune d'un coup de baguette magique. Si l'expérience du monde s'est forgée semaine après semaine, année après année, alors oui, n'importe quand !

GV Parce que tomber là-dedans…

MS Catastrophique ! Je n'ai pas de cellulaire, pas d'ordinateur.

GV Je n'ai pas ça. Je n'en éprouve pas le besoin.

MS Exactement.

GV Un de mes jeux préférés est le Scrabble. Alors, j'ai un iPad et je joue au Scrabble. Je ne m'en sers pas pour autre chose. Ça me paraîtrait absolument vain. J'écris encore à la machine à écrire ou à la main. J'ai un ami à l'hôpital, à qui j'écris depuis trois semaines. Je lui envoie des lettres écrites à la main, à

l'ancienne, et pour le faire sourire, il aime ça beaucoup, je lui ai envoyé ma dernière en alexandrins. J'ai fait ça pour Marcel même s'il n'était pas malade.

Vous lui avez écrit en alexandrins ?

GV Plusieurs fois.

MS [rires] Ça, c'est Vigneault !

GV Parce que c'est très amusant, c'est un jeu. Et amuser Marcel, faire plaisir à Marcel. [rires]

MS Tu vois la générosité dont on parlait tout à l'heure.

Le temps, l'amour et l'amitié selon Gilles Vigneault

Y a-t-il un mot plus important que «temps» dans votre vocabulaire?

GV Oui, «femme». Mais je n'ai pas toujours le temps! [rires] Pour écrire une lettre à l'ancienne manière, ma mère prenait son temps. Elle pensait longtemps [silence] à ce qu'elle allait dire. Elle pensait à son destinataire. Ma mère prenait du beau papier, autant que possible. On peut écrire une lettre sur du papier d'emballage, ma mère n'aurait jamais fait ça! Elle se serait privée d'autre chose pour aller acheter du beau papier pour écrire une lettre. J'ai ses lettres. [silence] Il m'arrive de les relire. Elle avait été maîtresse d'école. Elle avait une très belle main d'écriture et des notions de français qui m'ont beaucoup appris. Elle avait le goût d'écrire, de bien écrire. Elle m'a appris ça. Une lettre comme ça, y a un temps pour l'écrire, un temps pour y penser avant, un temps pour trouver le papier, l'enveloppe, un temps pour l'adresse, parce qu'aujourd'hui, l'adresse, on la perd facilement. Et on la poste. C'est du temps, tout ça. Après, pour que le destinataire reçoive la lettre, ça prend toujours ben quelques jours. Encore du temps. L'autre, il reçoit la lettre. «Oh! Un tel m'a écrit!» [silence] Il ne l'ouvre pas à la course, précipitamment. Il sait qu'il l'a, la lettre. Il n'y a pas de presse. Des fois, il dit: «Je vais me réserver ça pour ce soir. Je vais me la garder.» Et le soir, il l'ouvre et il la lit. Tout ça, c'est encore du temps. Le ou la destinataire jouit de tout le temps dont on a parlé. Et il y a autre chose. Le propriétaire, maintenant, de la lettre ne la jette pas tout de suite, par respect instinctif pour l'ami qui lui a écrit.

Vous accordez de la valeur à l'amitié.

GV C'est tout naturel quand on est aimé, et moi, j'ai beaucoup de gens qui m'aiment. Ça m'étonne encore. Ça me plaît beaucoup et ça me fait vivre. L'amour fait vivre celui qui est aimé. Il fait parfois vivre et mourir celui qui aime. Tout ça, c'est du temps. Le temps d'écrire le mot *amour*, en y pensant avant et en pensant après à ce qu'on a écrit.

GV Il y a un côté ludique, pour moi, dans l'écriture. Nommez-moi ceux qui gardent les textes à l'ordinateur ou qui les relisent? [silence] On met ça à la poubelle, aux archives, parce que c'est un truc dans lequel il n'y a pas d'ingrédients vraiment précieux pour la communication humaine. [silence]. Il n'y a pas de temps inscrit dans ça. C'est vite.

Le défaut des mécaniques d'aujourd'hui est qu'elles nous volent du temps et nous disent: «T'as pas le temps, ça presse.» Et quand on tente de répliquer, la mécanique nous dit: «Ah oui, mais j'additionne plus vite que toi! Je livre plus vite que toi. Je soustrais et je divise beaucoup plus vite que toi. Dépêche-toi, t'es en retard!» On nous dit ça tous les jours. Les publicités disent aux jeunes : « Eille, ta voiture, c'est pas la plus vite, regarde celle-ci, tu vas voir. Tu vas aller beaucoup plus vite… vers la mort. Tu veux pas essayer ? » Voilà ce que nous disent ces machines. Ce sont des progrès extraordinaires, j'admire ceux qui savent s'en servir, mais…

… vous ne les enviez pas.

GV La machine a mis l'homme à son service, complètement, semaine et dimanche. Vous savez, quand on avait le jour du Seigneur, le seigneur, sacrement [il frappe la table], était celui qui se reposait. C'était pas le Seigneur en haut, mais le seigneur d'en bas qui avait une journée pour se reposer. Aujourd'hui, le seigneur, il ne se repose plus ! Il n'a plus le droit. Il ne se repose même pas à table au restaurant, parce qu'on l'appelle. Il répond. J'ai essayé de dire ça dans une chanson, *Une journée sans portable*. La chanson a bien pris. Mais les machines continuent d'avancer à grande vitesse.

MS J'espère ! [rires] Si tout s'arrêtait, ce serait épouvantable, quel cataclysme ! Tout ce qu'il dit est tellement plein de sagesse, de vérité et de réel. Un jour, j'étais au hockey avec quelqu'un dans les grosses, grosses, grosses affaires. Et il y avait les grands téléphones, les grands portables, les premiers qui pouvaient communiquer à distance. Il me dit : « Excuse-moi, je suis obligé d'aller faire un téléphone. » Ah bon, OK. C'était avant le match. Après la première période : « Excuse-moi, je dois faire un téléphone. » Troisième période, un téléphone. Et après : « Excuse-moi, je dois faire un téléphone. » Pas une période ou un entracte où on

a pu jaser. Et je lui ai dit : « Tu fais du téléphone en maudit ! » Il dit : « Marcel, j'étais en communication avec New York, Vancouver et ici. Il y avait une quinzaine d'avocats dans ces divers bureaux. On vient de régler une affaire. Il y a un an à peine, ça nous aurait pris peut-être un mois, avec 140 avocats, des avions et toutes les dépenses que ça engage. » J'ai dit : « Je suis ben content pour toi. »

GV [frappe sur la table] Mais c'est prodigieux !

MS Je me suis mis à penser : si on fait ça en médecine, quelles maladies vont pouvoir se guérir, d'un laboratoire à un autre, entre Bangkok et l'Amérique du Sud, de jour, de nuit ? Moi-même, j'ai été sauvé. J'ai eu une septicémie à cause d'une appendicite qui s'était développée au mauvais endroit. Très rare. Je suis allé voir mon médecin de famille un samedi matin : « Ça fait deux jours et deux nuits que je n'ai pas mangé, pas dormi, c'est effrayant. » Il a dit : « D'après moi, vous faites une appendicite rétro-cæcale, j'en ai fait une au

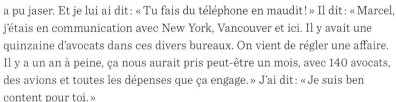

L'amour fait vivre celui qui est aimé.

Gilles Vigneault

Si tout s'arrêtait, ce serait épouvantable, quel cataclysme !

Marcel Sabourin

collège et j'ai failli mourir parce qu'on ne pensait pas que c'était une appendicite. Vite, à l'hôpital. Voici un billet.» Le chirurgien ne m'a pas cru parce que mon médecin de famille avait 70 ans! Il a chiffonné le papier et l'a jeté dans la poubelle. Et j'ai été opéré. J'allais casser la baraque, juste à cause de la fièvre. C'était une appendicite rétro-cæcale. Septicémie, trois microbes. Les médecins en avaient éliminé deux grâce aux antibiotiques. Deux jours plus tard, j'étais toujours alité, je faisais toujours de la fièvre. La microbiologiste vient dans la chambre avec ma femme, Françoise, et me dit: «Il y a un troisième microbe qu'on ne peut pas accrocher.» J'ai dit: «C'est grave, ça?» Elle dit: «On en meurt.» [rires] Merci beaucoup.

Ça fait longtemps?

MS Vingt ou vingt-cinq ans. La microbiologiste ajoute: «Mais ne vous en faites pas, on est en communication avec l'Université de Chicago et telle autre université, et on va trouver.»

GV Ils ont trouvé.

MS Dans la soirée même. Et l'antibiotique. Deux jours plus tard, j'étais bien.

GV On n'a pas à dire que du mal de ces patentes-là. Parfois, je dis que c'est extraordinaire de se contredire.

MS Tout de même, j'apprécie le temps et la lettre écrite.

GV Je vais vous donner un autre exemple, intéressant quand même. Un de mes neveux va sur la Côte-Nord avec sa fille de 14 ans et une de ses amies. Au bord du fleuve, y avait de la vue. Le fleuve, 40 milles en face, 40 milles d'eau, pis des bateaux. Il demande: «Dormez-vous?» Les filles ne dormaient pas. Elles jouaient avec leurs appareils et toutes les deux communiquaient entre elles dans la voiture tout le long du voyage. Il leur a dit: Regardez, on descend sur la Côte-Nord, regardez la vue!»

MS Un des plus beaux paysages du monde.

GV Il me racontait ça, scandalisé. Elles vont apprendre plus tard qu'il y avait de quoi à voir, mais elles ne l'ont pas vu.

MS On était niaiseux, nous autres aussi, à cet âge-là.

GV Il ne s'agit pas d'accuser les petites, mais d'avouer que ces machines-là nous jouent des tours et nous accaparent énormément. Si vous mettez votre mémoire dans votre ordinateur et décidez que votre ordinateur va se souvenir de tout, un moment donné, vous n'aurez plus de mémoire. L'ordinateur

va prendre votre mémoire. Il ne s'en servira pas, mais vous ne l'aurez plus. Je trouve ça un peu inquiétant. Mais il y a des choses tellement rassurantes dans tout ça.

Parfois, je dis que c'est extraordinaire de se contredire.

Gilles Vigneault

Des avancements.

GV Ça me rappelle une anecdote de mon père qui m'avait touché et vous comprendrez très bien que je ne dis pas du mal de mon père en contant ça. En 1969, le 21 juillet je crois, les Américains ont débarqué sur la Lune. Moi, j'avais un télescope à Natashquan et je regardais la Lune. Je ne les ai pas vus débarquer, mais je savais dans quelle mer ils allaient atterrir. Et j'ai dit à mon père que les Américains venaient de débarquer sur la Lune. Là, mon père s'est penché vers moi: «Tu peux nous dire ça à nous autres, mais parle pas de ça ailleurs!» C'est dire que la technologie a dépassé…

… l'entendement.

MS L'entendement, même des gens sages.

GV De ben du monde.

MS On est à une charnière. La plus importante depuis l'invention du feu. Et le feu, ça a pris des milliers d'années avant de se digérer. Aujourd'hui, on doit digérer des affaires aussi étonnantes que le feu. Le nucléaire. Les textos et toutes les machines. Se servir du quantique. Ce quantique qui défie toute façon de l'inspecter. On sait que ça marche, mais on ne sait pas comment ça marche.

GV Ni comment ni pourquoi.

MS Alors, c'est très difficile de digérer ça à mesure. Et surtout, plus tu vieillis – quand t'es rendu un peu pépère, comme Gilles et moi –, plus c'est indigeste. Pour les jeunes aussi. Ils ne s'en aperçoivent pas, mais c'est très indigeste parce que leurs parents leur ont fourni une vision du monde totalement différente de celle qu'ils connaissent.

Vous venez d'un monde où il n'y avait que la radio.

MS [rires] On n'avait même pas la radio!

GV Du Mexique, par exemple, je peux avoir une communication vidéo absolument normale avec ma petite-fille de cinq ans. Téléphoner à grand-papa, elle l'a fait elle-même. On se parle en se voyant! Avec le iPad.

> On est à une charnière. La plus importante depuis l'invention du feu.
>
> Marcel Sabourin

MS Tous les 5 ans ou tous les 10 ans, ça change complètement. Ce n'est pas la dynamique que nous avons connue avec papa, maman, grand-papa et grand-maman. Rien à voir. Il faut en inventer d'autres. Je fais confiance aux gens, ils vont inventer des dynamiques différentes tous les 10 ans, mais où ça s'en va? De toute manière, d'où venons-nous? Et là, on a une opinion légèrement différente, Gilles et moi.

Deux conceptions

Gilles est croyant.

MS Gilles est croyant; moi, total athée.

GV On vient d'une explosion d'un point de l'univers il y a 13 milliards d'années et des poussières. Mais avant, il y avait encore autre chose.

MS Deux cent mille explosions. Cent mille big bang. Cent quatre-vingts milliards de big bang…

GV On ne le sait pas.

Vous n'étiez pas là? Vous qui êtes là depuis toujours!

GV Mais monsieur, j'étais là en devenir! En puissance.

Selon vous, *vieux* est un mot positif?

MS Très positif. Je suis de plus en plus heureux.

GV Pense à un vin vieux, un vieux bois, un vieil arbre. C'est pas détestable, un vieil arbre.

MS Jamais je ne penserais à un vieil arbre.

Vos références sont souvent en rapport avec la nature ou de type scientifique.

MS Deux affaires m'ont bouleversé, passionné quand je les ai entendues pour la première fois et ensuite pour la douzième fois et la centième fois.

GV J'ai hâte de voir.

MS En regardant par une certaine lentille, on a pu s'apercevoir, aidé peut-être par des intuitions des présocratiques, des gens vivant il y a 3000 ans, qu'on n'était pas le centre du monde, qu'on était plutôt dans un système solaire, une galaxie, des galaxies, cent mille, cent millions, cent milliards de

J'entre dans une rage é-pou-van-ta-ble [rires] quand je pense à cet effort immense déployé pour le bien de l'humanité dont on ne parle pas.

Marcel Sabourin

galaxies avec cent milliards d'étoiles chacune. Les scientifiques peuvent le montrer, le prouver.

GV Oui.

MS Avec une autre lentille, on peut regarder le plus petit, les petites *bibittes* qui nous rendaient malades. Les microbes, les bactéries. On voit l'atome, de petites particules élémentaires. On enregistre des millions de collisions à la seconde dans un accélérateur long de 27 kilomètres au CERN (Organisation européenne pour la recherche nucléaire) dont on ne parle jamais. Grâce au boson de Higgs, dont les journaux ont parlé pendant deux jours. Pourtant, le CERN accueille plus de 6000 savants. C'est effrayant! [Il crie.] J'entre dans une rage é-pou-van-ta-ble [rires] quand je pense à cet effort immense déployé pour le bien de l'humanité dont on ne parle pas parce qu'il n'y a pas de conflit, pas de bataille.

Bref, l'infiniment grand et l'infiniment petit.

MS Ma conclusion, vraiment, c'est que les deux plus grands philosophes du monde, ce sont les deux lentilles: la grande et la petite. Pour voir l'immensité et l'immensité d'en bas, du petit. Nous sommes faits de ça. NOUS SOMMES DIEU. Même si Dieu, ça ne veut plus rien dire. Toutes les bactéries qui s'échappent de ma bouche, les millions de bactéries qui s'envolent chaque seconde, c'est Dieu *itou*! Et ce qu'il y a entre les bactéries, c'est Dieu. En haut comme en bas, partout, en long et en large, on est dans du divin total.

GV Comment ne pas...

MS ... comment ne pas être heureux le matin quand je me dis ça dans mon lit, ben étendu. Wow!

GV Avec tout ce qu'il vient de dire, comment ne pas croire?

Ça vous amène à cette conclusion?

GV Moi, ça me fait ça. Croire m'aide à vivre. Ça me permet de jouer sur les mots et de dire que ce n'est pas loin de croître. [rires]

Alors croire, c'est grandir.

GV Ça m'aide à croître. Pourquoi je m'en priverais? [silence] Nous sommes tous entre deux éternités. Et je vis un instant précieux en ce moment, alors que je suis obligé de penser à tout ça. Ce qui fait que le centre de l'univers est ici. [silence] Ici, en ce moment, mais ailleurs aussi.

MS Il n'a pas de centre.

GV Le milieu de l'univers est partout dans l'univers. L'infini, de tous les côtés.

MS Ça, c'est nos conversations téléphoniques. On se parle pendant une heure de ces affaires-là.

> Croire m'aide à vivre.
>
> Gilles Vigneault

De poésie et de silence

GV Y a pas plus poétique que le boson de Higgs. La poésie, pour moi, est une saisie du réel. Une captation vidéo, audio et tout ce que tu veux du réel. On arrive à traduire ça en mots. Tout le réel est poétique. [silence] Ce qui n'est pas de la poésie, c'est plus facile à trouver.

MS Le *fake*! [rires]

GV La fausseté. Le mensonge poétique.

MS Le *make believe*, la poudre aux yeux, le fabriqué.

GV Le mensonge poétique n'a rien à voir avec la poésie. Ah, tiens, je vais aller chercher ça, ça sera pas long. [Il s'éloigne et prend quelques livres dans la bibliothèque.]

MS [imitant un présentateur télé] Attendez, il revient dans quelques secondes! C'est tes œuvres complètes, ça, Gilles?

GV Jusqu'à maintenant. Laisse-moi finir! [Il lit.]

Qu'est-ce que poésie
sans vos yeux pour la lire?
Que dit le mot poème
à la page tournée?
Et que dit le mot cœur
si vous n'entendez pas
dans les bruits de la vie
que c'est pour vous qu'il bat?

Pour moi, c'est la définition simple, naïve, mais valable de la poésie. La poésie, c'est pas du rêve. C'est pas les deux pieds dans les nuages, c'est les deux pieds sur terre. Tout ce que faisait mon père était poétique. Tuer pour se nourrir est poétique. [silence] Mais il y a quelque chose de plus poétique que tout ce que j'essaie de dire là, c'est ceci: ... [long silence]

MS C'était ça.

GV Le silence. Le silence, en amour, en dit plus que les mots: « Le vent ne sait pas faire un miroir avec l'eau. » On est bavards [rire de Marcel], mais on est capables de silence. Et d'apprécier le silence. C'est pourquoi quand on fait explosion de blabla et de mots comme cet après-midi, y a qu'une manière de payer ça : le silence. Mais il ne faut pas se taire avec les gens qu'on aime. Ils vont avoir l'impression qu'on les boude. Il faut parler un peu. Même si ça ne se voit pas, je suis très souvent silencieux.

MS Ah oui !

GV Ma femme dit, et sa femme aussi, je suis certain : « Qu'est-ce que t'as ? Tu dis rien. Ça fait une heure que tu dis rien. » Et quand on dit : « J'avais pas grand-chose d'intéressant à dire », c'est pas vrai non plus. C'est simplement qu'on se ramasse. On se recueille. On prend le soin de cueillir en nous ce qu'il y a de bon.

MS On cueille nos framboises, nos petits bleuets.

GV Et nos dérives personnelles. [silence]

On parle métier

Marcel aime se représenter dans son lit en homme qui ne fait rien.

MS Mais je fais !

GV Penser, c'est de l'ouvrage !

Il tient l'affiche de *L'autre maison*, il joue dans *Les Parent* et dans *Toute la vérité* et il est monté sur scène dans le cadre du Festival international de littérature. Gilles n'est d'ailleurs pas en reste.

GV Je suis en train de faire un nouvel album* et j'ai 18 chansons. Je vais en laisser tomber une demi-douzaine, et on va sortir les meilleures. Là, je travaille sur un refrain qui dit :

> *Dès qu'il est près d'un ruisseau*
> *Le nomade est sédentaire*
> *Il doit respecter la terre*
> *Il ne peut vivre sans eau*
> *Tête à tête ou côte à côte*
> *nous sommes les cosmonautes*
> *d'un seul et même vaisseau.*

Je cherche un refrain pour remplacer ça dans ma chanson *L'inventaire*. Je veux essayer de dire l'état du bateau. Il s'en va droit vers un désastre parce qu'on le pollue et on le cochonne. On se conduit avec la Terre comme avec un vaisseau qu'on aurait l'intention d'abandonner bientôt : c'est très inquiétant. Alors, je cherche un refrain qui [il frappe dans ses mains] cogne dur et que le public soit obligé de reprendre avec moi. Obligé de retenir. Et un moment donné, de se dire : « Qu'est-ce que je suis en train de dire là ? »

MS Qu'est-ce qu'on crie quand le bateau est en perdition ? Le cri ultime... Il y a un peu de ça dans ton refrain.

GV À l'abordage ! Non, non... mayday.

* L'album *Vivre debout* est sorti en avril 2014.

> On prend le soin de cueillir en nous ce qu'il y a de bon.
>
> Gilles Vigneault

Après tout ce que vous avez fait, vous pourriez l'un et l'autre vous asseoir sur vos réputations.

GV On serait mal assis! [rires]

MS La sienne est épouvantable!

Bref, vous avez encore beaucoup à faire.

GV D'abord, on n'a pas envie de s'asseoir. Si ce qu'on a fait ne nous donne pas de vitamines pour courir plus vite pour aller ailleurs, marcher, simplement, c'est très bien. C'est même mieux, on va plus loin à la longue. Mais ce qu'on a fait, c'est pas grand-chose.

MS C'est ben ordinaire. Je parle pour moi. Lui, c'est extraordinaire!

GV Je parle pour les deux.

MS Il est généreux. Je peux m'arrêter demain matin, et ça ne me fera rien du tout.

GV Moi aussi. Pas d'état d'âme.

Vous pourriez vous arrêter.

GV Je pourrais, mais je n'arrête pas. On prétend tous les deux qu'on peut arrêter et on est sincères.

MS Mais c'est pas vrai! [rires]

GV On est honnêtes, mais c'est pas vrai.

MS [rires] Mais c'est bien possible. Je l'ai déjà fait. J'ai très souvent tout arrêté.

Longtemps?

MS Un mois.

GV J'ai arrêté de donner des spectacles parce que j'ai fait une pneumonie.

Le bonheur selon Marcel Sabourin

Marcel, vous donnez des spectacles-conférences dans lesquels il est question du bonheur. On doit prendre le temps de respirer. Crier lorsque ça ne va pas.

MS Ça, c'est important. Quand j'ai appris la mort de Michel Brault, j'ai pris mon stylo et pendant deux heures, j'ai écrit: « L'univers, mange de la marde! » Je le disais et je l'écrivais dans tous les sens. Une tablette, 20-25 pages! « L'univers, mange de la marde. » Ça inclut évidemment Dieu, s'il existe [il crie]: « Mange de la marde! » Parce que c'est ce qu'il y a de plus difficile en vieillissant: les êtres qu'on aime meurent. Tout ce qu'on absorbe, il faut l'évacuer. Dans tout ce qu'on absorbe, il y a beaucoup de choses positives qui peuvent s'évacuer dans l'amour, dans la joie des petits bébés, avec la poésie. Les affaires négatives, on les vomit.

GV On a à digérer et à évacuer beaucoup.

Au bout de trois mois, je devais donner un spectacle à Saint-Eustache. Le jour où je partais répéter, ma femme m'a dit: «Qu'est-ce que t'as?» J'ai dit: «Ça ne me dit plus rien. Je trouve ça vain.» Elle a dit: «Vas-y pas!» J'ai annulé parce que je n'avais pas le goût de le faire. Et je m'étais toujours dit, plus le goût de le faire, de répéter, de faire de la tournée, j'arrêterai certainement. Je ne vais pas arrêter dans une espèce d'apothéose [silence, puis avec emphase, il ajoute]: «Oh! J'arrête!» De toute façon, c'est extrêmement prétentieux de dire: «Je ne donnerai plus de spectacles.» Les choses peuvent tellement changer. La vie évolue. Un moment donné, une gang de jeunes arrivent ici: «Monsieur Vigneault, on a besoin que vous donniez un spectacle à telle place.» Je ne suis pas capable de dire non. Je ne suis pas capable parce que je me refuse à moi-même.

MS Ben oui.

GV Je refuse à celui que je fus.

MS Et à celui que tu es.

GV Absolument! Je vais accepter. Donc, c'est prétentieux de ma part de vouloir arrêter telle chose. Il peut arriver n'importe quoi qui me donne le goût de remonter sur scène, de retourner. Pas de faire des tournées. Même là, je ne veux pas m'avancer. Je ne saute pas *La danse à Saint-Dilon* aussi haut que je l'ai déjà fait. Ce n'est pas souhaitable non plus, ni nécessaire!

Est-ce si grave?

GV Y a des choses de faites qu'on ne peut pas refaire.

La transmission

L'un et l'autre, vous enseignez, vous transmettez.

GV Tu viens au mot principal de mon occupation, et je te remercie de l'avoir prononcé. Le peu que nous avons accumulé en petit bagage dans le baluchon, chaque année, chaque spectacle, chaque conférence, chaque lecture, chaque rêvasserie, chaque marche qu'on a faite, le peu que nous avons accumulé là-dedans, c'est poli de le transmettre à ceux qui sont intéressés. S'ils sont intéressés, quel bonheur! La transmission, c'est ce qui devrait occuper tous les vieux. Tous ceux qui sont un peu plus jeunes en dedans, parce que la jeunesse, c'est une chose qui s'apprend. Malheureusement, on l'apprend tard. [rires]

MS En transmettant, on devient beaucoup moins vieux. Toi, tu as enseigné plusieurs années.

GV Sept ans.

MS Imagine! Le goût de la transmission, on le doit à ceux qu'on a vus faire.

La transmission, c'est ce qui devrait occuper tous les vieux.

Gilles Vigneault

J'ai eu chez les jésuites un professeur, un « enfanteur », un accoucheur, un très grand pédagogue, Jean-Marie Duclos. J'avais commencé à étudier le théâtre et je me disais : « Je veux faire ce qu'il fait autant que d'être acteur. Peut-être même plus ! » Le père Duclos nous a éveillés à l'écriture, au monde, à la créativité. Eh bien, j'ai fait ça. Je n'ai pas dépensé beaucoup d'énergie pour le faire : ça s'est fait. Comme l'École nationale de théâtre était fondée à ce moment-là, j'y ai enseigné. Je n'avais pas la patience de Gilles, sans doute. Jamais je ne m'imaginerais enseigner dans une école avec des heures précises. Moi, j'entrais quelque part et toutes les heures allaient revoler ! J'étais tout à fait de mon époque.

GV Qu'est-ce qu'on essaie de faire avec de la transmission ? Dire comment on a vécu aux jeunes et aux moins jeunes qui vont aller visiter la maison à Natashquan. Et d'où nous vient le goût d'écrire. Ça part de quelque part. Tout part de quelque part et de quelque chose. Je me plais à dire aux jeunes que je rencontre en atelier : « Avez-vous remarqué l'étonnement que vous n'avez pas et que vous devriez avoir chaque jour ? La chance que votre petit spermatozoïde a eue de rencontrer et de percer le bon ovule ! » Eille ! C'est pas gros, ça. J'ai regardé au microscope. C'est pas de l'infiniment, mais c'est du petit. Et vous voici !

MS On se passionne pour l'évolution.

Comment qualifieriez-vous le plaisir que vous éprouvez à travailler avec des jeunes ?

GV Le plaisir qu'on y prend, c'est le plaisir qu'ils y prennent. [silence] Si ça ne les intéresse pas, il n'y a plus d'enseignement, plus de pédagogie, plus de communication, plus de transmission, donc plus de liaison.

MS Comme dans ton métier, de toute manière. [silence]

GV On prend le bonheur qu'ils y trouvent et le bien qu'ils croient y trouver. Et c'est un enchantement que de se retrouver le soir après une belle séance avec des jeunes qui ont posé les bonnes questions et qui ont posé les mauvaises, auxquelles on a répondu de toute manière autant qu'on pouvait. Je leur dis souvent : « Écoutez, je vais faire semblant d'avoir la réponse, parce que votre question est tellement belle, tellement intéressante, tellement chargée, que je n'arriverai pas avec mon stock à la combler. Mais quand même, je vais essayer. » Et là, j'essaie de répondre, des fois par le biais, des fois en faisant un grand détour avec une métaphore, et d'autres fois directement.

Vous vous aimez beaucoup.

MS On est de grands amis. De ma part, c'est facile. Qui ne respecte pas Gilles Vigneault ? [rires] La partie est très inégale. [rires]

GV Bon, Marcel exagère, mais on l'aime de même ! Je suis haï aussi. On ne peut pas plaire à tout le monde et à son père.

MS Donne-moi les noms, je vais faire quelques appels !

Je me plais à dire aux jeunes que je rencontre en atelier : « Avez-vous remarqué l'étonnement que vous n'avez pas et que vous devriez avoir chaque jour ? »

Gilles Vigneault

On est de grands amis. De ma part, c'est facile.
Qui ne respecte pas Gilles Vigneault ? Marcel Sabourin

Nous les avons regardés s'éloigner dans la lumière ocre
du soleil couchant, appuyés l'un sur l'autre. L'image était belle.
Véro aurait pu les photographier. Elle s'en est abstenue.
Tant mieux d'ailleurs. Ce moment n'appartenait qu'à eux. M.C.

France Castel + Louise Forestier

À la seconde où France Castel est arrivée chez Louise Forestier, j'ai su qu'il s'agissait du match parfait. L'évidence même. À les voir ensemble, on croirait qu'elles se connaissent depuis toujours. Au fait, depuis quand se connaissent-elles? «C'était avant *Starmania*», dit l'une. «Dans un *Bye Bye,* non?» risque l'autre. «Celui de 1978?» «À moins que ce soit avant…» Dans le doute, elles concluent que cela fait certainement 40 ans, puis elles éclatent de rire. D'un de ces rires homériques qui nettoient tout. Affaire classée!

Confidences autour d'une théière sous le regard d'Émile, le chat de Louise Forestier. La chanteuse a beau l'apostropher avec bonne humeur chaque fois qu'elle cherche à échapper à une question, il ne lui est d'aucun secours.

Les deux bolées !

Rire avec cœur

Quand je pense à vous, c'est d'abord votre rire qui me vient à l'esprit.

France Castel Ah, c'est bon! [rires]

Louise Forestier Pas besoin de dire un mot, juste besoin de rire.

FC Si je n'avais pas accès au rire, je serais morte!

Vous avez toutes deux un rire caractéristique.

LF On rit de bon cœur!

FC On rit grassement, disons-le! On ne rit pas à peu près!

Dans le vif du sujet

Louise, votre âge vous plaît-il?

LF Depuis que j'ai 60 ans, je suis bien. Ça a pris 60 ans avant que je comprenne comment marchait cette *game*-là.

On ne vous l'avait pas expliqué?

LF On ne m'a pas élevée. Mes parents étaient très occupés par leur propre mal de vivre. Pas des mauvaises personnes, mais ni l'un ni l'autre n'aurait dû avoir d'enfants. Deux célibataires très instruits pour l'époque. J'ai tout appris sur le

tas. Sur mon propre tas aussi! [rires]

Vous avez déjà dit que la cinquantaine avait été épouvantable. Pourquoi?

LF À cause de la maudite rupture. Sinon, ç'aurait été bien! [rires] C'est pas vrai pantoute!

FC À chaque rupture, c'est le métier qui rentre.

LF Mais y en a une qui nous met à terre. Si on n'a pas compris après ça... Mon problème, c'est que je ne le sais pas si j'ai compris ou non parce que je n'ai pas eu l'occasion de pratiquer. Des fois, je dis à Chose en haut: « Envoie-moi quelqu'un, rien que pour voir si j'ai compris. » [rires]

FC Juste pour vérifier.

LF Voilà! Donc, c'est un bel âge, maintenant.

France, votre âge vous plaît-il?

FC Comme Louise, je dirais. Attends, j'ai quel âge, là? Depuis mes 60 ans, mon appréciation de la vie est plus claire. Les premiers deuils sont pas mal faits, mais j'arrêterais ça là! Pas que j'arrêterais de vivre, mais j'arrêterais le processus du vieillissement. Pas l'expérience.

Pas la vie. [Louise est d'accord.] Je resterais comme ça, 20 ans s'il le faut.

LF La déchéance physique, c'est terrible!

FC On est juste avant. [rires]

LF On est dans la jeunesse de la vieillesse.

FC Oui. Je voudrais vivre aussi longtemps que je suis autonome. Et en santé. Après, peut-être que je changerai d'idée. On ne le sait pas, c'est fort la vie.

LF Je ne voudrais pas vivre aux prises avec une maladie quelconque.

FC On veut vivre malgré tout.

Pensez-vous souvent à ce qui vient, à ce que l'âge vous réserve ?

[Louise n'y pense pas.]

FC J'ai commencé à y penser parce que ma mère est partie, mon père

aussi. Deux de mes sœurs, un frère, un beau-frère. Des amis. Donc, on ne peut pas ne pas y penser. J'ai des amis qui ont l'Alzheimer. Plein de personnes autour de moi ne s'en sortent pas bien. Alors, évidemment, on projette. Et si c'était moi ? Comment je réagirais ? Ben, je le sais pas ! J'y pense chaque fois que la vie m'y oblige. Sinon, je ne m'arrête pas là-dessus. Mais je ne suis pas dans le déni. Je sais très bien qu'une décrépitude s'en vient. Je suis en contact avec tout ça. Quand même, j'ai plein d'exemples de personnes encore en appartement à 90 ans.

LF Comme Janine Sutto [voir page 24].

FC Comme Janine et Denise Filiatrault. Et elles sont actives. Mais ce sont des exceptions. Est-ce que j'en suis une ? Est-ce que Louise en est une ? C'est possible, on ne le sait pas.

> On est dans la jeunesse de la vieillesse.
>
> Louise Forestier

Sources d'inspiration féminines

FC As-tu lu *Dialogues avec l'ange* de Gitta Mallasz ? T'aimerais ça. Jusqu'à sa mort, elle a tout noté. C'est une femme extraordinaire. Je vais te les prêter. Ça a l'air d'un livre un peu...

LF ... ésotérique ?

FC C'est pas ça du tout. C'est d'une conscience ! Même quand elle a été très malade, elle a vécu sa maladie, Louise, c'est extraordinaire ! Si jamais je tombe malade, je vais y revenir. Il y a là un enseignement extraordinaire, un modèle, comme la romancière brésilienne Clarice Lispector.

LF Moi, mon modèle, c'est la sculpteure Louise Bourgeois. Elle a arrêté de travailler à 94 ans ! Ses araignées, ses squelettes d'animaux... Et la journaliste Chantal Hébert : mon idole ! Brillante. De l'aplomb. Elle m'impressionne.

FC Voir des femmes qui vieillissent avec une parole, des audaces, c'est important.

LF Des femmes qui ont des opinions, des points de vue, mais pas d'acharnement, pas d'opiniâtreté.

Pourriez-vous vous décrire l'une l'autre?

LF France est une très bonne cuisinière! [éclats de rire]

FC Je vais décrire Louise par projection. C'est une survivante. Une artiste. Une mère différente. Une amoureuse, une drôle d'amoureuse.

LF Une amoureuse gênée.

FC Elle a quelque chose de différent. Et... [silence] d'engagé. Louise est engagée à l'égard d'elle-même. Par rapport aux autres, c'est pareil.

LF J'emploierais quelques termes semblables. Survivante. Amoureuse. C'est une belle amoureuse. Elle est à l'aise dans ses amours. Je parle d'elle maintenant. Mais même avant, quand c'était compliqué, elle avait cette puissance à l'égard de l'amour. Quelque chose qu'elle a toujours porté en elle. Et intelligente comme un singe!

FC Pas autant que toi! [rires]

Les deux bolées!

LF On y revient. Une intelligence que j'aime. Un sens de la vie et de l'humour dans l'intelligence, tout le temps.

Et toutes deux vous avez une curiosité insatiable pour ce qui vous entoure.

FC Ah, oui. C'est quoi? C'est qui? Comment ça se fait? C'est très juste. On a ça en commun, on est curieuses. Et je pense que ça garde jeune.

Le temps présent, une certitude

Arrivez-vous à profiter du temps présent?

LF Plus que jamais.

FC Effectivement. C'est la seule chose dont on est sûres.

LF On passe sa jeunesse à penser qu'on est éternel ou immortel. À 55-60 ans, on se lève un matin et on se dit: «Je vais mourir, moi, là!» Ton père vient de mourir. Là, tu fais: «Hé, c'est mon tour après!» [silence] *Next on the line. Personne devant.*

LF J'ai personne en avant. C'est souvent à ce moment-là que les gens réalisent ça.

Avouer son âge

Si on vous demande votre âge, le dites-vous volontiers?

FC Je le dis parce que pour moi, c'est un trophée. La plupart des gens ne disent pas leur âge. Les femmes, en particulier.

LF Soixante et onze! [rires] Inévitablement, ça finit par: «T'as ben l'air en forme! Comment ça se fait que t'es énergique comme ça?»

FC Petite, j'avais l'impression que j'allais mourir très jeune. Je priais beaucoup: «Faites que je meure vieille.» Dans ma tête, vieille, c'était 40 ans. Ça a failli arriver! [rires]

Vous avez fait bien des choses pour que ça arrive!

FC Oui, et ça a coûté cher! C'était très vieux, 40 ans. Je voulais juste vivre jusque-là. Parce que j'avais toujours l'impression que j'allais mourir.

Dans vos métiers, on n'avoue pas son âge, n'est-ce pas?

LF De toute façon, même si on se faisait *lifter* quatre fois et qu'on ne disait pas notre âge, le village est petit, et si on décide de nous traiter de «vieilles incompétentes», on n'y peut rien!

FC C'est peut-être important jusqu'à 40-45 ans. À 70, ce n'est plus nécessaire. Tu ne joueras pas un rôle de femme de 50 ans! Idéalement, tu pourrais jouer aussi 75 et 80. Pour les chanteuses, ça n'a aucune importance.

LF Mais il y a une grosse différence entre

La clé de la
santé mentale,
physique et
spirituelle,
c'est d'être bien
avec qui on est.

France Castel

une vieille chanteuse et un vieux chanteur. Énorme ! Les hommes prennent
une crédibilité incroyable en vieillissant.

FC C'est la faute des femmes.

LF En tout cas, ce n'est pas ma faute !

FC Tu as toujours ta crédibilité, toi. Mais c'est la faute des femmes. Je vais te
donner un exemple : Michel Pagliaro. Il a toujours été ce qu'il est. Alors que
certaines chanteuses sont très *liftées. You know what I mean ?*

LF Il y a des femmes qui n'acceptent pas de vieillir.

FC Ça s'entend, ça, dans la voix, sur scène.

LF Dans l'énergie, on le voit tout de suite.

FC Les vieilles négresses, des filles comme Lena Horne, sont formidables.
Elles vont avec qui elles sont.

LF Par contre, chez les Blanches... Pourquoi ? Parce que réussir, c'était
toujours dans le regard d'un homme.

Le Québec compte assez peu de vieilles chanteuses.

LF Monique Leyrac a dit : « J'ai arrêté de chanter parce que je n'aime pas les
vieilles chanteuses. »

FC Elle a été cruelle par rapport à elle-même.

LF Elle était indisciplinée.

FC Elle voulait fumer sa cigarette, arrêter de faire des exercices, manger ses
spaghettis ! C'est un choix. Brigitte Bardot a fait ce choix.

LF On va dire: «Regarde donc, si elle a vieilli!» Je ne parle pas de moi, ce qui est bizarre! Les vieilles chanteuses... Je ne sais pas. Michèle Richard?

FC Ce n'est pas une chanteuse! [rires] C'est une vedette, ce n'est pas pareil. Si tu compares Michèle Richard et Michel Louvain, là je suis d'accord, parce que ce sont deux vedettes de la chanson. Ce n'est pas l'équivalent de toi ou de Gilles Vigneault.

Et la chirurgie esthétique?

FC Sincèrement, moi, je suis une compulsive. Si je commence ça, qu'est-ce que je fais avec le reste? Là! Là! Là! [Elle désigne différentes parties de son corps.] Et les taches? Un *zipper* en dessous des pieds? [rires] Pour moi, ça ne marche pas, alors je ne regarde plus mes émissions.

LF Moi non plus. C'est dur de se voir vieillir.

FC En haute démolition! Non, je toucherais pas à ça. Je respecte ceux qui le font, mais ils n'ont pas l'air plus jeunes. [rires] Juste par petits bouts. L'idéal, c'est un petit 30 livres de plus. Et le bonheur! Rire et faire du bien! Je pense que la clé de la santé mentale, physique et spirituelle, c'est d'être bien avec qui on est et de s'entourer de personnes avec qui on est bien.

Aider les autres pour s'aider soi

Vous êtes toutes deux marraines du Chaînon. Pourquoi faites-vous ce genre de bénévolat?

FC J'ai fait beaucoup de bénévolat, d'abord pour m'aider, ensuite pour rendre ce que j'ai reçu. Maintenant que tout ça est comblé, je fais ce que je peux pour aider. C'est aussi simple que ça, mais j'ai plein d'autres raisons de faire du bien.

Y compris des mauvaises raisons?

FC Jamais de mauvaises raisons.

LF C'est une façon de se soigner et de dire: «Je vais être une meilleure personne.» Si aller laver des vieux peut me sortir de mon ostie de névrose à marde, de mon nombril... C'est bon d'aider les autres quand on n'est plus capable de se supporter.

Vous avez conscience du besoin que vos gestes viennent combler?

FC Absolument.

Est-ce que les chiffres ronds, 40, 50, 60 ans, vous ont fait peur?

FC Ça sonne! Soixante-neuf, j'haïs pas ça! [rires] Les chiffres ronds, ça sonne!

LF À 70, je voulais fêter mon anniversaire seule. Aller quelque part au monde, seule.

Pour fuir votre âge?

LF Non. J'ai découvert que je n'avais pas une once de sang français! Pas d'ancêtres français pantoute. Mes racines sont allemandes.

FC Tu es allée en Allemagne?

LF Je suis partie à Berlin toute seule. À 70 ans. J'aime Brecht, Otto Dix, toute la gang de fous. J'aime ça, naturellement. Et je découvre à 68 ans que je n'ai pas une once de sang français! Berlin m'a bouleversée. Seule dans une ville dont je ne parlais pas la langue. J'ai marché pendant 15 jours. J'adore marcher. Je vais partout.

FC Est-ce que tu as vu des ressemblances physiques?

LF Pantoute. Ils sont tous grands, blonds. [rires] Y avait peut-être un peu de gipsy quelque part. Partout des plaques de bronze dans le trottoir: «Ici se trouvait la maison de la petite Odetta qui est partie avec sa famille, le 8 août 1942, pour Auschwitz.» Partout! Des Plexiglas avec des photos d'enfants, des baluchons, en face de leur maison, eux qui partaient pour les camps. C'est une ville de rédemption, Berlin. Les Allemands ont été atteints par le «grand mal» et ils ont eu le nez dedans. Berlin, après les bombardements, c'est haut comme ça. Il ne reste plus rien, France! Ils ont repris les pierres, les ont nettoyées et ils ont tout remonté.

Bref, vous avez pris du recul pour absorber vos 70 ans.

LF Ça m'a donné une poussée. Je n'ai plus le temps pour des pas bons amis, des gens avec qui ça ne marche pas. Des affaires compliquées, je n'en veux plus.

FC C'est le temps de mettre à jour nos histoires personnelles. Nécessairement. Sinon, on ne vieillira pas bien.

LF Ça rouille en dedans quand on ne règle pas ça. C'est affreux. On fait la paix avec un enfant, une amie. On fait la paix avec soi. Comme disait Mouffe: «Si je ne te parle plus, je vais aller en enfer!» [rires] Et elle m'a pris dans ses bras.

FC J'ai vu du monde mourir en...

LF ... en sacrant. On ne veut pas ça.

FC Ça colle, le ressentiment.

Les choses négatives...

LF ... c'est le cancer de l'âme.

> Je n'ai plus le temps pour des pas bons amis, des gens avec qui ça ne marche pas. Des affaires compliquées, je n'en veux plus.
>
> Louise Forestier

C'est le temps de mettre à jour nos histoires personnelles.

France Castel

Ressentez-vous parfois l'urgence de faire certaines choses tout de suite?

FC J'ai toujours été en état d'urgence. Ce qui est différent maintenant, c'est le temps qui reste. Mais c'est le même sentiment et la même poussée. Quand ma sœur Diane est morte, je mordais partout! Je suis devenue une caricature de mon énergie. Je travaillais trois fois plus. Après, ça s'est replacé.

LF [voix rigolote] Hyperactive, toute ma vie!

Toutes deux, vous avez une capacité d'analyse étonnante.

LF Quelques années sur un divan! Deux beaux cas! [rires]

FC Je ne suis pas une personne équilibrée. Je suis faite d'excès. Alors, il faut que je gère ça. J'ai eu plein de façons de le faire, mais contrairement à Louise, je ne suis pas bien seule et je n'ai pas sa créativité. C'est un cadeau qu'elle a.

LF Un gros cadeau!

FC On se ressemble vraiment beaucoup, mais on ne peut pas se gérer de la même façon.

LF C'est la seule personne aussi intelligente que moi que je connaisse!

FC J'allais dire la même chose! [rires tonitruants] Les deux bols!

LF Les deux bolées! [rires]

Les choses négatives...
C'est le cancer de l'âme.

Louise Forestier

70

LF En vieillissant, une certaine lenteur est en train de s'installer. Je marche, j'observe, je dessine, je peins. Tout ça va chercher quelque chose que je n'avais pas assez exploité dans ma vie. Ça me *grounde* et ça m'enlève la peur de la solitude, parce qu'il a fallu que je l'apprivoise. C'est naturel pour personne de vivre seul. Le jour où, plutôt que de subir, je me suis dit que j'étais douée pour la solitude, c'est devenu le fun !

Les dynamos

À 40 ans, vous étiez une pile électrique ?

LF Une névrose totaaaale ! Sur deux pieds ! Un gouffre de manque d'amour. [silence] Un gouffre !

C'est terrible de se voir comme ça, non ?

LF Ça ne me dérange pas. Je vois tout le travail que j'ai dû y mettre. Parallèlement à ça, j'aime la vie comme une malade ! Je ne me souviens pas d'un matin où je me suis levée — sauf quand j'ai fait ma dépression — pas contente d'être vivante. Pas un matin. J'ai une joie de vivre naturelle et, de

Je ne suis pas une personne équilibrée. Je suis faite d'excès.

France Castel

J'aime la vie comme une malade!

Louise Forestier

l'autre côté, beaucoup de dépressifs dans ma famille dont j'ai plus ou moins hérité génétiquement. Il y avait toujours à équilibrer ça.

Vous observez la nature et tout ce qui vous entoure avec un plaisir évident.

LF T'as pas idée comment j'aime ça. C'est fou! Je regarde. Quand je vois le monde avec leurs patentes électroniques dans le métro... [rires] Tous sur leurs pitons. Ils ne me voient pas les regarder. J'aimerais ça les voir en action, attraper des bouts de conversation entre deux personnes. Quand j'étais petite, je prenais l'autobus, j'écoutais tout. Ça m'a toujours passionnée.

Les gens ne se parlent plus.

LF Plus personne dit un mot! C'est un tombeau électronique!

France, on dit que personne n'est capable de vous suivre. C'est vrai?

FC Moi-même, je ne serais pas capable! Mon seul mérite, c'est que je me suis prise en main. Et je ne veux pas revenir sur ma période de toxicomanie, ça ne donne rien d'intéressant. Après, ç'a été complexe de me gérer. J'ai appris à me connaître. Ma pile électrique est de je ne sais pas combien de volts, mais mes camarades de travail ne me suivent pas, Louise! Je ne suis pas équilibrée. Non, mais c'est clairement vrai.

LF T'es pas normale, hein?

FC Je ne suis pas normale! [rires]

Mais n'étant pas équilibrée, j'ai accès à une vitalité excessive. Et ça doit être correct, parce que je reste en santé.

Qu'advient-il de ce trop-plein d'énergie quand vous ne travaillez pas?

FC Qu'est-ce que je fais quand je ne fais rien? Je suis tout le temps occupée, occupée, occupée! La seule façon dont j'ai été capable d'apprivoiser le non-faire, c'est par la méditation. Sinon, il faut que je fasse quelque chose. Quand j'étais petite, Louise, je me tapais la tête sur le frigidaire parce que mon cerveau était trop actif.

LF Pour que ça arrête?

FC Pour que ça arrête de parler. Quand je ne fais rien, rien, rien, je ne vais pas toujours bien. J'apprends à gérer ça. Ça fait 21 ans que j'apprends. Tranquillement. J'ai réussi, mais ce n'est pas un état normal pour moi. Si j'avais accès à la peinture, à l'écriture, probablement que je gérerais mieux ça.

Pourriez-vous être seule à la maison des journées entières?

LF Impossible pour France, ça ne lui est jamais arrivé.

FC Je virerais folle! [rires] Je vais ailleurs. Par exemple, aux soins Pallia-Vie. J'accompagne des personnes en fin de vie. Je leur tiens la main, je chante, je les fais rire.

LF Je n'ai jamais fait ça, je pense que je braillerais trop.

FC Ça leur fait du bien. Et si ça leur fait du bien, ça me fait du bien. Comme j'ai apprivoisé ça, j'ai pu accompagner ma mère dans le détachement. C'est quelque chose, voir quelqu'un mourir.

> J'accompagne des personnes en fin de vie. Je leur tiens la main, je chante, je les fais rire.
>
> France Castel

Dire non, refuser

Vous arrive-t-il de dire non?

LF Oui, car je veux du temps. Pour peindre ou écrire. Pour méditer en marchant. C'est ma méditation.

FC C'est la meilleure! Je marche tout le temps. Je vais sur le mont Royal trois ou quatre fois par semaine.

LF Je vais aussi au gym. J'ai besoin de ces endorphines-là.

FC J'haïs ça, le gym!

LF J'ai une scoliose, alors je suis obligée de me soigner.

Et vous, France, refusez-vous parfois?

FC Longtemps, j'ai eu de la misère à dire non parce que j'ai besoin d'être choisie. Ça va avoir l'air prétentieux, mais je commence à être capable de choisir.

LF Tu as assez d'offres pour choisir.

FC C'est l'abondance, alors je suis capable de dire: « Non, pas ça. » Un ange veille sur moi. Et puis, pour la même raison, j'ai développé différents métiers. Je peux faire des comédies musicales, animer, jouer. Mon seul moyen — contrairement à Louise —, c'est l'expression à travers mon corps. Je n'ai pas de talent de dessin, d'écriture, de composition. Enfin, presque pas.

On vieillit comme on a vécu

Je me trompe ou vous n'avez, ni l'une ni l'autre, la vie typique d'une femme de votre âge?

LF Pas du tout.

FC Même avant notre âge. Ni d'amoureuse. Ni de mère. [rires] Je pense qu'on vieillit comme on a vécu.

LF Quand mon fils était petit, ça le faisait beaucoup souffrir de voir que je n'étais pas comme les mères de ses amis.

FC Après, c'est ce qu'ils aiment le plus! [rires]

En 2007, Louise, vous avez dit: « Je suis en fin de carrière. »

LF Je suis en fin de carrière. [rires] Je n'ai pas décidé que c'était la fin, mais je dis maintenant: j'ai un patin en dehors de la patinoire. Et ça ne me fait pas de peine du tout. Si on m'offre un rôle dans une comédie musicale, je vais courir à 100 milles à l'heure! Mais tirer la charrette d'un *show*, non.

FC Y a un âge pour ça, je pense.

LF On a des choses à prouver avec les *shows* et c'est fait. Je suis passée à travers presque 20 ans de désert. On passe à peu près tous par là. Sinon, on plafonne. Notre matière première, c'est nous. La palette de couleurs est icitte! Faut que tu

> **Je suis en fin de carrière. [rires] Je n'ai pas décidé que c'était la fin, mais je dis maintenant: j'ai un patin en dehors de la patinoire.**
>
> Louise Forestier

Ma pile électrique est de je ne sais pas combien de volts, mais mes camarades de travail ne me suivent pas. France Castel

t'en occupes, faut que tu te connaisses. Après quatre rappels, je ne vais pas me coucher avec mon public. Je suis toute seule dans mon grand lit! J'en ai été privée à un âge où la sexualité est à son summum. J'ai trouvé ça très dur. Maintenant, rien de mieux qu'un livre! [rires]

FC Louise est très exigeante face à elle-même.

LF Tu trouves?

FC T'as une rigueur, une exigence.

LF T'es plus *easy going,* beaucoup plus.

FC Je suis plus «bof»! Mais je ne suis pas une créatrice comme toi. Nous n'avons jamais eu ce genre de discussion avant aujourd'hui, et ça me permet de comprendre des affaires.

Des regrets?

FC Y a des choses que j'aurais aimé comprendre plus vite, des parties de moi que j'aurais aimé dompter mieux. Je ne sais pas si ça s'appelle des regrets.

LF Des nostalgies, de petites tristesses. Des regrets? La vie a fait que je n'étais pas équipée pour faire face à telle situation à tel âge. J'ai gaffé. Je ne peux pas regretter ça.

FC La question est intéressante et c'est intéressant d'y réfléchir. À ce jour, je n'en ai pas.

LF Peut-être que dans 10 ans, dans ma chaise berçante... On n'a pas eu une vie portée sur le regret. Avec toutes ces années d'analyse.

FC ♫♫♪ Je ne regrette rien. [rires]

LF Toutes les séances finissaient comme ça! Je ne regrette rien! [rires]

Vous vous voyez vraiment dans une berçante?

LF Chaque fois que je vois une chaise berçante, je me retiens de l'acheter. Je me dis: «Non, Louise, c'est pas le temps.»

FC Moi, j'aime bercer mon chat, mes petits-enfants.

LF J'aurais peur de me bercer.

Quelle sorte de grands-mères êtes-vous?

FC Une grand-mère présente, complètement amoureuse et dans l'action. J'ai six petits-enfants. Je suis beaucoup plus solide que lorsque j'étais une mère. Je suis généreuse, j'invite, mais je suis occupée. Alors, il faut prendre rendez-vous. Je ne me culpabilise plus. Ils m'aiment comme ça, je les aime comme ça. Ma petite-fille Clémence commence à se détacher. Elle m'appelle de moins en moins, et je trouve ça ben correct. On est qui on est. Les enfants nous reviennent tout le temps. Ce n'est plus dans la quantité, c'est autre chose. On a toujours quelque chose à offrir. Une chose est sûre, on aime tout le temps nos enfants. C'est une loi.

LF Je ne suis pas grand-mère. J'aimerais-tu ça? Pas sûre. Je vois un poupon

Y a des choses que j'aurais aimé comprendre plus vite.

France Castel

Et l'alimentation?

LF Ah! France fait la cuisine comme une artiste. C'est mon idole! C'est tellement relax. Moi, je reçois quatre personnes...

FC Elle est sur le nerf! [rires]

LF Le nerf? Mets-en! La viande est sur le nerf! Même le steak est sur le nerf! Mon fils a compris: quand il vient manger à la maison, il fait à manger. Je paie le vin, le fromage. «Môman, t'as fait un beau fromage!» [rires] Mais France! Ses portes sont ouvertes. N'importe qui rentre. Ça dit beaucoup sur toi.

En fait, je voulais savoir si vous mangiez santé.

FC Il faut manger santé. C'est une obsession quand on vieillit. Gluten, pas gluten. Je vais vieillir mieux avec des antioxydants. Est-ce que je pourrais avoir un peu plus de ci? Le café, c'est gras. Le thé, c'est... Alors, c'est devenu une obsession. Du thé vert, s'il vous plaît, mais pas de lait. Parce que le lait...

LF Je ne suis pas rentrée dans ça.

FC C'est intéressant pourtant.

LF J'ai quand même coupé le gluten! [rires] Mais des fois, je me paie une bonne baguette! Je ne suis pas excessive dans ces affaires-là. Je les essaie, mais à un moment donné...

FC On va toujours prioriser les plaisirs. [rires] En vieillissant, il faut prendre des *breaks*, faire attention à sa santé et à ce qu'on mange pour pouvoir...

LF ... manger encore! [rires]

FC Et boire! Sérieusement, il faut faire attention si on veut continuer d'avoir un pancréas qui a de l'allure et un foie qui va bien. Mon médecin me dit: «Si vous voulez garder ce que vous avez eu gratuitement, vous devez y voir.» Faut le mériter. Si on ne marchait pas, penses-tu qu'on serait en santé?

LF Jamais!

FC Les personnes de mon âge qui ne marchent pas sont comme ça (elle ploie les épaules). Moi, je marche droit.

LF Drette comme un chêne.

dans un carrosse, je ne peux pas m'empêcher de faire : guili guili guili. Les bébés me regardent la face et ils partent à rire. J'ai un don ! Mais Alexis n'est pas prêt ! [rires] Les hommes, ils ont le temps.

Le bonheur est dans la nature

Heureuses ?

LF Moi, oui.

FC Plus euphorique qu'heureuse.

LF Elle est *stone* tout le temps ! [rires]

FC Je suis parfois euphorique, trop heureuse, mais j'ai aussi un très lourd fond de tristesse. Il faut toujours que ce soit un peu trop.

LF Moi, j'atteins des…

… des plateaux de bonheur ?

LF Des fois, je fais : « Tabarnouche ! Je suis bien ! Wow ! » Je regarde un arbre la plupart du temps. Moi, les arbres ! C'est drôle parce qu'il y a à peu près deux ans, mon fils me dit : « Louise, j'aime tellement les arbres ! » Mon père aimait aussi les arbres. Je les regarde, et c'est comme si je flottais.

FC T'es une contemplative.

LF Beaucoup. Quand j'étais petite, je voulais faire une sœur cloîtrée.

D'ailleurs, Louise, vous avez dit : « Plus on vieillit, plus la nature nous appelle. »

LF C'est vrai.

FC J'ai une petite maison à la campagne, un ruisseau, et ça m'équilibre beaucoup. Je marche, je fais beaucoup de choses, je joue dans mes fleurs, dans la terre. Je me mets devant le ruisseau, juste ça, le bruit du ruisseau… J'ai acheté la maison pour le ruisseau. Ça me calme. Quand j'étais ben *stone*, je parlais aux arbres. Ils me répondaient, mais ça, c'est autre chose ! [rires]

Si je vous qualifie de vieilles…

LF Dans le mot *vieille*, y a le mot VIE. Au début de l'émission *Alors on jase !*, j'ai dit à Élyse Marquis et à Joël Legendre : « C'est une affaire sur les générations, je suis la vieille. Et vous pouvez m'appeler la vieille, ça ne me dérange pas. »

FC Moi non plus. Mais je ne sais pas ce que ça veut dire ! [rires] Vieille comme du bon vieux vin. Pourquoi pas ? Je ne suis pas jeune. Je suis vieille par rapport à quelqu'un de 20 ans.

Un mot de la fin ?

LF [au chat] Émile, viens lui parler !

FC Et après ?

LF *Who knows ?*

> Plus on vieillit, plus la nature nous appelle.
>
> Louise Forestier

> Voir des femmes qui vieillissent avec une parole, des audaces, c'est important. France Castel

Louise Forestier et France Castel ont tant parlé que le soleil d'hiver a eu le temps de se coucher. Il a fallu reporter la séance photos prévue en lumière naturelle. Le jour dit, l'animatrice de *Pour le plaisir,* soumise à un emploi du temps exigeant, s'est inquiétée d'un éventuel retard de Louise Forestier. Sans perdre un instant, elle l'a appelée : « T'es où ? » « Là, devant toi ! » Tension désamorcée. Éclats de rire. Photos. En quelques minutes, les deux amies sont passées par toute la gamme des émotions face à l'objectif de Véro. Certains jours, les bolées sont à fleur de peau. M.C.

Boucar
Diouf
+ Père Benoît
Lacroix

Les hommes
du fleuve

Boucar Diouf n'a pas paru autrement surpris quand je lui ai proposé de partager ses réflexions sur la vieillesse. C'est tout à fait lui. Il ne restait plus qu'à le jumeler avec quelqu'un qui lui rappelle ce grand-père dont il parle si souvent dans ses spectacles. Je pouvais compter sur l'inclassable biologiste-humoriste pour déjouer mes attentes, ce qu'il a fait en portant son choix sur le père Benoît Lacroix.

On n'en finirait plus d'énumérer les différences entre les deux hommes. Qu'importe, car dès le moment où on les voit ensemble, on ne remarque plus que l'affection et l'immense respect qu'ils ont l'un pour l'autre. Le vénérable dominicain ne correspond pas à l'idée qu'on se fait d'un presque centenaire. Alerte, blagueur, il a offert de nous faire visiter la maison de sa communauté du sous-sol au grenier pour trouver l'endroit qui convienne à la rencontre, ouvrant une porte puis une autre, apparemment infatigable. Je demeure néanmoins persuadé que son choix était déjà fait. La rencontre devait avoir lieu à la bibliothèque. Dès que ce théologien y a mis les pieds, son visage s'est illuminé. Entourés de livres, protégés par eux, les deux amis avaient beaucoup de choses à se raconter.

Sous le signe de l'amitié

Boucar Diouf Normalement, je ne devrais pas parler. Les Africains respectent « le droit d'aînesse ». Alors, à toi de parler en premier.

Père Benoît Lacroix Je me sens honoré de vous retrouver ici, où se trouvent tant de vieux livres. Il y en a même de 1485.

BD Comme disait Amadou Hampâté Bâ : « Plus on vieillit, plus on devient une bibliothèque vivante. » Le livre que je voulais voir est devant moi.

Qu'est-ce qui vous rapproche l'un de l'autre ?

PBL Le premier mot : amitié. Deuxième mot : différence. J'aime les différences. On s'enrichit davantage par les différences que par les similitudes. En principe, il est de race noire et moi de race blanche. Lui d'une religion, moi d'une autre. Enfin, il y a une autre raison, meilleure, très belle. Je gardais

le meilleur pour la fin : ce qui nous unit, actuellement, c'est le fleuve Saint-Laurent.

BD Et voilà ! Tout est résumé, fin de la conversation.

PBL Nul besoin d'insister.

Vous êtes de Saint-Michel-de-Bellechasse.

BD Moi, de Rimouski. C'est l'estuaire qui m'a amené ici. Cette eau qui circule dans nos veines à tous les deux. Quand j'ai vu le père Lacroix la première fois, c'est allé me chercher profondément. Comme si je découvrais un grand-père. Au-delà de la religion, au-delà de l'appartenance ethnoraciale, je découvrais un grand-père. Il y a quelque chose de cette connexion-là. Et la connaissance aussi.

PBL J'ai un doctorat ! [rires] Dans une grande bibliothèque, deux savants se rencontrent. Lui dans la mer, moi sur la terre.

BD J'ai travaillé sur la résistance au froid.

PBL Moi, sur un manuscrit du XIIe siècle.

BD Quelqu'un disait : « Plus on se spécialise, moins on connaît de plus en plus de choses. » On rétrécit, on rétrécit : « Qu'est-ce que tu as fait dans tes études ? » « J'ai travaillé sur les protéines de résistance au froid. » À partir de ce moment-là, t'es devenu analphabète parce que 99 % des gens ne te comprennent pas !

PBL J'ai travaillé sur un auteur qui, je crois, n'existait pas. On lui avait attribué un manuscrit. Donc, on se trouve tous les deux à avoir fait quelque chose à partir d'une certaine ignorance.

Trouvez-vous qu'on traite bien les gens qui vieillissent?

PBL Pas tellement. J'ai vécu un an ou presque au Rwanda. Ensuite, je suis allé au Japon. Au Rwanda, le plus âgé était plus près des esprits. Ce n'est pas de la sainteté, pas de l'intelligence : il est plus vrai, donc on l'écoute davantage. Au Japon, à Okinawa*, on témoigne un respect instinctif pour l'ancêtre.

Cette vieillesse qu'on ignore

PBL Je n'ai rien à reprocher à la société d'ici, parce qu'elle ignore la vieillesse et n'a pas envie de l'apprendre. Je ne peux pas le lui reprocher. Devant quelqu'un qui est ignorant, j'ai de la pitié, pas de reproches.

BD Ah, c'est beau!

PBL C'est peut-être plus méchant, je ne sais pas.

BD J'ai entendu André Gagnon, le pianiste, dire qu'au Japon, c'est le fils qui hérite du papa, en vieillissant, parce que la grande majorité ne va pas dans les maisons de retraite. Pour celui chez qui le papa décide de s'installer, c'est un privilège. Ici, c'est totalement différent. Je comprends aussi ce que vous dites à propos du Rwanda. Quand on a vécu dans l'oralité, plus on prend de l'âge, plus on prend de l'importance, parce qu'on devient une bibliothèque vivante. On a appris tellement de choses qu'on hérite d'un statut.

Un statut de référence!

BD Oui. Parce que vous en avez vu!

PBL Je viens d'un milieu très pauvre, près de la forêt. J'ai vécu dans la tradition orale jusqu'à l'âge de 15 ans. Seulement la tradition orale. Même la religion, c'était par cœur! On allait à l'église pour écouter le curé qui expliquait la religion. Évidemment, on s'endormait. [rires] La religion devenait un lieu de repos.

Père Lacroix! Vous n'êtes pas censé dire ça!

PBL Non? Je parle du sommeil! Je ne parle pas contre la religion. Le curé avait un don, précisément à ce moment-là, pour nous endormir.

* On surnomme Okinawa l'île des centenaires. On en dénombrait récemment 600 pour une population d'un peu plus d'un million d'habitants. Cette longévité serait largement attribuable au régime alimentaire de la population.

> Plus on vieillit, plus on devient une bibliothèque vivante.
>
> Amadou Hampâté Bâ

> On s'enrichit davantage par les différences que par les similitudes.
>
> Père Benoît Lacroix

L'enfance et les origines

Vous êtes tous les deux titulaires d'un doctorat et vous venez tous les deux de la tradition orale.

PBL Une tradition orale reliée aux devoirs religieux.

BD Moi, ce n'est pas la même religion. Mon père s'est converti à l'islam parce qu'il buvait. Mon grand-père lui a dit : « Si tu continues de boire, tu ne verras pas tes petits-enfants. » L'islam interdit l'alcool. Il m'a inscrit à l'école coranique. Mais quand je parle de religion, je ne parle ni du christianisme ni de l'islam. Je viens d'une société animiste, une société initiatique, les Sérères du Sénégal. Chez les Sérères, il y a une société des femmes et une société des hommes. Dans la société des hommes, on pratique l'initiation vers l'âge de 13 ans. On prend les adolescents, on les emmène dans le bois et on leur apprend que la collectivité l'emporte sur l'individu. Le grand dieu est trop loin pour qu'on s'adresse à lui directement, alors on a inventé des lobbyistes : les ancêtres. On tape les tambours et on dit aux ancêtres : « S'il vous plaît, pouvez-vous dire à celui qui est au-dessus de vous de faire tomber la pluie ? La sécheresse est en train de nous décimer. » Cette société est hiérarchisée. Le plus vieux du village occupe le rang supérieur. Le top du top dans la hiérarchie.

PBL Quand vous êtes élevé près de la forêt, vous avez le sens du mystère. Vous avez peur de ce qui est sombre. J'avais peur des orages, et mon père disait : « Calme-toi, c'est la Terre qui mène. » Au moment où il y a un éclair, si tu peux faire le signe de croix, le tonnerre ne tombera pas sur toi. Alors, il fallait se hâter, parce que l'éclair, c'est rapide. [rires] J'ai connu le silence absolu, le silence de la forêt, le silence du soir.

Des silences que je ne trouve plus en ville. Le fleuve représentait, pour moi, l'instabilité. Mon père disait : « Tu t'énerves pour rien. Les vagues s'effacent tout de suite. C'est ce que tu ne vois pas qui est le plus important dans la vie, c'est le chenal. » Aujourd'hui, quand j'écoute les nouvelles à la télévision et qu'il y a des vagues, je me dis que le plus beau n'est pas là. Le plus beau est invisible. Le chenal dans la télévision, c'est les petites mamans qui font leur ménage, celles qui font de la photographie, ceux qui sont dans l'invisible. Ce qui compte, dans l'actualité, ce sont les vagues. Le chenal, c'est ce qui se passe dans les maisons, l'inconnu, les petites amours.

BD C'est fou quand même. Vous qui avez fait tellement d'études, écrit

> J'ai connu le silence absolu, le silence de la forêt, le silence du soir. Des silences que je ne trouve plus en ville.
>
> Père Benoît Lacroix

84

tellement de bouquins, vous revenez à la tradition orale pour donner un sens à certaines parties de votre vie.

PBL Absolument! Les gens me regardent avec de grands yeux quand je dis : « Le plus beau, c'est peut-être ce que votre mère a fait ce matin en préparant le repas. » Anne-Marie Dussault n'en parlera pas ce soir ni Céline Galipeau. Et dans le fond, c'est elle qui a fait la plus belle chose de la journée.

Le Québec de votre enfance n'existe plus.
PBL Non, ça n'existe plus.

BD J'ai beaucoup lu là-dessus. Je pourrais en enseigner à certains qui étaient là! [rires]

PBL Moi, j'ai découvert l'importance de ma tradition orale au Rwanda! [rires]

En vous éloignant.
PBL En m'apercevant que là-bas l'instruction était faite à partir des proverbes. On les savait par cœur. Un collègue les a publiés : il y en avait 3000.

C'est inimaginable! J'ai commencé à repenser à tout ce qu'on avait vécu chez nous, dans le 3e rang, près des Amérindiens. C'était un monde, aussi. La rencontre de la terre avec le fleuve. Le fleuve qui m'enseignait la mobilité. La terre qui m'enseignait la stabilité. J'étais dans une communauté où on devait être à la fois stable et assez mobile pour rencontrer les autres. La télévision arrive en 1952, et je retrouve les nouvelles qui me représentent les vagues. [rires] Et à la maison, je vois justement le chenal.

> ## Le plus beau est invisible.
> Père Benoît Lacroix

BD Mon père avait peur de l'eau. On a un estuaire et papa disait tout le temps : « Méfiez-vous de la mer, il n'y a pas de branches dedans! »

PBL Chez nous, on disait : « Méfiez-vous du diable! » Parce qu'à Noël les gens qui travaillaient dans les bois comme forestiers sur la Côte-Nord voulaient absolument revenir à Québec, voir des blondes, des femmes. Il n'y avait pas de train et la glace était peut-être prise sur le fleuve. Qu'est-ce qu'on faisait? On avait la possibilité de faire un pacte avec le diable!

L'histoire comme repère

Et nous voilà dans l'univers des contes et légendes, en pleine chasse-galerie!

PBL On croyait à ça parce qu'on nous disait qu'ils suivaient le fleuve pour se diriger. Et si jamais l'un des passagers regardait l'église Saint-Michel, paf! ils descendaient à la mer tout de suite!

BD C'est fou comme le diable est universel. Il est toujours présent quelque part. La sorcellerie, c'est ça. On apprenait comment communiquer entre hommes. Juste par un signe. Le conte, c'est trop puissant. C'est pas pour rien que la plupart des livres sacrés sont écrits sous cette forme. Ça imprègne les gens profondément.

PBL La Bible commence comme un immense conte «Au commencement était Dieu...»

BD Je pense qu'on est génétiquement programmé pour être habité par ça. On a beau avoir inventé l'industrie de l'humour ici, celui qui laisse des traces, c'est le conteur Fred Pellerin. Les gens sortent de là et se disent...

... il s'est passé quelque chose.

BD Alors que les autres, c'est du consommer/jeter. On écoute la blague et c'est fini. Je pense sincèrement que le Québécois a une nostalgie de ce passé.

PBL Moi aussi.

BD La Révolution tranquille a tout balayé très vite. Beaucoup de gens aujourd'hui disent: «Où est-ce qu'on s'en va?» Les chansons québécoises qui pognent sont toujours sous forme de petits contes. Une fois, c'était un phoque en Alaska qui s'ennuyait. Ton arrière-arrière-grand-père faisait ça. Ton grand-père... Cette nostalgie habite les gens profondément. Quand je vais à Rimouski, je vais dans les pêcheries d'éperlans, à l'embouchure des rivières. Ils ont construit un village québécois typique, avec le magasin général, la petite église. Beaucoup de gens viennent là parce qu'ils sont nostalgiques de cette époque, pas pour capturer du poisson. Ils sont assis là, devant la petite église, ils vont dans le magasin général, mais ils ne sont pas venus pêcher. Ils prennent une bière. Il y a une proximité. La proximité d'autrefois. Ça les habite, ça va les chercher profondément. C'est pour ça qu'ils restent là. Le conte est là pour rester.

PBL À l'intérieur de ma communauté religieuse, on demande d'arrêter de faire des sermons et de chercher à entrer dans l'univers du récit. Ça, c'est 2013! Un retour à l'univers du récit. J'ai la tête pleine de choses comme ça. Les cloches

> C'est fou comme le diable est universel. Il est toujours présent quelque part.
>
> Boucar Diouf

qui sonnent toutes seules : tout à coup, un grand silence dans Bellechasse et les cloches sonnent...

BD Ce sont des repères.

PBL Un avertissement : quelque chose ne va pas quelque part. Elles sonnent toutes seules. Qui a fait quelque chose qui ne va pas ? Peut-être le baptême d'un petit dont on ne sait pas qui est le père. Peut-être quelqu'un qui est mort et qui n'a pas voulu qu'on le sache. Jusqu'à ce qu'on s'aperçoive que les cloches sonnaient à l'île d'Orléans. L'écho donnait l'impression qu'elles sonnaient chez nous. Je trouve ça adorable !

BD La poésie du mythe, c'est toujours plus intéressant que la certitude scientifique.

Boucar et son grand-père

Boucar, vous faites régulièrement référence à votre grand-père.

BD C'est un archétype. Le grand-père que je décris, le père Lacroix en fait partie. Ce sont des gens qui m'inspirent. Moi, je ne considère pas avoir la sagesse du monsieur devant moi.

PBL Pardon !

BD Je dis : « Mon grand-père disait... » Du coup, ça m'enlève un poids. Je sais que je n'ai pas cette sagesse de dire des choses. Et ça touche les gens, de la même façon que Fred Pellerin accroche les gens avec ses histoires. C'est Amadou Hampâté Bâ, un traditionaliste ouest-africain, qui disait : « Le conte, ce sont des histoires bien racontées par les hommes d'aujourd'hui pour les générations de demain. » Ça ne finira pas. C'est ça qui habite les gens. On raconte des contes aux enfants tout jeunes. Leur imaginaire en est rempli.

PBL On a besoin d'imaginer, besoin d'avoir peur, besoin d'identifier des forces anonymes. Le loup-garou, je l'ai vécu comme ça. Les lutins, le loup-garou, les feux follets...

> **La poésie du mythe, c'est toujours plus intéressant que la certitude scientifique.**
>
> Boucar Diouf

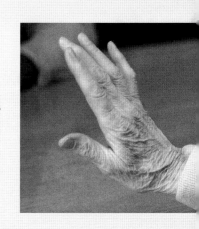

Vous aimez le mystère.

PBL Ma religion est remplie de mystères! C'est peut-être pour cette raison qu'on s'entend bien tous les deux. Il y a beaucoup plus de vérité dans la tradition orale que dans la tradition écrite. La tradition orale la laisse à l'état, disons un peu... premier, mais elle va durer. Le récit va durer.

Revenons à la vieillesse

PBL Ah, la vieillesse, ça m'intéresse! [rires] La vieillesse m'intéresse énormément.

Vous considérez-vous comme un vieil homme depuis longtemps?

PBL On me le dit depuis si longtemps que j'ai fini par le croire. Les autres me disent vieux depuis que j'ai 80 ans, je pense.

BD Je trouve que vous êtes jeune.

PBL Tiens, une bonne histoire pour vous. C'est récent. Une dame que j'aime bien, d'un certain âge, qui a une bonne volonté et qui n'a pas voulu me faire mal, est venue près de moi: «Vous avez 98, Benoît? On dirait que vous avez encore tous vos esprits!» [rires] C'est extraordinaire!

C'est horrible, non?

PBL C'est merveilleux! L'âge, c'est très étrange.

BD J'ai trouvé le père Lacroix extraordinaire quand il a parlé de la diversité culturelle. Il disait: «Moi, ce que j'aime quand je marche, c'est toute cette diversité que je rencontre dans la rue.» On dit qu'en vieillissant, les gens ont peur. Lui, il n'est pas là-dedans. Les gens cherchent quelque chose qui leur ressemble et rétrécissent de plus en plus en vieillissant. Alors que lui, il vieillit en élargissant.

PBL En juin dernier, j'ai vu quelque chose d'unique: une musulmane complètement couverte qui rencontre une petite en bikini. Personne n'a regardé. J'ai dit: c'est l'idéal. On ne veut pas que Montréal change. La diversité s'exprimait à travers deux excès. C'était très beau. Très beau. Ça veut dire qu'une société est mature. Je ne voudrais pas qu'on change ça. L'autre, c'est l'autre. L'autre nous enrichit.

Vous arrivez à avoir une connexion réelle avec des gens qui viennent d'une tradition très différente de la vôtre?

BD Parce que je suis Québécois. Honnêtement, je ne suis plus là. Après

Il y a beaucoup plus de vérité dans la tradition orale que dans la tradition écrite.

Père Benoît Lacroix

24 ans, non. Quand je vois le père Lacroix, j'aime voir le père Lacroix, à la ligne, point. Je pense que les gens sentent que je ne suis plus là.

PBL On n'a pas le temps d'avoir des préjugés. C'est tout.

Liberté, ruralité et grand-parentalité

Vous vous montrez très ouvert. Est-ce une liberté que vous avez prise en vieillissant ?

PBL Non. Je suis historien. J'ai vu comment on faisait des dogmes à partir d'une crise sur tel petit point en particulier. Quand tout le monde est mêlé, l'Église se réunit et c'est elle qu'il faut croire. Ça, ça date du VIe siècle. Moi, j'ai assez peur des lois. Peur des dogmes. Peur de ce qu'ils pourraient faire avec les valeurs, la charte. La loi est là pour protéger à partir des excès et non prévoir des excès. C'est le point de vue d'un historien. Quand tu veux prévoir les excès, tu manques de confiance en l'humanité. La loi est extérieure à la conscience. Or, la conscience est la vraie force intérieure. Dans ma religion, j'ai vu toutes sortes de choses. Des imbéciles et des héros. Je les prends tous ensemble.

BD C'est la diversité.

La liberté de penser dont vous faites preuve donne l'impression que vous êtes devenu un intouchable.

PBL J'ai toujours été intouchable. Je n'ai jamais été touché. « T'es important, Benoît. » Quoi ? « T'es important. » Ça me suffit.

BD Je pense que cette capacité à se mettre au-dessus de la mêlée fait

Les grands-parents faisaient partie de nos vies et on les aimait parce qu'ils ne nous jugeaient jamais, nous, les enfants.

Père Benoît Lacroix

L'âge invisible selon Boucar Diouf

BD Quand je me promène avec ça [il montre son portable, un modèle rudimentaire], tout le monde me dit : « On appelle ça le forfait grand-père. » [rires] Alors, tu vois qu'on peut vieillir jeune. Tu ne peux rien faire avec ça. C'est un téléphone à roulette ! Mon fils, des fois, il regarde mon appareil et il dit : « C'est quoi ça ? » « Un téléphone. »

J'ai quand même 48 ans, je ne suis pas jeune, mais je ne vois pas l'âge. Honnêtement. Chez le père Lacroix, je vois l'ouverture et la perspicacité. Je vois aussi les connexions neuronales restées intactes, parce qu'il a une discipline de vie. Il a lu la moitié des livres de l'univers ! C'est ça qui fait qu'on reste comme ça. Contrairement à cette idée répandue selon laquelle dès qu'un neurone meurt, il n'est pas renouvelé, le cerveau est plastique, on le sait aujourd'hui. Les neurones qui meurent sont remplacés par ces nouvelles connexions. Ceux qui restent vont faire des branches partout et ils connectent.

la grande différence. Qu'est-ce qu'ils disaient, vos grands-parents?

PBL On les vénérait, et parce qu'ils étaient un peu plus loin, on les vénérait davantage. C'était des bûcherons, qui, l'hiver, vivaient avec du lièvre, du lapin et un peu de perdrix. Les grands-parents faisaient partie de nos vies et on les aimait parce qu'ils ne nous jugeaient jamais, nous, les enfants. On les aimait davantage s'ils étaient loin. [rires] Mais ils étaient là quand même. Vous comprenez le caractère sacré de la distance?

BD Oui.

Boucar dit: «Comme disait mon grand-père...» Que diriez-vous?

PBL «Mon grand-père aurait dû dire.»

BD Ah, ça c'est bon! [rires]

PBL Trahison! C'est du rural! Question piégée. Lacroix répond *piégé!*

BD Je cite beaucoup mon grand-père, mais il ne m'a pas raconté autant d'histoires que ma grand-mère. Les maisons des Sérères sont circulaires. L'entrée principale est la maison du patriarche. Les deux cases qui encerclent l'entrée principale sont occupées par les personnes les plus âgées. Et ce n'est pas un hasard. Quand un esprit maléfique entre dans la maison, il faut qu'il croise d'abord les gens qui ont plus de compétences.

Le soir, ma grand-mère me racontait des histoires. On partait de là et on avait peur. Quand grand-maman donnait un sac de grains, elle disait: «Va déposer ça devant la case de la voisine parce qu'elle a de la difficulté.» Et je disais: «Grand-maman, pourquoi tu ne le lui donnes pas les grains directement?» Elle disait: «Non, on ne peut pas faire ça. Faut attendre la nuit. Tu le déposes et quand ils se réveillent, ils ignorent l'identité de leur bienfaiteur. Quand ils se promènent dans le village, chaque personne devient ce bienfaiteur potentiel.» Mon grand-père était polygame. Il y avait donc deux grands-mamans, la gestionnaire, celle qui gérait les avoirs de la famille, et celle qui racontait les histoires.

Donc, vous avez survalorisé votre grand-père!

BD Je le reconnais. Je commence à faire le changement. Pour donner à César ce qui appartient à César.

Père Benoît Lacroix

Boucar se sent très près des personnes âgées. Et vous, l'an dernier, vous vous êtes beaucoup intéressé au «printemps érable» et aux jeunes.

PBL Beaucoup. J'étais favorable au fait que les étudiants bougent et qu'ils soient dans la rue. Parce qu'il y avait quelque chose de neuf. Ayant vécu à Paris un certain temps, je me suis aperçu que la rue est quelque chose de très important. Ici, à cause de l'hiver, on dirait que non. Là, je trouvais qu'on prenait possession d'un certain territoire qui avait une valeur pédagogique.

J'étais dans ce monde-là, d'un point de vue historique. Les jeunes, c'est le radar du monde. C'est l'avenir, de toute façon. À l'âge que j'ai, l'avenir, ce n'est pas moi! Je trouvais ça beau qu'ils s'engagent. Le reste...

... c'est leur combat.

Je m'occupe du tissu et je laisse la dentelle aux autres.

Vous appartenez à une communauté vieillissante.

Très. Je suis le plus vieux. [rires] Je le leur rappelle tous les jours. Ils me le rappellent aussi, c'est très drôle!

Vous recherchez le contact avec des plus jeunes?

Ça vient d'eux. C'est facile. Il y a un centre étudiant annexé à l'Université de Montréal, le centre étudiant Benoît-Lacroix. Ça me met en lien avec des jeunes. Par tempérament, je suis à l'aise. J'ai une trentaine de neveux et nièces, donc ça va. C'est la génération qui m'intéresse. Elle est étrange, elle vit autre chose, elle est entrée dans la mondialisation. Moi, pas encore. La technique, ça me fascine parce que c'est un autre âge qui s'en vient.

Vous qui, selon Boucar, avez lu la moitié des livres de l'univers, vous lisez toujours beaucoup?

Beaucoup. Pas beaucoup de télé. Presque pas. J'écoute de la musique.

Et vous marchez.

Quand il y a de la glace, je fais attention. Mais j'ai une vie assez régulière. Je n'ai pas d'obligations familiales, je ne m'occupe pas des finances, je ne m'occupe pas de la préparation des repas. De ce point de vue, je suis un bourgeois. Absolument. J'ai été en appartement trois ans, lorsque j'enseignais en Europe. J'ai trouvé ça très difficile parce que faire le marché et tout au lieu de lire un livre... J'ai une vie privilégiée qui me permet d'avoir une vieillesse peut-être anormale par rapport au reste de la société. J'ai choisi ça à 20 ans et je n'avais pas prévu du tout l'âge que j'aurais. Vous me posez une question par rapport à aujourd'hui, je réponds aujourd'hui.

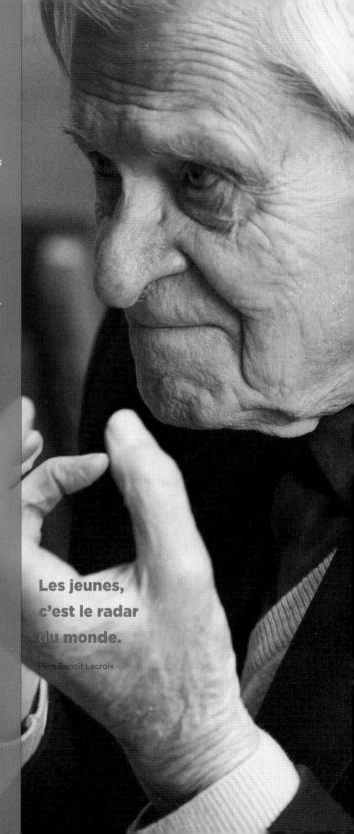

Les jeunes,
c'est le radar
du monde.

Père Benoît Lacroix

Boucar Diouf

Dans votre plus récent spectacle, vous parlez plusieurs fois des gens âgés.

BD Ç'a toujours été ça. J'ai écrit des textes pour des revues pour personnes âgées. Des associations de retraités m'appellent pour avoir une conférence, pour que je les fasse rire. J'ai grandi là-dedans. J'ai été bercé par les paroles des vieux griots qui gravitaient autour de mon père. Ils avaient toujours le raccourci langagier pour dire quelque chose. Les Africains disent: «Le proverbe, c'est le cheval de la parole. Quand la parole se perd, c'est grâce au proverbe qu'on la retrouve.» Ça m'a imprégné. L'environnement affecte la génétique. C'est démontré. Je pense que ma génétique a été affectée par le verbe quand j'étais jeune. Alors ça m'habite beaucoup.

Vous serez un vieux formidable!

Tout le monde me le dit. Même ma mère: «Tu es une âme ancienne.» Mon père m'a donné le nom de mon grand-père, Boucar, et en vieillissant, il a vu les liens entre mon grand-père et moi. Même problème à la jambe. Les Sérères croient au retour d'une partie de l'âme dans la famille. Je suis 25 % de mon grand-père, quand même! C'est la génétique. Mon père est convaincu que je suis son père. Donc, il était très dur avec les autres, mais il ne m'a jamais tapé. Comme s'il me regardait en se disant: «Est-ce que je dois lever la main sur mon père?»

Du coup, ça m'a donné cette liberté que j'ai aujourd'hui. Mon grand-père m'a sauvé. Il a fait de moi ce que je suis aujourd'hui. Je porte son nom parce qu'on a une ressemblance phénotypique que mon père interprète comme un retour d'une partie de son père!

Une forme de réincarnation.

C'est ça. Mon père m'appelle «papa» tout le temps. Il m'appelle «papa», «mon papa». Il m'a toujours appelé «le vieux sage», comme il appelait son père.

Étrange.

Vous êtes bien consanguins, vous autres! [rires]

> **Tout le monde me le dit.
> Même ma mère: «Tu es
> une âme ancienne.»**
>
> Boucar Diouf

Vivre un siècle

Avez-vous rêvé de devenir centenaire?

PBL Oh, non, jamais! Encore aujourd'hui, je ne rêve pas d'être centenaire. Je deviens un objet de musée. On me dit déjà que j'aurai beaucoup de monde à mes funérailles: «Tout le monde vous aime, vous connaît. Vous aurez des funérailles au Centre Bell!» [rires] On m'a félicité de ne pas être encore mort. [rires]

BD Il y a une dame haïtienne dont on a fêté l'anniversaire: 117 ans. [silence]

PBL Moi, ça me fait peur, mais je laisse faire.

BD En tout cas, la génétique va s'intéresser à vous. On va faire un petit prélèvement de peau pour aller voir ce qu'il y a dans vos gènes.

Vos parents sont-ils morts très vieux?

PBL Mon père, c'est le plus vieux, 85 ans. Il a dit: «Je veux arrêter de vivre quand j'arrêterai de parler.» J'avais pensé la même chose, mais je continue à parler!

Cette longévité, c'est un châtiment? une bénédiction?

PBL Ma position, comme prêtre: Dieu me boude. [rires]

BD Henri Salvador disait: «Des fois, j'ai peur. À l'âge que j'ai, j'ai peur de ne pas mourir un jour. Dieu m'a oublié.»

PBL J'ai vu tellement de belles choses. Freud, Einstein, Gandhi, ce sont mes contemporains. Nelson Mandela. C'est pas possible!

Je me souviens

Vous recommandez aux personnes âgées de passer beaucoup de temps à cultiver leurs souvenirs. Pourquoi?

PBL Quand on cultive ses souvenirs, on se rajeunit. Pas cultiver ses souvenirs pour dire: «Ah, dans ce temps-là, c'était comme ça.» Non. Les souvenirs les plus précieux font partie d'une culture personnelle. C'est comme lire un livre qu'on a lu dans son enfance. Si on le relit, il double d'importance et il y a un triple sens attaché à la lecture. Le retour aux origines a toujours été un signe de renaissance.

BD Ça revient de toute façon en vieillissant ces souvenirs-là. Mon ami Ronald va souvent chercher sa mère, qui a l'Alzheimer, et c'est toutes ses chansons traditionnelles qui reviennent. [Il chante.] Elle chante! Les partys de son enfance avec ses parents, tu le sens, c'est resté. Le reste, elle va regarder et

> Quand on cultive ses souvenirs, on se rajeunit.
>
> Père Benoît Lacroix

elle ne saura pas qui c'est tant que ça. Quand elle chante, elle le fait avec plaisir. C'est le temps du jour de l'An! Il m'a dit : « Ma mère, la musique, ç'a toujours été sa vie. Quand elle était jeune, quand elle était adulte, quand elle travaillait, quand elle était en train de cuisiner. » Comme si dans son cerveau était inscrit un refuge. La maladie ne peut pas atteindre ça. C'est fascinant. Elle l'a cultivé.

La religion et la foi

PBL Je me pose la question très simple, en historien, comme prêtre : qu'est-ce qu'il va rester au catholicisme traditionnel de, disons 1950, au Québec ? Une série de superstitions.

BD De la nostalgie.

Des superstitions. Que voulez-vous dire ?

PBL Les gens disent : « Je ne suis pas pratiquant, mais il faut que j'aille à l'oratoire une fois par année. » « Je ne suis pas pratiquant, je suis même contre la religion, mais il faut que j'y aille à Noël pour chanter les cantiques. » Une forme de nostalgie. Je dis ça en fonction de ce qu'on vient de dire : les souvenirs reviennent d'une façon inévitable.

BD Beaucoup à cause du modèle social qui a changé sans avertir. Dans ma belle-famille, on va à la messe à Capucins. La messe de minuit, ça fait des années que j'y vais. Le curé ne sait pas que je ne suis pas chrétien. Mais à force d'être là, j'ai appris à réciter. Quand tu vois les gens arriver, tu sens cette nostalgie.

PBL Très fort.

BD « Est-ce qu'on a bien fait de tout balayer ça ? » Tu vois cette question dans leurs yeux.

Est-ce que la foi vous a aidé à vivre ?

PBL Ça m'aide parce que j'aime croire. Ils pourraient me dire un mensonge, je vais le croire d'abord. Je verrai plus tard. J'aime ça. Ça doit être dû à l'enfance.

BD Mon père dit la même chose. Mon père a 86 ans, c'est peut-être le plus vieux de ma ville aujourd'hui. Il y a quelques années, ils lui ont coupé la jambe et il est encore là. Il aime les vaches...

PBL Mes amies! Les seuls animaux qui nous regardent et qui ont un regard objectif, c'est-à-dire qui ne va nulle part.

BD Papa tripe sur les vaches. Il a un troupeau de zébus. On a tout fait pour le convaincre qu'il n'a plus la force. Il les a. Cette année, quand j'y suis retourné, il avait encore six, sept zébus dans la maison. Il m'a dit: «Boucar, pour quelqu'un qui a toujours adoré les vaches, finir sa vie avec un sabot, c'est quand même une bénédiction!» [rires]

PBL C'est bon, ça!

L'humour, c'est de famille!

La mort

Vous parliez de superstitions, n'y a-t-il pas aussi le besoin de rituels?

PBL Il y a une erreur avec les salons funéraires et l'incinération rapide: on manque de temps. En Afrique, il faut du temps, il faut respirer, il faut des rites. Ça peut prendre d'autres formes. La dernière prière, un Notre-Père dit lentement, ça tranquillise les personnes en deuil, elles se retrouvent un peu. Il y a une synthèse. Cela permet de faire face à la mort plus paisiblement.

Sereinement.

BD On vit une ambiguïté existentielle de ce côté. Je viens de l'islam, mais je ne pratique pas. Le frère de mon père m'a sorti de l'école coranique en disant à mon père: «Ça, c'est pas un métier. Tu veux sacrifier l'avenir de ce garçon? Il va aller à l'école!» Je crois à Darwin. Je ne peux pas avoir étudié tout ce temps-là pour dire que je ne crois pas à la théorie de l'évolution. Impossible. En même temps, je vis de cette ambiguïté comme tout le monde. Parce que si j'étais certain qu'il n'y a rien après, pourquoi je pleurerais les gens qui passent? Mais si on vit des deuils et que c'est intense pour nous et qu'on pleure, c'est parce qu'on doute de quelque chose. Un doute nous habite. Et je pense que c'est beaucoup plus exacerbé au Québec, où le changement s'est fait vite. De manière trop rapide.

PBL C'est le seul endroit où ça s'est fait si rapidement. Claude Ryan, le chanoine Groulx et moi l'avions prévu: «Ça ne peut pas continuer comme ça, ça n'a pas de bon sens». On était certains que ça allait arriver. Si vous saviez comme le clergé était puissant! J'arrivais chez nous, les gens se mettaient à genoux pour se faire bénir par moi. Ma famille! C'était un monde extraordinaire.

C'était extraordinaire pour ceux qui détenaient le pouvoir.

PBL Bien sûr. Tout ce qu'on a fait aux femmes, leur imposer des maternités, c'était vraiment inhumain.

BD Vous entendre dire ça me surprend.

PBL C'est juste l'historien... Je crois être le premier

> [...] si on vit des deuils et que c'est intense pour nous et qu'on pleure, c'est parce qu'on doute de quelque chose. Un doute nous habite.
>
> Boucar Diouf

> Il y a une erreur avec les salons funéraires et l'incinération rapide: on manque de temps.
>
> Père Benoît Lacroix

prêtre au Québec qui a dit en public : « Je donnerais ma vie à la liberté de conscience. » Je recevais ça de mon père : il se fichait de tout le monde ! J'ai beaucoup lu, ensuite j'ai eu de la chance. J'ai fait des pèlerinages de Chartres à Paris et j'avais un grand ami musulman venu de Téhéran. Ça m'a tellement ouvert l'esprit.

Durer

BD Mon père me dit : « Je vis mes prolongations ! J'en profite. Tous les gens que j'ai connus sont décédés et le Seigneur m'a laissé là ! » [rires]

PBL Je ne pensais jamais durer. Jamais. Je me disais : 80, ça suffit.

BD Mais on sent la fatigue. La sens-tu ?

PBL Dans mes yeux. Le soir, je suis fatigué. Je cherche à mener une vie régulière. Toujours avoir quelque chose à faire. Trois fois par jour la prière, une fois une heure, une fois une demi-heure, l'autre fois, un quart d'heure. Ce sont des rites. Je n'ai pas de famille, n'oubliez pas, mais je suis certain qu'il y aura quelqu'un, des confrères. Il y a une sécurité affective. Ensuite, j'ai des amis auxquels je tiens beaucoup. Des femmes que j'aime beaucoup, auxquelles je tiens beaucoup. [rires]

BD Je vais aller me mettre à côté, tu vas nous prendre en photo et je veux que tu mettes dans le livre : « Un vieillard assis voit plus loin qu'un jeune homme debout. » On ne saurait mieux conclure.

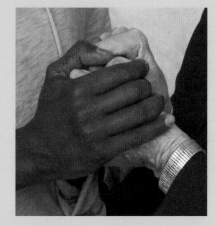

> Je donnerais ma vie à la liberté de conscience.
>
> Père Benoît Lacroix

Tout au long de l'échange, je me suis demandé quand Boucar Diouf allait rappeler l'inégalable sagesse du vieil homme assis. Homme de spectacle accompli, il réservait l'adage pour sa sortie de scène. Image forte de deux hommes du fleuve à qui il suffit d'un regard, d'une main attentionnée posée sur une épaule, pour faire tomber les barrières qui séparent bien inutilement les peuples, les générations, les religions. M.C.

Un vieillard
assis voit
plus loin
qu'un jeune
homme
debout.

Boucar Diouf

Pauline Martin + Michel Dumont

Quand je les ai rencontrés, Pauline Martin et Michel Dumont étaient à quelques jours de la première de *La traversée de la mer intérieure*, de Jean-Rock Gaudreault. Habités par les rôles qu'ils s'apprêtaient à défendre — lui, vieux lion de la politique, et elle, secrètement amoureuse de son patron —, ils paraissaient aussi étonnés l'un que l'autre de n'être conviés ni à partager un chapelet d'anecdotes sur leur métier ni à promouvoir leur prochain spectacle. Quant à moi, j'avançais sur un fil, entre Pauline Martin que je connais depuis longtemps et Michel Dumont que je rencontrais pour la première fois. Chassé-croisé entre le yin et le yang au sujet du temps qui passe, de la longévité, des bienfaits de la lecture et des mots croisés, de la « surmédicamentation » et de l'invisibilité des quinquagénaires.

Le yin et le yang

Vous vous êtes connus il y a une quarantaine d'années, au Saguenay.

Michel Dumont Pauline était amoureuse de moi. Elle me l'a dit 25 ans plus tard !

Pauline Martin Je t'ai vu dans *L'auberge des morts subites*, de Félix Leclerc. Tu jouais le diable en collant noir ! Je suis tombée amoureuse et j'ai décidé de faire du théâtre pour te rencontrer ! [rires]

Aujourd'hui vous êtes grand-mère.

PM Mes enfants sont indépendants et je suis encore au travail, alors je ne suis pas la grand-mère à la retraite que je rêve d'être.

MD Moi, des enfants, je n'en aurai jamais : je suis stérile. Aujourd'hui, c'est un regret. Au début, c'était un drame. Il doit y avoir un truc phénoménal là-dedans, d'avoir la suite de soi-même. Je ne l'aurai jamais. Quand j'ai su, je me disais : « Mon Dieu, tu manques à ta responsabilité envers le clan Dumont ! » Les autres s'en occuperont.

Cela affecte-t-il votre rapport à la vieillesse ?

MD Dès qu'on vient au monde, on commence à vieillir. À un moment donné, la tête, le corps tombent malades et on a des problèmes qui font qu'on reste dans le coin à se faire soigner par les autres. Ça me fait peur.

L'exercice de votre métier vous aide à y faire face, non ?

PM C'est ce que j'ai essayé d'expliquer à mon médecin de famille toute ma vie quand il me disait : « Faudrait que vous arrêtiez. » Quand je mets les pieds sur scène, je n'ai mal nulle part ! Dans notre métier, on doit contraindre notre corps. Dès qu'on arrête de jouer, tout nous saute dessus !

MD Jouer de huit heures à onze heures, deux fois le samedi, c'est un grand exercice. On répète, on apprend les textes. Je suis porte-parole de la Société Alzheimer et c'est ce qu'on conseille aux gens : apprendre un texte en se levant le matin, en prenant son café. Les apprendre par cœur, ces trois lignes-là ! Faire marcher tout ça !

Dans votre métier, vous exercez constamment votre mémoire.

MD Il faut que ça travaille, ces affaires-là. L'homme à la retraite qui ne lit pas de journaux mais regarde la télé, tu le vois dépérir. Il n'a pas d'intérêt à l'extérieur de ce que lui donne la télé. J'ai 300 chaînes à la maison et il y en a 302 que je n'écoute pas ! Mais lire, réfléchir, avoir une conversation, échanger, tout ça fait travailler la mémoire. Vieillir, c'est mourir un peu.

PM À la fin de sa vie, maman me disait : « Trouves-tu que je m'en vais un petit peu ? Là, ça fait une demi-heure que je ne suis pas avec vous autres. On dirait que je vais un petit peu de l'autre bord. » Elle le voyait comme ça : se retirer du monde. Ça, c'est vraiment une fin de vie. Le monsieur dont tu parles se retire de la vie, lui aussi. Est-ce un manque de curiosité pour le monde ?

MD Quand tu n'as jamais lu un journal de ta vie, t'as beau être à la retraite, c'est pas là que tu vas te mettre à acheter les œuvres de Sainte-Beuve !

Dès qu'on vient au monde, on commence à vieillir.

Michel Dumont

Cela dit, certains ne lisent peut-être pas, mais ils se passionnent par exemple pour l'ornithologie. À cinq heures du matin, ils sont aux aguets.

MD Du moment que tu es passionné pour quelque chose, il y a un éveil. Le corps s'endurcit, la tête marche et le cœur aussi. Depuis que je suis tout petit, je fais des mots croisés. J'achète toutes les revues qui en ont. Ceux du *Nouvel Observateur,* des fois, me prennent une semaine, des fois une demi-heure. Quand j'entre dans ma loge avant le spectacle, je ferme la porte et je fais des mots croisés. Ça me libère complètement. Après, je prends mon texte.

PM Quand quelqu'un meurt, on dit : il s'éteint. Quand on parle de quelqu'un d'un certain âge, souvent on va dire : « Elle est super allumée ! » La flamme est encore là.

MD Des fois, je me sens comme un gars de 35 ou 40 ans, gonflé à bloc, mais le corps me rappelle de me calmer les nerfs. Les reins ne fonctionnent pas comme avant. Quelque chose dans mon corps m'empêche d'être jeune, de faire des choses de jeune, alors que dans ma tête, elles sont encore là. Un soir de première, j'ai pris ma voiture et je me suis rendu au théâtre à deux milles à l'heure, comme si mon corps me disait : « N'y va pas ! N'y va pas ! » Je me pousse à aller vers les choses que mon corps ne veut pas faire.

PM Le corps te ralentit. Il te dit : « Ça, ce serait intéressant qu'on ne le fasse plus. » Et il y a le regard des autres. À 61 ans, je suis beaucoup là-dedans.

Est-ce si lourd ?

MD Plus j'avance en âge, plus j'ai le sentiment d'avoir déjà tout dit. Aux yeux des gens qui m'interviewent, je suis plusieurs personnages. Je ne suis pas moi, mais des personnages. Quand je serai âgé de 80 ans, on pourra réunir dans une pièce

> Plus j'avance en âge, plus j'ai le sentiment d'avoir déjà tout dit.
>
> Michel Dumont

101

les gens qui me connaissent bien.

PM Ma mère était très fière de ma carrière. Elle est morte à 100 ans, l'année dernière. Maman m'a choisie : « Avez-vous vu votre sœur ? Avez-vous regardé votre sœur ? » Ce n'était pas mon souhait à moi. Moi, tout ce que je voulais, c'était être la petite Pauline. J'ai dû en faire mon deuil. Encore aujourd'hui, j'y pense souvent.

MD J'ai vieilli à travers les sept autres enfants. Ma mère a vu qu'il y avait quelque chose de différent chez moi. Je lisais, j'étais toujours dans mon coin. « Où est Michel ? » « Aux toilettes. » C'était la seule place où on pouvait barrer la porte pour lire.

PM Je m'enfermais dans la garde-robe avec une *flashlight* ! [rires]

Ma mère a perçu ce que j'étais.

Michel Dumont

MD Ma mère a perçu ce que j'étais. Pas mieux, pas moins, mais quelque chose, disons, d'artistique, de plus intimiste, de plus contemplatif. Elle m'envoyait au cinéma et m'a abonné à mon premier club de livres. Elle a vu ça et elle l'a poussé. Beaucoup de mères ne l'auraient pas vu.

Un contemplatif doté d'un physique de bûcheron.

MD Moi, ça ? [rires]

PM Non, plutôt de grand seigneur !

MD J'ai 72 ans et je n'ai jamais été aussi heureux que depuis 40 ans. Comme je n'ai pas d'enfant, Manon et moi, on est libres de faire ce qu'on veut, de partir quand on veut. C'est une compensation, évidemment. Il reste que je regarde mon beau-frère, sa fille est enceinte. Boum, petit bedon… Il y a un univers là-dedans.

PM Ma mère a eu neuf enfants, sept vivants.

MD Chez nous, sept vivants.

Je ne souhaiterais pas vivre jusqu'à 100 ans.

Pauline Martin

La longévité

Quand on a eu une mère centenaire, se plaît-on à imaginer qu'on connaîtra la même longévité ?

PM Elle n'a pas fait le party comme moi ! Mais je pense avoir ses gènes, je lui ressemble beaucoup. Quand j'étais petite, ma mère m'appelait « la pensue ». Pendant des grands bouts, je ne faisais rien, j'étais assise. Ma mère disait : « Qu'est-ce que tu fais ? » « Je pense. » Pour moi, c'était une activité extrêmement importante. Parfois, ma mère n'en pouvait plus. Je posais beaucoup de questions. Michel trouve aussi que je pose beaucoup de

questions! [rires] Je voulais savoir ce qu'était le vide. Maman avait dit:
« On va l'emmener chez le docteur! Pauline veut tellement tout savoir, elle fait
pas juste lever la roche pour voir ce qu'il y a en dessous, elle creuse! » Cette
attitude m'a servi dans mon métier. Je vais au-delà de ce que je vois. Je ne
me contente pas des êtres humains que je rencontre, j'en invente! C'est ça,
un acteur. Pour revenir à ta question, je ne souhaiterais pas vivre jusqu'à
100 ans.

MD Moi, oui, je vivrais bien jusqu'à 100 ans. Mais faudrait que ce soit solide.
Dépendre de tout le monde, être confiné dans un coin, je ne veux pas.

PM Maman avait une bonne santé.

MD On ne peut pas prévoir ça, Pauline. Je connais des gars de 30 ans qui sont
plus vieux que moi.

PM Tu parles de la jeunesse, de l'énergie vitale. Je suis d'accord avec toi. Ce
qu'on ne contrôle pas, c'est notre génétique, l'hérédité. Et les coups de la vie.
Ma mère avait un rapport extraordinaire à la vie, mais elle n'a rien pu faire
contre le fait qu'elle devenait aveugle. Maman, qui lisait beaucoup, a été
obligée d'arrêter à 80 ans parce qu'elle avait une dégénérescence maculaire.
Après, elle n'avait plus de qualité de vie. Ça ne l'empêchait pas d'être allumée.

Cette perspective vous fait-elle peur?

MD C'est apeurant.

PM Cela dit, jusqu'à 94 ans, avant la cécité, elle allait bien, elle était toute là.
Quand elle est devenue aveugle, elle voulait partir. Elle trouvait qu'elle avait
fait ce qu'elle avait à faire. Elle disait à ma sœur: « Tu prends trop bien soin
de moi, je ne mourrai jamais! » [rires] Son médecin lui a dit: « Vous avez
raison, madame Martin. Votre fille prend soin de vous, elle vous conserve. »
Elle répondait: « C'est ça, le problème! De quoi je vais mourir? »

MD C'est mignon!

PM Maman, tu l'aurais mangée pas de sauce! À la première neige, elle
nous emmenait dehors pour faire l'ange dans la neige. Elle a fait l'ange
jusqu'à ce qu'elle ne soit plus capable. Elle avait peut-être 93 ou 94 ans.
Elle disait à ma sœur: « Mets-moi mes bottes, je veux aller faire l'ange. »
Elle avait un talent pour la vie. Je pense que j'ai ça d'elle.

Vieillissez-vous bien?

MD Je ne sais pas ce que c'est que de bien vieillir. Je connais des gens qui
ont mal vieilli, qui n'ont pas de passion ou qui ont fait des métiers qu'ils
n'aimaient pas. Ils ont détesté presque tout ce qu'ils ont fait dans leur vie.
J'ai vu vieillir monsieur Duceppe, j'étais très attaché à lui. Tout à coup, bang,
il a le diabète et il ne voit plus. Ses pieds ne savent pas s'il est debout ou s'il
va tomber. C'est ce que j'appelle le vieillissement. Mon père disait: « Ça fait
40 ans que je travaille pour la compagnie Price. Dès que c'est fini, je prends
ma retraite et je vais voyager, je vais aller à la pêche, à la chasse. Je vais m'en

> Moi, oui,
> je vivrais bien
> jusqu'à 100 ans.
> Mais faudrait que
> ce soit solide.
>
> Michel Dumont

payer, des affaires!» Un an après, il était mort d'un cancer du larynx. Je vais m'arranger pour faire quelque chose que j'aime et qui me passionne tout le temps. Quand il n'y aura plus de passion, je changerai. Je n'attendrai pas d'arriver à un certain âge pour vivre comme j'en ai envie. Attendre que la cloche sonne et se dire qu'à 60 ans, on commencera enfin à vivre, c'est mal vieillir. C'est vieillir avant le temps. Je trouve que je vieillis bien. J'ai fait ce que j'ai voulu dans la vie.

PM On ne naît pas tous avec le même bagage pour affronter la vie. Il y a des gens qui naissent avec un beau cadeau de vitalité.

MD Des prédispositions.

PM Il y a des gens doués pour le bonheur. Tout le monde ne naît pas avec une grande vitalité. Pensons à Denise Filiatrault. Parfois, j'ai envie de lui dire: «Denise, tout le monde n'est pas sur le 220!» Les énergies sont différentes: il y a des personnes qui sont fatiguées à 40 ans. La passion, c'est vrai que ça garde jeune.

MD Un jour, dans un restaurant au Saguenay, j'ai remarqué un homme à table avec sa femme. Quand elle est sortie, il est resté. Il pleurait. Quand il est parti à son tour, j'ai demandé au restaurateur s'il le connaissait. Cet homme exerçait, depuis 50 ans, un métier qu'il n'aimait pas. Autant dire la balle dans le front! Comment peut-on vivre comme ça?

PM Tout le monde ne demande pas la même chose à la vie. Il y en a qui trouvent qu'on s'agite beaucoup pour rien. Tout à fait inutilement. Vieillir, c'est réaliser qu'on s'agite pour rien, qu'on tape un peu sur les nerfs. On peut essayer de rationaliser l'énergie et se donner un but.

S'agiter pour rien, ça ressemble à quoi?

PM Essayer de faire entrer un carré dans un rond. Ne pas tenir compte de l'environnement. Ça ne donne rien de s'énerver. Ça n'apporte rien.

Faites-vous des bilans au moment de certains anniversaires?

PM Soixante ans, pour moi, ça représente vraiment un bilan. On a d'ailleurs fêté mes 40 ans de carrière.

À votre initiative?

PM Pas du tout. Ça m'a portée à faire un bilan

> ## Je trouve que je vieillis bien. J'ai fait ce que j'ai voulu dans la vie.
>
> Michel Dumont

de vie, un bilan de toutes sortes de choses, et à me demander ce que j'envisage pour les années qui viennent. Qu'est-ce que je n'ai pas que j'aimerais avoir? Plus de place pour l'écriture? Ça, c'est sûr, comme le citron! La mise en scène? Je vais sans doute en faire une; cet aspect du métier me tente. Mes 60 ans, ça a passé comme un couteau chaud dans le beurre. Est-ce parce que tout le monde s'est mis à me parler de ma carrière? C'est vrai que ça m'a projetée dans ma vie. Tu n'as pas eu d'âge bilan, Michel?

MD J'en ai fait un petit parce que j'ai fait deux dépressions. Je suis allé consulter, et il a bien fallu que je me mette à assumer des affaires. Retour sur le clou où j'accrochais les vêtements dans le passé... On marche et, à un moment donné, notre vêtement est pogné dans un clou. On avance pareil, mais ça déchire. Il faut l'enlever. Donc, j'ai fait un bilan de ce qu'avait été mon passé et de ce qui m'a frustré, ce qui m'empêchait d'avancer, mais je me suis rendu compte que si moi je n'assumais pas ces affaires-là, personne ne les assumerait. T'as beau pleurer et dire: « Papa m'a jamais dit qu'il m'aime », c'est un fait. Je vais me le dire, moi. Papa est mort. Si je n'assume pas qu'il ne me l'a pas dit, je vais toujours rester accroché. Donc, je vais l'assumer. Comme bilan, c'est tout ce que j'ai fait.

D'une génération à l'autre

PM Il n'y a pas très longtemps, des camarades plus jeunes que moi allaient prendre une bière. Personne n'a pensé à m'offrir d'y aller! J'ai failli dire: « Avertissez-moi quand l'autobus de la résidence va arriver! » J'avais de la peine. Je me suis sentie mise de côté. En même temps, je me disais que ce ne serait pas ma place.

MD Souvent, il y a plus de jeunes que de personnes âgées dans la distribution. Ils vont prendre une bière ou vont au restaurant, mais ils ne m'en parlent pas. Ils se disent: « Il ne viendra pas. Il doit rentrer chez lui. » **Il est quand même huit heures! [rires]**

MD Patrice Robitaille me vouvoie. Je lui ai demandé de me tutoyer, il m'a dit: « Moi, c'est de même, je vous dis vous. » Je vouvoyais Jean Duceppe et je tutoyais Roger Lebel. Le « vous » m'éloigne dans le temps, m'avance en âge. Je n'ai jamais tutoyé mon père, il m'aurait sacré une claque! Le respect, c'est « vous ».

PM Quand on faisait *Samedi de rire*, Normand Chouinard, qui devait jouer

> Notre métier nous permet de vivre dans l'illusion qu'on fait partie de toutes les générations.
>
> Pauline Martin

un homme de 55 ans, se met à parler comme un p'tit vieux. Yvon Deschamps l'interrompt: «Eille! J'ai 55 ans, je ne parle pas de même!» Il y a un préjugé. Notre métier nous permet de vivre dans l'illusion qu'on fait partie de toutes les générations. On se fait rappeler à l'ordre de temps en temps.

 Moi, quand je dis mon âge, on me répond: «C'est pas vrai!»

 Montre tes papiers! [rires]

L'idée d'être toujours sur scène à 80 ans vous séduit-elle?

MD Formidable!

PM Pour moi aussi.

MD J'aimerais mourir comme Molière. Sur scène!

Féminin et masculin

Une de vos amies m'a dit: «Michel est l'homme le plus féminin que je connaisse.»

MD Je pense que c'est vrai. J'ai plus de féminin en moi que de masculin.

PM Ce qui ne t'empêche pas d'être un fantasme de virilité pour toutes les femmes du Québec! Y compris moi.

MD Phénomène assez récent. Lorsqu'une animatrice me dit: «Savez-vous que vous êtes séduisant?», je réponds non. Je ne travaille pas la séduction, j'essaie d'être vrai, honnête. Si quelqu'un est séduit, qu'est-ce que je peux y faire?

À quoi correspond ce côté féminin?

PM Beaucoup d'hommes n'ont pas réglé beaucoup de choses avec les femmes, entre autres avec leur mère. Quelles que soient les femmes, et quel que soit leur âge, on sent chez toi, Michel, quelque chose d'accueillant. T'es «une» de la gang! [rires]

MD Oh *boy!*

Celle-là, je ne l'ai pas vue venir!

PM Je suis surprenante! [rires] Je me surprends moi-même! Moi, on m'a souvent dit que j'avais une énergie masculine. Je suis féminine, je parle beaucoup, mais à 14 ans, ma mère m'a dit: «Là, il serait temps que tu te fasses des petites amies filles.» Je jouais à des jeux de garçon. Ça l'inquiétait un peu. J'ai toujours été *one of the boys*. C'est pour ça que je te dis que t'es une de la gang. C'est un outil, quand on est acteur, de pouvoir puiser dans des énergies différentes. Certains hommes ne font aucune place à leur part féminine. On est plus heureux, à mon avis, quand on peut jouer avec différentes énergies.

MD Quand on laisse entrer.

J'ai plus de féminin en moi que de masculin.

Michel Dumont

Les figures maternelles

PM Maman avait beaucoup d'humour. Elle n'avait même pas une quatrième année, mais elle avait une culture générale incroyable! Elle lisait beaucoup et regardait la télé. À 90 ans, tu l'appelais et elle disait: «Excuse-moi, il y a un très beau reportage sur l'Afrique. Peux-tu me rappeler dans une heure?» Elle avait cette curiosité insatiable du monde, de la découverte et du merveilleux. Je me rappelle qu'à 83 ou 84, elle s'était plainte: «Ah! J'ai mal là. Ma hanche. Mon âge.» Et elle s'était arrêtée pour dire: «Je suis donc ben fatigante! J'arrête pas de me plaindre. C'est des petits bobos, ça. Tu sais, Pauline, je devrais pas faire ça! J'ai des amies qui sont mortes à 70 ans, 75 ans sans avoir fait la paix avec leur monde. Moi, j'ai eu le temps de m'expliquer, le temps de comprendre mes enfants, le temps de m'excuser auprès de certaines personnes, le temps de faire la paix. Quand tu pars trop vite, t'as pas le temps de faire ça.» [rires] Au début des années 80, Jacques Houde animait une émission qui s'appelait *Les ateliers*. Il avait interviewé ma mère, à Chicoutimi: «Vous ne trouvez pas ça difficile, madame Martin, la peau qui tombe, les traits qui s'affaissent, tout ça?» «Un peu, mais c'est bien fait parce qu'on perd la vue en même temps!» [rires]

MD Elle était bien mignonne!

PM Ah, maman, je te jure, c'était comme un petit gâteau à la vanille! Maman était une souverainiste convaincue. Même les trois dernières semaines à l'hôpital, après deux AVC, elle a demandé: «Qu'est-ce qui arrive, avec Charest pis les carrés rouges? Est-ce qu'il va les laisser tranquilles?»

À 100 ans?

PM Cent ans et six mois. L'infirmière m'a demandé: «Ça se peut qu'elle ait dit ça?» Maman s'indignait. Elle pouvait être dure, tranchante. J'ai ce côté-là, moi aussi, mais j'en suis un peu moins fière. J'aimerais ça mettre un peu de pierre ponce là-dessus.

MD On va t'aider.

PM Ma mère avait cette capacité de réagir et de prendre des risques. Parler, c'est prendre des risques. Maman n'avait pas peur de ça. Il y a des choses que tu ne lui aurais jamais fait dire. Des choses dont elle ne voulait absolument pas parler. Elle nous écoutait et faisait: «Peut-être.» [rires] Ça voulait tout dire. On n'allait plus là. C'est vraiment mon modèle. Un modèle de liberté et de résilience. Maman a perdu son premier enfant parce que le médecin qui l'a accouchée était saoul. Elle a aussi perdu une enfant de trois ans écrasée par un camion, presque devant ses yeux, la veille d'un déménagement. Elle est devenue folle de douleur pendant des années. Mon frère est mort des suites du sida, il y a trois ans. Avant de dévoiler son homosexualité, il a demandé à ma mère: «Est-ce que ça te dérange?» Elle lui a répondu: «Mon petit garçon, je t'ai donné la vie. Donner c'est donner. Tu en fais ce que tu veux.» [silence]

MD Les mères sont souvent surprenantes. Après quatre ans de mon premier mariage, je voulais divorcer. Mes frères m'avaient dit: «Quand on se marie, c'est pour la vie!» J'appelle maman et je lui dis: «Demain matin, je vais déjeuner avec vous.» Je ne veux pas la blesser, mais je lui explique que je me sépare. Elle dit: «Mon Dieu Seigneur, ça fait quatre ans que je vous vois vivre ensemble et vous n'êtes pas heureux!» Avoir su! [rires] Elle voyait ça, mais il fallait que ça vienne de moi.

> Ma mère avait cette capacité de réagir et de prendre des risques. Parler, c'est prendre des risques.
>
> Pauline Martin

Vieillir au féminin

Vous avez dit qu'à 50 ans, les femmes devenaient invisibles.

PM N'importe quelle femme va te le raconter. Tu as beau te mettre cute le matin, il n'y en a pas un maudit qui va te regarder! Après 50 ans, les femmes ne sont plus dans le regard des hommes. Ce qui vient, c'est le regard compatissant: «Es-tu sûre que tu veux faire ça?» On essaie de te vieillir. Faut résister à ça. Laissez-moi décider!

On veut vous protéger.

PM En tournée avec *Motel des brumes,* mon petit Vincent Bolduc ne me laissait jamais sortir de l'autobus sans me tenir le bras. Il avait peur que je glisse sur la glace! Je n'ai pas 95 ans, mais je l'appréciais. Claude Prégent prenait mes valises. C'est très apprécié. Mais faites-moi pas paraître vieille ou âgée avant que je le décide! Je suis

Je suis dans le tournant de la soixantaine. Honnêtement, je trouve ça difficile.

Pauline Martin

dans le tournant de la soixantaine. Honnêtement, je trouve ça difficile.

MD En tant que femme?

PM En tant que femme.

Faites-vous référence aux rôles qu'on vous offre?

PM Les rôles changent. L'absence de rôles! Au cinéma, au théâtre, partout, les personnages principaux ont, en général, de 20 à 50 ans. Voir le groupe d'âge qui suit ou qui précède est exceptionnel.

MD À la télé aussi.

PM C'est une réalité incontournable.

Je peux te nommer cinq actrices de mon âge qui cherchent du travail en ce moment. Elles attendent le rôle. J'ai un rôle de psychologue dans *Mémoires vives,* un très beau rôle qui me convient. C'est super rare. J'ai dû mettre d'autres cordes à mon arc. Je dois me rendre intéressante pour que les gens aient envie de travailler avec moi. Les gens veulent l'expérience dans une société qui la dévalorise. J'ai travaillé avec des gens qui avaient 30 ans de métier et je buvais leurs paroles. Le jour où j'ai vu qu'on buvait les miennes, j'ai eu un p'tit coup de vieux! [rires] C'est fabuleux, l'expérience, il ne faut pas négliger ça.

MD J'ai beaucoup appris en regardant. Je regardais, tout simplement. On apprend énormément en essayant d'avoir une communication silencieuse avec ce qui se passe. Je suis convaincu que j'en ai encore à apprendre. Apprendre en regardant, c'est long!

Question de santé

Vous avez parlé de la peur de la décrépitude, de la déchéance physique. Êtes-vous très soucieux de votre santé?

`PM` [rires] Je vais te laisser répondre!

`MD` Je ne fais pas d'exercice. Quand j'ai arrêté de fumer, j'ai découvert à quel point la nourriture était bonne. J'allais au Saguenay, je mangeais trois assiettes de tourtière! Pendant 15 ans, j'ai mangé. Dans *Cargo*, le film de François Girard, j'étais énorme! Là je me suis dit: on va se calmer les nerfs! Un jour, je suis allé voir un médecin: 260 livres! Elle m'a dit: «On en perd 30 ou on a des problèmes.» Je n'ai rien fait, pas d'exercice, et j'ai perdu 30 livres. Il y a un mécanisme, clic, clic, et on maigrit! [rires] Bref, je ne fais pas attention.

Ça vous inquiète?

`MD` Pantoute! Il y a des journées où je ne mange pas. [silence] Ni le matin, ni le midi, ni le soir. Quand mon corps n'a pas faim, il n'a pas faim, c'est tout. Pourquoi je l'assoirais pour le faire manger?

Ça fait sourire Pauline.

`MD` Ça inquiète bien du monde. Je ne suis pas malade: je n'ai pas faim. Quand j'ai faim, ça fait cling, cling, mets chinois, cling, cling, steak. Personne ne peut me retenir d'aller manger un steak ou des mets chinois. Ça devient nécessaire. Je n'ai pas de carences, je suis en forme. J'ai le corps qui fait mal là où c'est normal que ça fasse mal à mon âge. [silence]

`PM` Je fais à peu près le contraire de toi. Je ne me force même pas! Ça a commencé quand j'étais étudiante: j'ai été végétarienne parce que je n'avais pas d'argent pour acheter de la viande. Je le suis restée en partie, sauf quand j'ai élevé ma famille – mon conjoint était carnivore!

J'ai un problème de naissance aux genoux: avec les années, les articulations deviennent moins souples. Jusqu'à l'âge de 40 ans, mes genoux ont débarqué. Ça s'appelle des luxations récidivantes.

> **J'ai le corps qui fait mal là où c'est normal que ça fasse mal à mon âge.**
>
> Michel Dumont

Quand j'avais 36 ans, un orthopédiste m'a dit: «Madame, je ne sais même pas comment vous faites pour vous tenir debout. Si je ne vous opère pas, à 46 ans, vous serez en fauteuil roulant.» J'ai eu peur. Je suis retournée le voir une semaine plus tard et je lui ai demandé quelles étaient les possibilités que l'opération améliore les choses: «Cinquante pour cent.» Je lui ai dit: «Autrement dit, il faut que je choisisse entre les erreurs du Bon Dieu et les vôtres! Alors je vais garder le Bon Dieu, parce que lui, je le connais.» Je n'ai pas été opérée.

Qu'avez-vous fait?

PM J'ai braillé, puis je suis partie à rire. L'orthopédiste, c'est sûr qu'il voulait m'opérer! Si on va voir un cordonnier, il veut coudre nos chaussures. *Wake up!* Je suis allée en physiothérapie, j'ai fait beaucoup d'exercices, et je me suis tournée vers l'acupuncture. Ce handicap m'oblige à entretenir mon corps. Je sais exactement comment masser mes jambes, comment les faire tremper. Alors, je ne pense pas que je vais être en fauteuil roulant. Mais je suis comme tout le monde, je sens que je vieillis. À moi de garder la forme.

MD Quand j'ai mal quelque part, j'entends ma blonde me dire: «Un moment donné, ça fera tellement mal, tu vas aller voir le médecin!» J'y vais quand c'est insupportable. Ça, c'est masculin.

Comme c'est très féminin de connaître une batterie de spécialistes.

PM J'appelle ça mon service de maintenance.

La lecture

Avez-vous lu sur le vieillissement?

PM J'ai lu *Repenser le vieillissement: vieillir et bien vivre dans une société surmédicalisée,* du médecin américain Nortin Hadler. Il remet en question l'attitude du corps médical par rapport au vieillissement, à travers la surmédication. Selon lui, il est normal, après 60 ans, que la tension artérielle varie. Il trouve qu'on traite le vieillissement comme une maladie à médicamenter. Ces médicaments rendent le corps déficient et génèrent d'autres maladies. Au lieu d'adapter notre corps au vieillissement, on recourt à des médicaments qui nous empêchent de nous y adapter et débilitent un peu certaines réactions normales. Ça m'a intéressée parce que c'est une chose que je sais. Quand tu élèves des enfants, tu sais qu'ils ont des poussées de croissance. En vieillissant, on a des poussées de décroissance. Je l'ai observé chez ma mère. Des pertes suivies de paliers, où on peut récupérer. Quand on ne peut plus faire quelque chose, il faut attendre, résister, ça va revenir. Il y a toutes

Mais je suis comme tout le monde, je sens que je vieillis. À moi de garder la forme.

Pauline Martin

sortes d'étapes dans une vie, il ne faut pas les brûler. Il faut laisser au corps le temps de s'adapter au vieillissement, sans trop le médicamenter. Ce médecin n'est pas contre la médication qui aide à vivre, mais il estime que l'interventionnisme et l'industrie pharmaceutique nous rendent malades.

MD Moi, lire des livres sur la médecine ou les maladies, je ne suis pas capable. Je me dis toujours : « Lis pas ça, tu vas t'en trouver ! » [rires] Quand j'ai accepté d'être porte-parole de la Société Alzheimer, j'ai quand même été obligé de lire beaucoup de choses. Et quand Manon a eu un cancer, on a beaucoup lu sur le sujet. Sinon, je lis plutôt pour partir, m'envoler. Si les 30 premières pages ne m'intéressent pas, le roman prend le bord ! [rires]

PM Je lis une centaine de livres par année. J'ai un livre qui déborde de phrases qui m'ont bouleversée, qui sont des guides.

MD On a des livres partout, partout, partout dans la maison. J'en fais profiter mes neveux. Prenez les livres que vous voulez ! Partez avec ! Il y a une petite collection, là, prends-la. Tu me la rapporteras ou pas. Tu prends un livre, tu mets une dédicace et tu le laisses dans un parc. Quelqu'un passe et le ramasse... Le livre fait son chemin.

PM Quand les gens disent qu'un livre coûte cher, je n'en reviens jamais. Pour 29,99 $, j'ai le résultat du travail de quelqu'un pendant des années ! Je ne trouve pas ça cher.

Je comprends que vous vous entendiez si bien.

PM Je me rends compte que rien n'accroche entre nous. Je ne l'avais jamais réalisé.

> On peut
> être âgé
> à n'importe
> quel âge.
>
> Michel Dumont

Un mot qui fait réfléchir

Accolez-vous le mot *vieux* à quelque chose de positif ou de négatif ?

MD Vieux, c'est âgé, passé de mode. Vieux, c'est après. Vieux, c'est trop loin. Comme si on avait déjà un pied dans la tombe. C'est un mot que je n'aime pas. J'aime mieux *âgé*. *Les vieux*, j'haïs ça. *Les gens âgés*, ça va. On peut être âgé à n'importe quel âge. Quand les gens te disent que tu es vieux, t'es un laissé-pour-compte.

PM Le mot a une connotation négative. Mais il y a une énorme différence entre avoir 60 ans aujourd'hui et avoir cet âge il y a 50 ans. Tranquillement, oui, le mot *vieux* est devenu négatif. Dans ma tête, je vais être vieille à 80 ans. Peut-être alors que je vais commencer à dire que je suis vieille. Je crois que

En ce moment, je suis dans un passage. Je suis en train d'accepter mon âge et le regard des autres. J'en suis consciente.

Pauline Martin

c'est Clémence DesRochers qui a dit en entrevue : « Je donne des spectacles pour des personnes âgées. » [rires] Comme si elle ne réalisait pas qu'elle jouait pour du monde de son âge !

MD Quand on était petits, on disait « les p'tites vieilles ». Ma grand-mère était une p'tite vieille. Les mots *vieux* et *vieille,* ça nous semblait aussi loin de nous que le bout du monde. Ce sont des mots que je n'aime pas. Ils ont une saveur de putréfaction ou de fini.

PM Les gens qui entrent chez une personne âgée disent : « Ça sent le p'tit vieux. » On dit : « Je vais jeter ça, c'est vieux. » Dans le langage populaire, ce n'est pas du tout positif.

MD Vieux, c'est devenu inutile.

PM Par contre, je n'ai pas de misère à l'utiliser quand je joue avec ma petite-fille à quatre pattes et que j'ai du mal à me relever : « Que grand-maman est vieille ! » Ça ne me dérange pas de me nommer comme ça, mais je trouve que dans la société en général, le mot *vieux*, c'est très laid. En ce moment, je suis dans un passage. Je suis en train d'accepter mon âge et le regard des autres. J'en suis consciente. Ç'aurait été bien que je n'en sois pas consciente.

MD Les mots ont un sens.

PM J'ai l'obsession des mots justes. On est dans une société qui ne se donne pas la peine de bien nommer certaines choses. Ça m'énerve.

MD Surtout devant les enfants. Michel Tremblay le dit souvent dans ses pièces : il y a des mots qui salissent la réalité.

PM Comme tous ces termes guerriers qu'on utilise sans trop réfléchir.

Je vous ramène au mot *vieux*.

PM T'as pas compris qu'on ne voulait plus en parler ? [rires]

MD Il aurait dû comprendre ça depuis longtemps ! [rires]

À une autre époque, il y avait le sage, l'ancien.

MD Aujourd'hui, il y a l'âge d'or, des mots pour adoucir. Si j'avais dit à ma mère, quand elle avait 92 ans, « Salut la vieille ! », elle m'aurait… Un petit gars a demandé à Albert Einstein : « Gros, c'est gros comment ? » Einstein avait répondu : « C'est la question la plus difficile qui m'a été posée. » Parce que c'est relatif. Un éléphant par rapport à une souris. Une souris par rapport à un atome. Alors vieux… Vieux, c'est par rapport à quoi ? à qui ? à quel état ? Je suis plus vieux que toi, mais si quelqu'un m'appelait « le vieux » ou disait « vous autres, les vieux ! », j'aimerais pas ça !

PM On est dans une société de consommation où c'est important d'acheter du neuf.

Alors on se débarrasse du vieux.

PM Trop vieux ! Une antiquité. [rires]

MD On ne veut plus être anciens. Maudit !

> **Alors vieux… Vieux, c'est par rapport à quoi ? à qui ? à quel état ?**
>
> Michel Dumont

Je me rends compte que rien n'accroche entre nous.
Je ne l'avais jamais réalisé. Pauline Martin

À la fin de la rencontre, Pauline Martin a regardé Michel Dumont droit dans les yeux et s'est exclamée : « On ne s'est jamais parlé comme ça ! » Là-dessus comme sur bien des sujets, ils étaient du même avis. Quelques jours plus tard, je suis allé les voir créer la pièce de Jean-Rock Gaudreault chez DUCEPPE. J'y ai trouvé un politicien d'une autre époque et une femme aimante et dévouée. Le yin et le yang avaient repris leur place. M.C.

Serge Bouchard + Gilles Duceppe

À l'instant même où Gilles Duceppe a lancé le nom de Serge Bouchard, j'ai su qu'il s'agissait de la combinaison gagnante. Les deux hommes se sont connus au collège Mont-Saint-Louis il y a plus de 50 ans. Depuis, chacun à sa manière occupe l'espace public. Le politicien défend ses idées sans fléchir et pèse chacun de ses mots. Quant à l'anthropologue, il prend plaisir à forcer le trait, parfois même à dire le contraire de ce qu'il pense, pour faire avancer la discussion. Et il suffit que le ciel s'ennuage pour qu'il demande, de sa voix la plus grave: «Est-ce qu'il y a un changement d'éclairage ou est-ce la griffe de la mort qui s'approche?» Exploration amicale de la mi-soixantaine par temps nuageux...

Les hommes de 66 ans

Depuis quand vous connaissez-vous ?

Gilles Duceppe Depuis 1960 ! Cinquante-trois ans.

Serge Bouchard Un demi-siècle. Quand on s'est connus, j'avais 13 ans.

GD Des fois, on a été sept, huit ans sans se voir, mais quand on se revoyait, c'est comme si on s'était vus la veille.

SB Comme si on avait fait des mauvais coups ensemble. C'est peut-être ça, finalement.

Étude de mots

Serge, vous parlez de la vieillesse sans complexe.

SB Les mots *vieux* et *vieille* sont disparus. On ne les utilise pas en public. On parle très peu de ça.

GD On dit « les aînés » ou encore « le bel âge ».

SB Il y a un détournement.

GD J'étais avec Jacques Parizeau, et on écoutait quelqu'un avec qui on n'était pas d'accord. Il m'a dit : « Monsieur Duceppe, il n'y a plus d'aveugles,

On espère
vieillir !
L'alternative
n'est pas
joyeuse.

Gilles Duceppe

116

il y a des non-voyants. Il n'y a plus de sourds, il y a des malentendants. Il n'y a plus de cons, il n'y a que des non-comprenants ! » [rires]

Donc, il n'y a plus de vieux.

GD Pourquoi ? C'est pas une maladie, la vieillesse.

SB C'est un symptôme de l'époque dans laquelle on vit. Une époque sans précédent. On change le vocabulaire. Les mots tabous, c'est exclu. Être vieux et être vieille, être malade, être mort... On a de la misère avec la mort, le vieillissement et les mots. Or, les études démontrent – des études très récentes – qu'un être humain, après un certain temps, vieillit !

Vous avez des preuves ?!

SB C'est très pratique, très clinique. Et c'est vrai, mais on dit le contraire.

GD On espère vieillir ! L'alternative n'est pas joyeuse.

SB Mais si on ne veut pas mourir, il faut se préparer à vieillir. Autre symptôme de notre époque : le refus de vieillir. On vit dans une époque où le temps est annulé. On ne s'inscrit plus dans le temps. Tout ce qui est vieux n'est pas bon. Tout ce qui est vieux est négatif. Dans une société normale, ce qui est vieux peut être classique, peut être témoin. Aujourd'hui, ce qui est vieux ne sert à rien. Un vieillard !

Serge, comment l'anthropologue envisage-t-il le vieillissement ?

SB Nous avons l'arrogance de dire que le temps n'est plus un facteur. On est à la vitesse lumière, donc on ne s'inscrit plus dans le temps, donc on ne connaît plus le vieillissement, donc on n'est plus vieux. C'est anormal d'être vieux ! Si t'es vieux, t'es un taré. Tu ne vas tout de même pas consulter un vieux. Le monde qu'il a connu est tellement dinosaurien qu'il ne saurait dire le premier mot à propos du monde contemporain. Pas une société au monde n'a fait ça. L'Afrique et toute l'Asie, les Amérindiens, leur rapport aux gens âgés, aux vieux en est un de « lui ou elle sait ». Une sorte de respect culturel. Sauf s'il a perdu la raison, le vieux est monumental. Dans notre monde, le vieux n'est pas monumental. On va dire : « Soixante-six ans, c'est jeune. » Tu dis oui, mais ce n'est pas vrai. C'est 66 ans. Une table de 66 ans, elle commence à avoir de la patine. N'importe quoi qui a 66 ans... [rires]

GD Des roches étaient de même il y a 66 ans et elles sont toujours de même.

SB J'ai une fascination pour la roche cambrienne. Si t'es une roche, t'as de la patience. Mais quand t'es organique et biologique, complexe comme nous,

Aujourd'hui, ce qui est vieux ne sert à rien.

Serge Bouchard

117

quand tu as un certain âge, tu as cet âge-là, tu dois te comporter comme ça. C'est moins souffrant. Je te parle de ce que j'ai appris ! [rires]

GD Ça développait le fatalisme. [silence] Indubitablement, tu en arrivais là. Tu ne remettais pas en question les lois de la nature.

SB Les cultivateurs étaient comme ça. Un des grands mensonges de la modernité, c'est de nous bombarder avec des informations que tout le monde répète : l'espérance de vie a augmenté. Rassure-toi, l'espérance de vie augmente. Fini de mourir. Fini de vieillir. L'espérance de vie augmente. C'est une erreur méthodologique de le prendre pour soi.

GD On veut aussi mourir dans la dignité.

SB Je veux bien que l'espérance de vie atteigne 85 ans pour les hommes. Mais le coût, c'est d'avoir une classe d'anonymes censés être morts qui sont toujours vivants et qui souffrent le martyre en regardant le plafond. Là, on se gonfle : « Les statistiques augmentent. » On vient d'augmenter les coûts de santé. Quand tu meurs, arrange-toi pour pas qu'on te sauve ! [rires] On exige du Trésor public qu'il y ait une ambulance à côté quand je vais tomber. Un hélicoptère va venir me chercher. Moi, je ne veux pas regarder le plafond la bouche ouverte pendant 10 ans. Je veux être mort au moment où la mort passe. Le nombre de vieillards en forme en 1960, 1965, 1970 chez les Indiens du Nord du Canada était faramineux. Tu entrais dans un village, t'avais des centenaires, des 94, des 95 ans.

GD C'était supérieur à maintenant.

SB Et on dit tous le contraire.

GD Le diabète, la nourriture...

SB La nourriture industrielle, le sucre. L'espérance de vie a baissé dans un monde où elle serait censée augmenter. Le nombre de personnes qu'on connaît qui meurent d'un cancer ou d'une crise cardiaque, de ceci, de cela, dans nos âges... On est très à risque à 66 ans. C'est clinique, le regard sur le vieillissement et la condition physique, pas statistique. Les anciens vivaient plus vieux. Les gens disent : « Vous savez, il y a de plus en plus de centenaires. » On est sept milliards sur Terre. Plus on est nombreux, plus on va avoir de centenaires.

GD La qualité de vie, ça, faut la remettre en question, mais l'espérance de vie augmente.

SB Gilles, je n'y crois pas. C'est tout. On peut en débattre, mais je n'y crois pas.

Discipline de vie

GD Aujourd'hui, on est plus jeunes que nos parents aux mêmes âges. [silence] Du moins la plupart du temps. Nos parents étaient plus vieux, plus tôt. L'espérance de vie est plus longue.

SB Nos parents – peut-être – étaient plus vieux que nous, mais ils savaient

Aujourd'hui, on est plus jeunes que nos parents aux mêmes âges.

Gilles Duceppe

être vieux. Autrement dit, il faut adopter le rôle de son âge.

GD Pense à Hillary Clinton qui serait candidate à l'investiture démocrate. Elle va avoir 70 ans.

SB Gilles, ça te tente d'être premier ministre du Québec ? C'est fatigant ! Tu vas te faire traiter de tous les noms. C'est plein de problèmes insolubles.

GD Je n'ai pas la langue à terre. D'ailleurs, il y en a un maudit paquet qui ont fait ça plutôt vieux. De Gaulle. Churchill.

SB Ils ont fait de mauvaises vies, en plus !

GD Churchill se faisait apporter des cognacs sur le champ de bataille ! [rires] Mais c'est l'exception, parce que si on ne se tient pas en forme...

SB C'est ça qui nous distingue, Gilles et moi. Lui, il est beau ! [rires] Il est énergique. Tu serais premier ministre du Québec et ça irait très bien.

Alors que vous ?

SB J'ai le même âge, on a joué les mêmes matchs. Moi, ce que je veux, c'est rentrer chez nous, fermer la porte, prendre ma chaise berçante. Quand t'es vieux, assois-toi et berce-toi !

Serge, c'est n'importe quoi !

SB Peut-être. Je suis un homme très occupé. Si Marie-Christine, ma conjointe, était avec moi, elle me dirait : « Tu travailles tout le temps. » On n'est pas à la retraite et on n'a pas l'âge. Mais dans 10 ans, où est-ce qu'on va être ? Gilles, tu dis que tu es en forme. Tu as toujours été en forme.

GD Le vélo et au gymnase tous les jours.

SB Tu avais, à Ottawa, une vie disciplinée.

GD Absolument. J'apportais mes lunchs et je faisais ceux de ma blonde pour la semaine. Comme ça, tu ne vas pas au restaurant et tu ne bois pas. J'en ai vu se brûler. J'étais au bureau de 6 h 45 à 17 h 45, puis je disais à mon chauffeur : « Ça me prend un coup de pied dans le cul, mais amène-moi au gymnase. » Je sortais de là retapé, en pleine forme. Ma journée venait de recommencer.

SB Moi, c'est le contraire. Pourtant, Gilles peut en témoigner, j'étais un grand athlète quand j'étais jeune.

> **Il faut adopter le rôle de son âge.**
>
> Serge Bouchard

GD Tu cours moins vite.

SB Pas mal moins vite. J'ai un handicap à une jambe. Je n'ai pas eu une mauvaise vie, mais j'ai été un gros fumeur. Un paquet de cigarettes par jour pendant 50 ans. Je fumais quand je jouais au football! Un vrai fumeur qui aime fumer. Ça va faire quatre ans que j'ai arrêté. Normalement, j'aurais dû en payer le prix. Je n'ai jamais surveillé l'alimentation, j'ai « surtravaillé » toute ma vie, j'ai voyagé, je n'ai pas eu de discipline. Je me suis magané.

Pendant plusieurs années, j'ai travaillé avec Bernard Arcand: grand, en forme, très solide. Il n'avait jamais fumé et il surveillait son alimentation. Il prend sa retraite de l'université à 63 ans, ne se sent pas trop bien, va voir le médecin: il est mort six mois plus tard. Je l'ai vu deux jours avant de mourir: « Serge, souvent on m'a félicité pour ma belle voix à la radio, pour des livres que tu avais écrits. » J'ai dit: « Moi aussi, on m'a souvent félicité pour des livres que tu avais écrits. » Il a dit: « La mort s'est trompée. Elle venait te chercher. Je me suis fait passer pour Serge Bouchard et je vais crever. » Il avait le sens de l'humour jusqu'à la fin. Au moment où je partais, il m'a dit: « Va fumer une bonne cigarette dans l'auto. » Il trouvait que je me maganais, et c'est moi qui suis encore là pour vous parler. **Il n'y a pas de justice face à la mort.**

SB J'ai perdu ma femme, comme ça. Quand on vieillit, on a toutes sortes de regards sur le temps qui passe.

Quand Gilles a dit qu'il était en forme, ça vous a un peu agacé.

SB La jalousie.

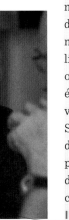

Quand on vieillit, on a toutes sortes de regards sur le temps qui passe.

Serge Bouchard

S'imaginer le futur

Vous vous projetez dans le temps et vous dites: ça ne durera pas.

SB On a 66 ans. Un âge où on réfléchit; 66, c'est pas 46. Dans 10 ans, 76.

GD Yolande et moi, on s'est engagés à amener les petits-enfants en Europe quand ils finiront le primaire. Une semaine en France, une autre dans le pays de leur choix. Émile, qui a 10 ans, prépare son voyage. Il a choisi l'Italie, il veut aller voir les Ferrari. Il y en a quatre autres qui suivent. On aura 78 ans! Ça n'a pas de bon sens. Alors on va faire ça quand ils auront 10 ans.

SB Les pubs nous bombardent de l'idée que vieux, on est encore très beau, encore en santé. Ils sont gris, mais ils sont beaux et belles. L'homme n'a pas perdu sa femme, la femme n'a pas perdu son homme. Ils vont encore dans le Sud, ils font du ski dans les Rocheuses. Ils ont une belle vieillesse. À 85 ans, faire du ski nautique à Miami, est-ce que c'est une vertu?

C'est ce que fait Jean Chrétien à près de 80 ans.

SB Est-ce que c'est une vertu ? Je m'interroge. Mais là, c'est moral, pas physique. Moi, à 85 ans, je ne me mets pas en costume de bain, je vous le garantis ! Je ne suis pas sur des skis. Ça s'appelle une chaise berçante et ç'a été inventé pour les vieux. Assois-toi dedans et arrête de compétitionner les jeunes. Un moment donné, tu n'as plus le corps.

GD Mais si tu as le goût d'en faire ? Je ne peux plus faire de ski alpin avec les enfants à cause d'une vieille blessure. Alors, je fais de la raquette.

SB Ça va continuer à s'amenuiser.

GD Je ne me sens pas diminué parce que je ne fais plus de ski, mais je serais bien content d'être capable d'en faire !

SB Les chaises berçantes ont été inventées pour se donner un élan pour mourir ! [rires] Un dernier *swing,* et tu t'en vas vers la mort ! Dans la conscience des humains, quelle que soit la société, il faut parler de ces choses-là. Parler de notre finitude. En l'absence de discours sur notre finitude, on risque d'être pas mal énervé, pas mal triste et pas mal démuni quand ces choses vont arriver.

Le temps des changements

GD Y a des affaires qu'on faisait avant et qu'on ne fait plus ? Ce n'est pas la fin du monde. On fait autre chose. Moi qui ai toujours aimé la boxe, là, je ne suis plus capable de regarder un combat. J'ai écouté Marciano en 52 avec mon grand-père, l'oreille sur la radio. J'ai donné la main à Archie Moore. J'ai vu

Y a des affaires qu'on faisait avant et qu'on ne fait plus ? Ce n'est pas la fin du monde.

Gilles Duceppe

les Cléroux, Patterson, Johannsson. J'ai arrêté quand j'ai vu Pacioretty, le joueur du Canadien, se faire frapper, tomber à terre. Vingt mille personnes silencieuses. C'était épouvantable! Ces mêmes 20 000 vont aller applaudir à la boxe quand le gars est knock-out parce que le favori local a gagné. Les journalistes sportifs qui descendent les commotions cérébrales salivent à l'idée d'assister au prochain combat de boxe de Pascal. Ça n'a pas de bon sens! J'ai refusé des billets pour le championnat du monde. Ça m'a pris des années à comprendre ça.

SB Vieillir, c'est ça. Tu ne vois plus les choses de la même façon. La génétique explique beaucoup de choses. T'es chanceux si tu passes à travers ta vie sans avoir de maladies, sans accident, sans avoir ci ou ça. Une chose est sûre, plus tu vis sur Terre, plus tu portes le poids de cette vie.

GD Surtout physiquement. Il y a des gens qui restent jeunes très vieux. Les peintres font des choses assez extraordinaires à un âge avancé. Et c'est souvent à 50, 60 ans qu'on reconnaîtra leur talent.

SB Mon père était fatigué à 65 ans. Tu peux bien chauffer une van jusqu'à 90 ans, mais *what's the point*? Tu es fatigué. Moi, j'écris des livres, je donne des conférences, je fais de la radio. Gilles a le feu dans les yeux. Il faudrait l'étrangler pour qu'il arrête! On pourrait essayer, mais il est encore assez résistant! Ça, c'est privilégié. Une vieillesse sur un élan. Si tu fais de la politique et que tu es passionné de politique, si t'as encore l'énergie et la forme, t'es un être dangereux, parce que t'as de l'expérience. Si j'étais ministre, j'aimerais mieux qu'il soit occupé à une commission sur l'assurance-emploi. Et je prolongerais son mandat! [rires]

L'importance de l'amour

Gilles, chaque fois que je vous vois avec votre femme, vous vous tenez la main.

GD On prend bien soin de nous. Une fois par semaine, on se fait un bon petit souper avec de la musique. C'est moi qui le fais. On danse, on se rassoit. On danse après le fromage, après le dessert. On se met de la belle musique, des chandelles et on danse. Et on mange, et on boit! [rires]

SB C'est un grand romantique!

GD Ça, pour moi, c'est agréable.

SB Tu danses en tête à tête avec ta blonde depuis des années! Je me reconnais là-dedans. Je suis un homme très amoureux. J'ai été amoureux toute ma vie. Je me suis marié à 19 ans.

GD Et moi, à 21 ans. On ne voulait pas nécessairement se marier, mais c'était la seule façon d'avoir une bourse. La journée de mon mariage, c'était l'invasion de la Tchécoslovaquie. [rires] J'ai appelé le pasteur – Yolande ne voulait pas se marier catholique – et je lui ai dit: «Il y a une manifestation cet après-midi

Plus tu vis sur Terre, plus tu portes le poids de cette vie.

Serge Bouchard

devant le consulat de la Russie. » Il m'a répondu : « Ça tombe bien, je veux
y aller. On remet le mariage à demain ? » [rires]

SB Nous nous sommes mariés pour être coopérants à Madagascar. C'est une
femme que j'ai aimée démesurément. Quand elle est partie, jamais je ne
pensais retrouver... Voilà 17 ans que je suis avec Marie-Christine. J'ai besoin
d'avoir une relation stable avec une femme. J'ai été fabriqué par les femmes.
Tout seul, j'aurais été en prison, je serais mort jeune, j'aurais été assassiné
ou j'aurais tué quelqu'un. J'étais plutôt un mauvais garçon ! [rires] C'est
Ginette qui m'a fait faire ma maîtrise et mon doctorat. Avec Marie-Christine,
c'est la même chose. Je donne beaucoup d'amour, j'en retire énormément.
Je suis un aspirateur !

Être père selon **Serge Bouchard**

Père d'un jeune enfant, ça change la perspective sur l'âge, non?

SB Mon premier enfant a 40 ans. J'ai des petits-enfants et une fille de 12 ans. C'est une enfant que je ne voulais pas. Je me suis battu pour ne pas l'avoir. D'ailleurs, je le lui dis: «Ta mère est une femme terrible.» Marie-Christine a 55 ans et j'en ai 66. Elle n'avait pas d'enfant, alors je l'ai vue venir avec ses gros sabots: «Je voudrais un enfant parce qu'on va finir notre vie ensemble. On est en amour et tout ça...» J'ai dit: «Non. J'en ai déjà un. Je suis fatigué. Je veux être un intellectuel, lire *Le Devoir* les fins de semaine et fumer mes cigarettes tranquille.» En fin du compte, on l'a eue!

GD Je ne serais pas capable d'avoir un si jeune enfant.

SB Tu as des petits-enfants! Mais je suis d'accord avec Gilles: je ne me verrais pas avec un enfant! [rires] Une femme, ça ne lâche jamais le morceau. Elle n'a rien dit quand j'ai dit non. Mais on s'en va en Chine! Moi qui ne veux pas aller en Chine, qui « haïs » l'avion, les voyages, la vie, je me retrouve en Chine...

Voyons Serge, vous ne haïssez pas la vie! Pourquoi dites-vous le contraire de ce que vous pensez?

SB [silence] Quand j'ai eu ce bébé dans les bras, à Shaoshan, au milieu de nulle part, j'ai dit à Marie-Christine: «On s'en va à Montréal, j'ai quelque chose dans les bras que je ne veux plus rendre à personne.» C'était animal! Je suis tombé en amour avec ce petit bouddha et ça ne s'est jamais démenti. Je ne verrais pas ma vie autrement. À 66 ans, t'as beaucoup de rétrospective. Un être humain gravit la réalité un bout de temps. Il monte, il grimpe, tout ce qu'il voit, c'est le ciel. Puis vient un âge où il redescend. Et quand on redescend, on voit en bas. Ça donne de la sagesse. On est heureux d'être là et en forme. On est chanceux d'être là, mais on descend.

Quand on redescend, on voit en bas. Ça donne de la sagesse.

Serge Bouchard

Regard dans le rétroviseur

GD On en a plus derrière que devant.

SB J'appelle ça une rétrospective. L'identité humaine se rapporte sur une échelle de temps. Je suis un produit de 1947. Alors, je revois l'école primaire des années 50, Montréal en 1960, le Mont-Saint-Louis, les hippies. En 1968, Gilles Duceppe était drôle en maudit. J'étais plus drôle encore. De grosses barbes, des pantalons à pattes d'éléphant... On n'est pas capable de regarder des photos tellement c'est ridicule ! Ces gens parfaitement ridicules faisaient le procès de l'humanité. Nos parents ne savaient pas faire l'amour. Les anciens avaient fait la guerre. L'enseignement universitaire, c'était pourri. Un prof, c'était pas un prof. La vie, pas la vie. On est chanceux de ne pas avoir reçu des claques sur la gueule plus que ça ! [rires]

GD On a cru à un tas de choses. On pensait que c'était pour se faire l'année d'après, mais c'est plus long que ça, l'histoire de l'humanité.

Vous ne cédez pas facilement au pessimisme.

GD J'essaie de voir l'avenir. Yolande me dit que je ne vis pas assez le moment présent. Même dans les petites affaires quotidiennes. Qu'est-ce que je vais faire dans deux jours ? Je vais y penser pendant trois jours. [rires]

Vous avez passé l'âge officiel de la retraite et vous menez une vie active.

SB Il y a une clé. Gilles fait ce qu'il aime. Donc, il n'est pas en train de s'éroder. Quand il se lève le matin, il est content. Il sait ce qu'il fait, il sait où il s'en va. C'est la même chose pour moi. Je respire ce que je fais.

GD Liberté 55. Eille ! Je vais arrêter de travailler ? C'est épouvantable ! Je conçois que certains types de travail ne sont pas très valorisants. Et usent aussi. Mais il y a de moins en moins de travail qui use. De moins en moins de travail peu valorisant. On l'envoie dans le tiers-monde, ce travail-là. Se dire à 55 ans qu'il est temps d'arrêter de travailler n'est pas un choix de société. Est-ce que ça se pourrait que le travail soit le fun ?

SB Libérez-vous du travail ! La qualité de la vie jusqu'à 95 ans ! Aujourd'hui, le travail dur et harassant est disparu. On se sert de la télécommande partout ! Soyez autonomes ! On ne se rend pas compte que l'économie et la société ambiante n'arrêtent pas de nous imposer une philosophie de l'autonomie, de l'individualité. Le lien social s'évanouit.

Se dire à 55 ans qu'il est temps d'arrêter de travailler n'est pas un choix de société.

Gilles Duceppe

GD On n'a pas considéré que l'isolement n'est pas naturel.

SB La question des vieux, c'est ça aussi: être autonome le plus longtemps possible. J'ai fait scandale, il y a une couple d'années, à la télévision quand j'ai dit: «Moi, j'ai fait signer un papier à mon fils: je ne veux pas être autonome quand je vais être vieux. Je veux qu'on prenne soin de moi. Tout le monde s'occupe de qui? De moi!» Et si je demande 175 000 $ à mon fils par année parce que je suis un vieux qui veut aller à Venise, 3 semaines, pour sa santé psychologique, on fait quoi? En fait, moi, à 85 ans, je veux juste qu'on paie ma chaise berçante et ma viande hachée! Ça ne coûte pas cher.

Vous avez suscité de vives réactions?

SB Beaucoup de gens étaient d'accord. Arrêtez! Ne devenez pas fous! Le Trésor public ne peut pas tout absorber. La communauté existe. On ne peut pas être tout seul tout le temps avec son ordinateur, ses écrans, son condo et son compte en banque. Ce n'est pas possible! On va mourir d'ennui. Il faut prendre le temps de voir le monde, de sortir, de parler. Il y a plusieurs années, on a annoncé qu'avec la révolution numérique les bureaux collectifs disparaîtraient. De toute évidence, on en est incapable.

GD Rappelle-toi la chanson *Le début d'un temps nouveau*: «Les hommes ne travaillent presque plus...» On ne travaillerait plus.

SB C'était prémonitoire.

GD «Les hommes ne travaillent presque plus / le bonheur est la seule vertu / les femmes font l'amour librement», c'est agréable, mais...

SB Très belle chanson, sauf que c'est complètement niaiseux. La philosophie proposée à nos enfants, à nos petits-enfants, c'est que la vie est une partie

> On n'a pas considéré que l'isolement n'est pas naturel.
>
> Gilles Duceppe

de plaisir. Des jeux, des jeux, des jeux ! Ça ne peut pas ne pas être le fun ! Nos petits-enfants sont dans un monde de grand plaisir. On en avait aussi. La question n'est pas là, mais ça n'a jamais existé un pareil fossé entre ce à quoi tu as pu jouer quand t'étais petit et ce à quoi tes petits-enfants jouent aujourd'hui.

Jouets de bois, jouets électroniques.

SB Bon ou pas bon ? On verra plus tard. Mais ce rapport aux écrans est phénoménal.

GD Je prends le métro tous les jours : tout le monde est branché. Tu parles à quelqu'un au bout du monde et tu ne connais pas ton voisin. C'est assez nouveau.

SB Exactement, Gilles. C'est une maladie, aujourd'hui, la solitude. Une maladie qu'on voit comme une opportunité. On ne peut pas être tout seul tout le temps. Pourtant, les jouets de la consommation nous le proposent. Aujourd'hui, tu fais l'amour sur Internet. Quand t'as fait *Delete,* la fille est partie. C'est le rêve de l'humanité : « Delete. » [rires]

La commission Duceppe-Bouchard

Le Québec est une société vieillissante, comme toutes les sociétés industrielles. S'il y avait une commission Duceppe-Bouchard sur ce phénomène, qu'est-ce qui vous intéresserait ?

GD Revaloriser le travail. Valoriser les choses à faire. Il y a trop de gens isolés qui ne font plus rien. Vraiment plus rien. Je ne parle pas de les forcer à faire quelque chose.

SB Il y a des outils d'avilissement du vieux et de la vieille. Le vieux s'achète un écran 124 pouces HD, avec un fauteuil. Aujourd'hui, il y a des fauteuils... tu rentres là-dedans le matin et tu regardes la télévision 24 heures par jour. Tu commandes tes films. Tu ne sors plus. Je mets ça au pire, évidemment, mais les vieux s'enferment dans une sorte de confort et d'indifférence.

GD Quand j'étais député, je visitais des centres d'accueil. À la fête des Mères, j'ai eu l'idée d'aller porter une rose à toutes les mères. Le monde m'attendait chaque année ! J'étais la seule visite de ces dames-là. C'est quelque chose de terrible ! Je sortais de là le cœur à l'envers.

Les vieux s'enferment dans une sorte de confort et d'indifférence.

Serge Bouchard

127

SB On a gardé maman jusqu'à la fin à cause de ça. Pour ne pas qu'elle ait le choc d'un CHSLD.

GD À 88 ans, maman est seule chez elle.

SB Elle est chanceuse. Jusqu'au jour où elle ne pourra plus. Maman a vécu comme ça jusqu'à 88, exactement. Ensuite, ce n'était plus prudent. Elle a arrêté de fumer à 90 ans. [rires] C'était devenu dangereux. Être tout seul dans un CHSLD... On tasse toujours la question. Quand t'es dedans, tu vois bien que ça ne marche pas. Quand tes enfants ne viennent plus, que t'es assis dans un fauteuil roulant à côté de l'ascenseur et que la personne à côté de toi est aussi maganée, ça ne te tente pas de jaser trop, trop.

GD Tu n'as plus d'intimité.

SB Les gens sont gentils, mais qu'est-ce que tu fais là ? Ma mère ne voulait pas y aller. Un vieux, il veut mourir. Un être humain qui vieillit veut, un moment donné, mourir. Mais la condition humaine est ainsi faite qu'on veut mourir, mais qu'on a peur de la mort. C'est effrayant, la mort. Nous autres, on n'y pense pas, mais les vieux, ils se couchent le soir et ils haïssent ça quand la noirceur arrive. Ils savent qu'ils arrivent face à face avec eux-mêmes.

De quel âge parlez-vous ?

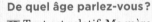

SB Tout est relatif. Ma mère a pogné son coup de vieillesse à 88 ans. La nature n'est pas folle, elle ne va pas t'envoyer dans le corridor de la mort sans t'enlever un peu de conscience. C'est normal de commencer à penser moins vite quand tu vieillis. L'horreur, c'est de garder sa tête ! Ma mère est restée intelligente jusqu'à la seconde de mourir. Elle a sacré jusqu'au bout ! Elle disait : « Ça se peut pas ! Ça se peut pas que je voie ça. » Elle sacrait parce que mon père était mort à 82 ans de mort naturelle. Ça, c'est une façon de mourir ! Alors, nous, on veut mourir dans la dignité. Quand tu ne seras plus capable de te regarder dans le miroir, aussi vivant qu'avant, tu te jettes par la fenêtre ? Tu cherches du cyanure ?

GD Ça prend de l'encadrement. Tu peux être découragé à mort une journée et être encore en forme. Peut-être que quelque chose va survenir.

SB J'aurais aimé que tu parles avec ma mère. J'ai eu ces discussions-là : « Peut-être que demain, il va faire soleil, maman. » Elle disait non.

GD Elle était diminuée physiquement. Mais si on ne l'est pas...

SB À 30 ans, tu sais qu'un jour tu auras 31, 32 ans, etc. À 92 ans, quand tu as des couches et que t'es humilié, tu ne veux pas qu'on te change tes couches et on te les change pareil, parce qu'il faut le faire.

GD Je connais un paquet de monde de 80 qui n'est pas diminué physiquement.

SB Il y a des choses dont on ne se relève pas. Et ce dont on ne se relève pas, c'est le grand âge. C'est aussi simple que ça. Ma mère était une femme digne. Tu veux aller aux toilettes, t'es couché et tu sais que tu ne te relèveras pas. Tu n'en as pas de solution. C'est tragique, la fin de la vie, dans ce temps-là. Il y aurait une réflexion collective à avoir là-dessus. Est-ce qu'il y a un bénéfice à toujours augmenter l'espérance de vie? La commission d'enquête sur le vieillissement, ce serait ça: la dignité. Socialement, on est en menace d'indignité collective. On ne réfléchit pas assez à ces choses-là. Je pense à un de mes amis, Arthur Lamothe, mort récemment. Ça faisait 10 ans qu'il était parti! Gilles Carle, 15 ans de souffrance.

Le bel âge

Revenons au temps présent. Diriez-vous que vous êtes à un bel âge?
[silence]

GD À tout âge, j'ai toujours trouvé qu'il y avait de belles choses à vivre. Des amis me disaient: « Cinquante, c'est épouvantable! » Non.

SB C'est une sorte de bel âge parce que j'ai atteint une sorte de crédibilité. On me demande énormément de conférences, de conseils. J'écris. Il y a quelque chose dont on n'a pas discuté, c'est l'autorité. Je n'ai plus rien à perdre.

Vous partagez ça.

GD Une sorte de sagesse.

SB Quand je parle, c'est de mauvaise foi, parce que s'il y a quelqu'un qui est

> # Est-ce qu'il y a un bénéfice à toujours augmenter l'espérance de vie?
>
> Serge Bouchard

bien à 66 ans, c'est moi. Je remercie le bon Dieu. J'étais bien content d'avoir 50 ans, 60 ans aussi. Je n'ai pas d'angoisse. Mais je ne voudrais pas être sérieusement handicapé. L'AVC, personne ne souhaite ça.

GD Je n'ai pas peur, mais si ça arrivait...

SB On peut être bien à 65 ans, 70 ans quand on a encore une influence, une existence, une communauté autour de soi. Je suis le résultat de tous mes réseaux, de tous les gens que je connais, de tout ce que j'ai fait, de tous les sentiers que j'ai empruntés. Ça ne se fait pas tout seul. Je ne crois pas aux vertus de l'individualisme. [silence] Une autre société s'en vient. Est-elle meilleure? Différente, ça, c'est sûr. Est-ce qu'on progresse ou pas? Je n'en sais rien.

Aucune trace d'âgisme?

GD Gabriel Nadeau-Dubois a fait cette remarque à mon sujet: «D'où il sort, lui? S'il prenait sa retraite...» [rires]

SB C'était quand même assez impoli, merci!

GD Pas très démocratique.

Ça se produit souvent?

GD C'est la seule fois que j'ai entendu ça. Et ça venait du porte-parole d'un mouvement qui revendique le droit de parole.

SB Parfois, je ne sais pas si toi tu le sens, Gilles, les gens me regardent comme quelqu'un de vieux, de plus vieux. Radio-Canada m'a demandé de travailler avec des jeunes. Ils ont 35 ans. On a un fun fou, mais ils me regardent comme si j'étais...

... l'ancêtre?

SB Mais positivement. Ils sont très respectueux.

GD Ils te vouvoient ou ils te tutoient?

SB Ils me vouvoient.

GD Moi, avec les jeunes, c'est souvent l'inverse. «Gilles, toi, qu'est-ce que tu penses de cette question-là?» Je réponds: «Vous posez une bonne question, monsieur.» [rires] J'ai découvert des jeunes extraordinaires pendant toute ma carrière politique. On leur impose de la rigueur. Faut pas avoir peur de ça. En retour, ils apportent de nouvelles idées, de nouvelles façons de faire.

SB Les jeunes, pour moi, c'est des jeunes. Je n'essaie pas de me mêler à eux. On n'a pas élevé les cochons ensemble. Ni joué au football ensemble. Je les aime et je veux travailler avec eux, mais je ne mélange pas les genres. Quand t'as 40 ans, t'as pas 66 ans. C'est tout. Respecte les choses, je vais te respecter. Ça revient au cœur de notre conversation sur le vieillissement. On pourrait faire table rase et dire que tous les vieux de plus de 60 ans sont obsolètes et impertinents, mais ce n'est pas ça!

> On peut être bien à 65 ans, 70 ans quand on a encore une influence, une existence, une communauté autour de soi.
>
> Serge Bouchard

On pourrait faire table rase et dire que
tous les vieux de plus de 60 ans sont obsolètes
et impertinents, mais ce n'est pas ça ! Serge Bouchard

Quand est venu le moment de faire la photo, Serge Bouchard
a choisi de s'appuyer sur sa canne, même s'il était assis.
À ses côtés, Gilles Duceppe se tenait bien droit. L'un paraissait
s'exercer à être vieux ; l'autre, vouloir repousser le moment
d'y arriver. Il y a plus d'une façon d'affirmer ses 66 ans. M.C.

Fabienne Larouche + Alain Gravel

Les guerriers

Fabienne Larouche est arrivée la première. Deux jours plus tôt, la série *Unité 9*, dont elle est la productrice, avait remporté le prix du public à la soirée des Gémeaux. Cette victoire la plaçait dans une situation délicate, elle qui n'y soumet pas ses productions, ce qui explique probablement sa fébrilité. Venu à vélo, Alain Gravel paraissait plus décontracté. C'est lui qui avait souhaité ce tête-à-tête avec l'auteure de *Fortier, Trauma, Virginie* et *30 vies*. En début de journée, l'animateur d'*Enquête* avait commenté une délicate perquisition de l'Unité permanente anticorruption qui allait l'obliger à avoir l'œil sur son téléphone pour suivre les événements. Entre eux, un immense respect, une évidente complicité, bien que leurs approches de l'âge et de la santé soient radicalement différentes. Qu'on en juge. J'avais mis dans un plat quelques bretzels trempés dans le chocolat. L'auteure l'a aussitôt repoussé, allant jusqu'à suggérer qu'on le fasse disparaître. Le cycliste, beaucoup plus gourmand, est demeuré indifférent à ses avertissements.

Fabienne met la table

Fabienne Larouche J'ai 54 ans, Alain, 55. Toi, es-tu vieux dans ta tête ? T'as les cheveux gris.

Alain Gravel Je n'en ai plus !

Vous lui demandez s'il est vieux. Le mot a-t-il une connotation négative ?

FL C'est négatif parce qu'on a l'impression que tout le monde veut être jeune. Aujourd'hui, le vieux est jeune. Il refuse de vieillir. Te sens-tu vieux ?

AG Non. Je me sens vieux quand je regarde ce qu'il me reste en avant. Mais pas là. Je me sens très bien. Physiquement, je me sens plus jeune qu'à 20 ans. Je suis beaucoup mieux dans ma tête. Je suis très heureux. Angoissé, mais très heureux dans la mesure où j'ai tout ce que je veux : trois enfants, une femme que j'aime. Je regarde un peu les autres femmes, mais je n'ai pas vraiment de pulsion.

FL Pas de pulsion pour d'autres femmes ?

AG Non.

FL Bon, ben on va s'en aller ! [rires] Je fais de la gym, lui beaucoup de vélo. On est très conscients de notre santé.

> Aujourd'hui, le vieux est jeune. Il refuse de vieillir.
>
> Fabienne Larouche

AG Je ne suis pas soucieux de ma santé, je suis soucieux d'être en forme. Je mange ce que je veux. Je bois probablement un peu trop. Je travaille trop fort. Je suis stressé, angoissé.

FL Mais Alain, t'es super mince.

AG Je suis en forme. Je veux être en forme.

FL Tu ne te bourres pas de chips et de chocolat.

AG Je n'aime pas ça. J'aime bien manger.

Les extrêmes

Vous ne buvez pas, Fabienne?

FL Je ne bois pas du tout d'alcool.

Et vous surveillez ce que vous mangez?

FL Oui, pas mal. Depuis que j'ai 20 ans, je fais de grosses migraines. Des migraines aphasiques. Probablement la forme de migraine la plus extrême. J'évite le vin rouge, l'alcool, les fromages vieillis, le chocolat. Je n'ai jamais pris de drogue. Jamais été ivre. Jamais perdu le contrôle de moi-même, à part quand je dors ou quand je fais l'amour! [rires] Sinon, je ne perds le contrôle de rien dans ma vie. Jamais. Je suis en contrôle. En fait, je pense que je n'ai perdu le contrôle qu'une fois, quand on m'a opérée et c'est là que j'ai perdu la foi. J'aurais pu ne pas me réveiller. Des gens autour de moi ont souffert d'alcoolisme. J'ai vu les ravages. Personne n'est à l'abri d'une dépendance. Est-ce que j'ai peur de ça? Non! Je suis un écureuil. Toujours en éveil.

AG Mais tu serais une TOC! Une obsessionnelle compulsive! La dope, tu pourrais tomber là-dedans.

FL Je suis tombée dans la job. Tant mieux! [rires] Mais c'est vrai que je suis assez... obsessionnelle.

Vous aimez tous les deux les extrêmes.

FL Mon chum est psychologue. Il me dirait ça. Je suis vraiment maniaque, perfectionniste. Je ne lâche jamais! Toi non plus, tu ne lâches pas.

AG Je ne lâche pas.

FL C'est pas pour rien qu'on s'est aimés vite. Moi, je t'ai aimé vite.

AG Mais on n'est pas pareils.

FL Tu penses? T'es Poissons, je suis Scorpion.

AG Bélier.

FL Ah, c'est pire!

AG Ascendant chien sale.

FL T'es un pitbull. On s'entend qu'il pourrait être élu n'importe où au Québec! Alors, il ne faudrait pas que tu nous déçoives. Ça doit te stresser un peu, non?

AG J'ai des défauts, comme tout le monde. La première fois qu'on a écrit quelque chose sur moi dans un livre, c'est Jean-François Lisée dans son livre sur Bourassa. Il disait: «Un journaliste qui ne fait pas dans la dentelle.» [rires]

Ça vous a fait plaisir?

AG Je ne suis pas contre. En même temps, je pense que je comprends bien les choses. Je n'ai pas une démarche intellectuelle, mais une démarche instinctive. Je suis un peu une femme. Faut pas le dire trop fort, mais ma blonde pense que je suis la femme du couple!

FL Moi, je suis l'homme du couple! [rires]

Vraiment?

FL Non, pas du tout. Je suis très fille. J'ai été élevée par une féministe pure et dure, et par une famille d'enseignantes. Et je n'ai pas eu d'enfants.

AG Le père?

FL Doux, réservé, ouvrier. Un homme de peu de mots. Ma mère aussi, mais c'était elle qui menait dans la maison. Si j'avais une permission à demander, c'était souvent non. Quand j'avais 14-15 ans, j'aimais beaucoup les garçons.

AG Ça n'a pas changé.

FL Je suis une vieille femme, maintenant, Alain.

Une vieille femme!

FL J'ai commencé à m'appeler «matante». Ça me fait sourire, ce n'est pas péjoratif. C'est chacun son tour. J'ai eu 20 ans, 25 ans. Je trouve ça triste de voir des filles de mon âge, à 55 ans, refaites et tout. Quand je les vois, sans rides, je ne suis pas sûre que je trouve ça joli. Cela dit, je fais de la gym, j'évite l'obésité.

AG Vous vous en mettez pas mal plus que nous sur les épaules. Ma blonde, comme toutes les filles, se regarde: «Ce petit morceau-là, ce petit morceau-là...» C'est beau, des rides. Il y a des rides qui sont tristes, parce que la personne a été triste. Et si la personne a ri toute sa vie, c'est par en haut.

FL Le baby-boomer est resté adolescent. Une grosse gang qui arrive

> Je trouve ça triste de voir des filles de mon âge, à 55 ans, refaites et tout.
>
> Fabienne Larouche

à 68, 69, 70 ans et n'a pas voulu vieillir. On hérite des fantasmes de ces gens-là, de leurs fantaisies. Je vois des femmes de ma génération qui commencent à porter des lunettes. Je n'ai pas commencé. Pas encore.

AG Même pour lire?

FL Pour cacher les cernes à la télé. [rires] Ah! T'as pas compris. [rires]

AG Je ne savais pas ça!

FL Je me suis dit: Fabienne, tu devrais peut-être t'acheter de grosses lunettes, toi aussi. Aujourd'hui, pas besoin de te faire faire le *face lift* complet, comme grand-maman. On fait de petites corrections, et je ne suis pas contre si ça permet de passer la vie plus facilement. Tu sais, on naît, on vit, on meurt. Au bout du compte, pour ce que ça va changer.

AG Un réalisateur m'a dit un jour: « Il faudrait que tu penses à te faire greffer des cheveux. » Le jour où je vais être obligé de faire ça...

FL T'es super, t'as un super *body*! Il y a des gars de ton âge qui ont 40, 50 livres de surpoids.

AG Je ne veux pas juger ceux qui font de l'embonpoint, mais je me mets à leur place. Je n'aimerais pas ça parce que je ne serais pas bien dans ma peau, pas bien physiquement. Pas pour l'apparence. J'ai déjà été un peu plus enrobé, quand j'ai eu mes enfants. On arrête tout quand on a des enfants.

Les aveux

AG Fabienne, je vais te dire pourquoi je t'aime bien. On n'est pas vraiment pareils sur plein d'affaires, mais quand tu as commencé, auteure puis productrice, tu es sortie sur la place publique.

FL Il y avait quelque chose qui ne marchait pas. J'ai dénoncé ça. Depuis, il y a des Intifadas contre moi...

Vous avez vraiment ce sentiment?

FL En 2008, quand est sorti *Le piège américain,* un film que j'ai produit avec Michel Trudeau, je l'ai senti. Je ne suis pas la fille d'une dynastie d'auteurs.

AG Le pouvoir, ça ne se donne pas, ça s'arrache! Il peut y avoir des tempêtes, le cap est là, et j'y vais parce que j'y crois et que je veux me regarder dans le miroir le soir et être fier de ce que j'ai fait. On va avoir du fun!

FL Se faire plaisir. On se ressemble beaucoup là-dessus. L'intégrité, ne pas lâcher le morceau, c'est ce que j'admire chez toi. Tu es en train de mettre à jour un système! Le Québécois est corrompu. Le Québécois fait des petites magouilles partout.

AG Comme le Canadien anglais et l'Américain.

FL Oui, mais on a un problème et ça vient de la génération des baby-boomers. Toi et moi, on n'est pas des baby-boomers, on est des X!

AG La queue des baby-boomers.

FL La fin des baby-boomers. Y avait pas de jobs pour nous, Alain. Rien.

AG Ce n'était pas si dur que ça.

FL Les années 80, c'était pas l'idéalisme des années 60. On revenait sur le plancher des vaches. La coke, le sida... On avait 22 ans, on baisait. Un jour, on nous a dit: «Tu vas peut-être mourir!» Tu ne te souviens pas de ce jour-là? [rires] On est devenus plus individualistes. On s'est dit: «Faut se faire des vies.» J'étais programmée pour être enseignante, me voilà auteure, productrice. J'ai une super belle vie, mais à quel prix? Je me fais des ennemis partout! Pourquoi je suis comme ça?

Ce que l'on dit à votre sujet vous affecte?

FL On aime que le monde nous aime. Des journalistes me demandent: «T'étais comment quand t'étais petite? Qu'est-ce que tu as à vouloir être intègre comme ça?» Avec moi, la ligne est droite [elle frappe sur la table], vraiment droite. C'est même fatigant pour moi! Alors, j'ai posé la question à mon père et à ma mère: «J'étais comment?» Ma mère m'a dit: «Tu posais beaucoup de questions.» L'intégrité m'importe moins que la justice.

AG L'intégrité, faut s'en méfier, car personne n'est parfait.

FL Si tu te fais arrêter sur l'autoroute, et que le policier te dit: «Monsieur Gravel, je ne vous donnerai pas de contravention, mais faites attention»?

AG Je vais dire: «Donnez-la-moi. Je la veux!»

FL Moi, je vais dire: «Merci!»

AG C'est la justice qui m'intéresse. Les petites injustices de tous les jours me font chier. C'est mon père qui m'a appris ça. Mon père était un homme

C'est la justice qui m'intéresse. Les petites injustices de tous les jours me font chier.

Alain Gravel

heureux. Pas une discipline militaire, mais une discipline de vie. Dans la vie, tu fais ça, ça, ça, et tu assumes ce que tu fais.

FL Je n'ai pas d'enfant, mais je m'occupe de mes nièces et je suis en train de les adopter. C'est ce que j'essaie de leur inculquer : « La vie vous a beaucoup donné, il faut que vous redonniez. » Ça n'a rien à voir avec Dieu ou Mahomet. C'est quoi la façon de donner ? On va trouver ensemble. Dans mes séries, c'est comme ça.

Certains rêvent de Liberté 55. Vous êtes justement à la mi-cinquantaine.

FL Ça vient d'où, Liberté 55 ? À 55 ans, faut que tu prennes ta retraite ? Non, sérieusement ! Si tu t'es fait suer toute ta vie au travail, je peux comprendre. Mais toi, Alain, t'es un homme heureux ! Reconnu, bien payé, entouré. Même chose pour moi.

AG Souvent tu me dis : « As-tu peur ? » J'ai peur de faire des erreurs, de perdre ma crédibilité, pas peur de...

FL ... de mourir.

AG J'ai un peu moins d'énergie que dans la quarantaine. J'en ai encore beaucoup, mais certains matins, quand je pense à la journée qui m'attend,

À 55 ans, faut que tu prennes ta retraite ? Non, sérieusement !

Fabienne Larouche

qui va brasser, je me dis : « Je serais bien ici. » Aussitôt après, je me demande : « 365 jours par année ? »

FL Au bout de deux mois, tu mourrais !

AG Deux mois ? Deux semaines !

FL Je me dis : « Ah, vive les vacances ! », mais après trois jours…

AG En vacances, faut faire de quoi ! Grimper les Pyrénées à vélo !

FL Lorsque nous sommes allés en vacances aux États-Unis, même si j'ai partagé la conduite, j'ai écrit 80 pages dans l'auto. Le Nebraska, c'est plat !

Revenons à la retraite.

FL Il n'y aura pas de retraite.

Je lisais le texte de madame Payette sur la Charte des valeurs en fin de semaine dans *Le Devoir*. Hyper intéressant. Cette femme a plus de 80 ans. J'aurais voulu écrire ce texte. Tu ne perds pas ton intelligence ou ton jugement parce que tu vieillis. Mais Janette a mal à une hanche et madame Payette a mal aux genoux. C'est ça qui arrive. Alors je fais tout pour que ça n'arrive pas : pas d'hormones, pas de ci, pas de ça. Si ça ne donne rien, je dirai à tout le monde : « Faites ce que vous voulez ! »

AG Avant, quand on me parlait de la retraite : jamais ! Depuis deux ou trois ans, le concept n'est plus virtuel. La retraite est omniprésente dans mon esprit. Je ne sais pas d'où c'est arrivé. Aucune idée. Je n'ai jamais planifié ma retraite ni pensé à mon fonds de pension. Là, j'y pense.

FL Parce que tu vieillis. On ne pense pas à ça quand on a 30 ans.

AG C'est peut-être l'usure. J'aime ce que je fais et je pense que je suis encore pas pire, mais ça use. Sauf que quand je tombe sur un filon ! *God !* J'aime ça au boutte. Je suis dedans, je ne laisserai rien aller. Entre les filons, par contre, quand ça commence à brasser, je suis fatigué. « Qu'est-ce que je fais là-dedans ? » J'ai commencé à faire du jogging le matin sur le bord de la rivière. J'adore. Tous les jours ? Hum.

La vie, la vie!

Et vous vous demandez ce que vous avez en commun? C'est plutôt évident, non?

FL On aime la vie.

AG [silence] T'as les rides de quelqu'un qui rit.

FL J'ai trop ri! [rires] Regarde… Comme ça! [rires, elle tire les traits de son visage]

AG C'est beau, c'est vivant.

FL L'éclairage n'est pas avantageux. Je suis une vieille. Crois-tu qu'on te perçoive comme un vieux journaliste?

AG Ça commence. Je pense. [rires]

FL Mononcle!

AG [silence] Je suis considéré comme un journaliste qui a de l'expérience parce que j'ai une certaine crédibilité. Il me reste encore cinq ou six ans peut-être avant d'être un vieux journaliste.

FL Vers 60 ans.

AG Depuis deux ou trois ans, je sens que ça pousse en arrière: il y a du monde qui aimerait avoir ma place. Mon fils est journaliste et ma fille est en production. Franchement, ils sont mieux armés que je ne l'étais, ils sont meilleurs que leur père. Mon fils parle plusieurs langues. Ma fille est hyper organisée, hyper vaillante. Elle est à Londres actuellement. Quand je les regarde et quand je pense aux étudiants auxquels j'ai enseigné, je les trouve beaux. Allumés. Ma petite de 14 ans comprend tout. J'aime beaucoup les jeunes, mais je ne les envie pas. Je fais une belle vie.

FL Tu ne les envies pas parce que c'est dur la vie pour eux autres. Tu ne trouves pas? Toi, t'es employé syndiqué de Radio-Canada. Cinquante-cinq ans, c'est pas la fin. On ne va pas prendre notre retraite, pas plus qu'à 60 ans. Janette Bertrand écrit encore à 88 ans! Mais je pense qu'un jour, je vais avoir dit ce que j'avais à dire.

> J'aime beaucoup les jeunes, mais je ne les envie pas. Je fais une belle vie.
>
> Alain Gravel

Tranches d'âge

Certains âges vous ont fait réfléchir ou effrayés?

FL À 14 ans, t'es assis sur le trottoir à Boisbriand et tu penses à ta vie :
« Tabarouette, ça va être long ! » À cette époque, j'avais l'impression que 40 ans,
c'était la fin. D'ailleurs, j'ai eu une grosse réaction à 40 ans. Je n'ai vraiment
pas aimé ça. Cinquante, ça s'est bien passé.

AG Moi, c'est 50 ans.

Pourquoi?

FL À 40 ans, t'es vieux ! Vieux, ça veut dire quoi ? La mort ? T'achèves. À 40, j'ai
passé par-dessus le 26 octobre, je suis partie à New York et j'ai fait semblant
que ça n'avait pas existé. Mais il y a un moment où tu n'as pas le choix.
It is what it is. C'est la vie. J'ai découvert ça à 28 ans. Je suis née à 28 ans.

En devenant auteure?

FL En me battant pour des convictions. En prenant la parole. Je me suis
aperçue que j'avais beaucoup de choses à dire.

AG Moi, de 45 à 50, j'ai eu tellement peur d'avoir 50. [rires de Fabienne] Quand
j'ai eu 50 ans, j'ai été libéré ! Franchement. C'est peut-être lié au vélo. J'ai fait
de la course entre 40 et 50 ans. À 50, on change de catégorie.

FL Devenir le plus jeune des plus vieux t'a fait du bien ! [rires]

AG Là, je suis au milieu de la cinquantaine. Je fais des duathlons, de la course
et du vélo, mais je le fais pour moi. Je suis un guerrier, un chasseur. Mon
moteur, c'est le défi. J'étais le troisième d'une famille de quatre, le p'tit gars qui ne dit pas un mot. Mon frère, que j'ai toujours admiré, est très fort. Moi, j'étais naturellement doué pour le sport, mais maigre. Au hockey, je me faisais brasser ; à l'école, jamais le meilleur. Alors je disais : « Je vais vous le mettre au travers de la gorge. Je vais me venger ! »

FL Tu as souffert d'être le troisième.

AG Si quelqu'un me dit :

J'ai eu
une grosse
réaction à
40 ans. Je
n'ai vraiment
pas aimé ça.
Cinquante,
ça s'est
bien passé.

Fabienne Larouche

«Tu ne seras pas capable.» Ah! Ça! C'est mon moteur! Là-dessus, on se ressemble un peu.

Vous pensez parfois aux décennies qui s'ajouteront?

FL Je ne veux juste pas que ça fasse mal quand je vais mourir. C'est tout. Toi?

AG C'est en avant que ça fait peur. Pour le moment, ça va encore. Je suis vice-champion canadien au duathlon sprint.

La satisfaction dans la douleur

De toute évidence, la performance compte beaucoup pour vous.

AG [silence] Je ne sais pas. J'ai des amis dans le milieu des affaires pour qui la performance est une valeur absolue. Je suis allé à un mariage où les mariés se sont juré vœux de performance à la vie, à la mort! Je ne suis pas obsédé par la performance, je veux aller au bout de moi-même pour être capable de me regarder dans le miroir.

Même si ça fait mal...

AG Il faut que ça fasse mal: je suis judéo-chrétien! Je n'accorde de valeur qu'à la souffrance, il faut que ça saigne! Je ne trouve aucun plaisir dans les choses faciles. Dans ma *job*, ce qui est dur, le nerf de la guerre, c'est la recherche. Je fais 50 % de la recherche! Il faut que je me mette dedans, sinon je ne me sentirai pas valorisé.

> Quand j'ai eu 50 ans, j'ai été libéré!
>
> Alain Gravel

FL Là-dessus, on se ressemble, mais je ne dirais pas «faire mal». Je m'installe à mon ordinateur tous les jours. Je suis disciplinée. Il faut que j'aie la certitude d'avoir donné ce que j'ai de meilleur. Si je ne suis pas satisfaite, je recommence. C'est fatigant! Faire ça toute ma vie? Je vais être folle à 85 ans! [rires] Remarquez que ça fait 18 ans que je pars le *prime time* à Radio-Canada 4 soirs par semaine: 360 épisodes de *30 vies*, 1740 de *Virginie!*

Vous avez passé le cap des 2000 épisodes!

FL Je suis Guinness! Il n'y a pas un auteur de téléromans qui écrit comme moi. Mais il y a des matins où ça demande un plus grand effort. Entre 47 et 50 ans, pas les meilleures années d'un être humain, je me suis posé des questions sur tout. À 78 ans, ma mère est en forme. Mon père, 86 ans, fait du ski. Ils ont eu deux cancers et sont passés au travers. Ils me disent: «Fabienne, en avant!» Ma mère m'a élevée comme ça: «Qu'est-ce que t'as?»

T'as mal quelque part? Non, ben envoye!» Chez nous, ce n'était pas une place pour se plaindre. Même aujourd'hui. Quand ma mère a eu un cancer du sein, je suis partie avec elle le matin, elle s'est fait opérer à cinq heures et, à neuf heures, on quittait l'hôpital. On n'en a plus jamais entendu parler. Fini. Selon elle, c'est très bon d'avoir un cancer: on est plus fort après. [rires] Chez nous, on se valorisait dans le travail.

Analyse de l'âge

Êtes-vous à un bel âge de votre vie?

FL Mon groupe d'amies de la polyvalente se voit une fois par an. Quand on a eu 40 ans, on était là, toutes les 7, et les filles disaient: «C'est le plus beau temps de notre vie qui commence.» Moi, au bout de la table, j'ai fait: «Le plus beau temps! Voyons donc! On va avoir le cancer, nos chums vont nous tromper avec des filles de 20 ans.» Chaque année, les filles me ramènent ça: «On n'est pas malades, nos chums ne nous ont pas laissées.» J'ai dit ça pour conjurer le sort. C'est un beau moment de ma vie, mais un jour, ça va arrêter. La vieillesse, c'est la fin, et on s'en va vers ça. Mais 55 ans, c'est le nouveau 35, le nouveau 38.

AG Ils étaient vieux, nos parents, à 55 ans. Pas nous.

FL Quand mes parents se sont mariés, ma grand-mère avait 50 ans. Elle a l'air plus vieille sur les photos que ma belle-mère qui en a 90. Je n'aurai jamais l'air de ça.

La façon de s'habiller?

FL De s'habiller, de se peigner, de tout. Ils ont eu des vies difficiles. Je viens d'un petit village du Lac-Saint-Jean. Si elles étaient là, mes grands-mères diraient: «Mon Dieu, Fabienne, comment tu vis!» La vie est plus facile. On se nourrit bien, on fait de l'exercice, j'ai un bon mari, un super bon mari.

«J'ai marié mon psychologue...» [rires]

FL Ce n'était pas mon psychologue, mais le beau-frère de mon frère. J'ai l'impression que je suis un peu moins rapide qu'à 30 ans, 35 ans. Est-ce que ce que j'ai acquis en expérience compense? Je ne sais pas.

En tout cas, vous vous soumettez à un rythme de travail impressionnant.

FL J'ai 20 ans dans ma tête. [Hésitation et silence, puis elle frappe sur la table.] Des fois, je me dis: «T'as plus 20 ans, Fabienne!» Mais si je ne me regarde pas dans le miroir...

AG Quand t'es en forme, l'âge, c'est seulement un concept. Les vieux disent tout le temps: «L'important, c'est la santé.» Quelqu'un qui a le cancer à 30 ans, c'est une anomalie. À 40 ans, c'est un accident. À 50 ans, c'est plausible.

FL Cinquante-deux ans, surpoids, hypertension, cholestérol, triglycérides. Tu as fumé, tu commences à faire du diabète, t'es alcoolique, tu as arrêté de manger et de boire depuis deux semaines et tu te demandes: «Comment ça se

fait que je ne vais pas bien ?» Ça commence là ! [Elle frappe sur la table.] C'est
ce qui est inquiétant pour la génération qui a 10 ans, 15 ans, 20 ans. Ce qu'on
leur a donné à manger n'a pas d'allure. Ils font du cholestérol à 12 ou 13 ans
et n'ont pas notre espérance de vie. On est un peu bénis, même si on est la
génération X, la génération des chialeurs.

AG On n'est pas X !

FL On est les baby-boomers chialeurs. Je suis aussi une fille très sensible.
[silence] Ça ne paraît pas, mais c'est vrai. Même vous, vous n'avez pas vu ça.
Hypersensible, gênée, timide, douce. C'est ma vraie nature. [Elle pouffe de rire.]

Qui a quand même des défenses.

FL Capable de résilience. On me donne un défi, je vais y aller ! [rires] Sinon,
j'aurais probablement eu 15 enfants et je serais restée à la maison à faire la
popote et tout. J'ai complètement raté ma vie ! [rires] Au moins, j'ai une
compagnie qui a de l'allure !

> Quand t'es
> en forme,
> l'âge, c'est
> seulement
> un concept.

Alain Gravel

Avez-vous des modèles?

AG J'admire des gens qui ne me ressemblent pas. J'aurais adoré être comme Philippe Noiret, mon contraire. Je suis nerveux, angoissé. Franchement, j'admire ma femme. Elle devrait être toutes les semaines la personnalité de *La Presse*. Elle enseigne dans un milieu d'enfants défavorisés et elle les aime. Ils mangent leurs crottes de nez, ils puent, ils sont tout croches, et elle les aime! Je lui ai demandé encore récemment: «Est-ce qu'il y en a que tu n'as jamais aimés?» Elle dit: «Non, je les aime.» Plus ils sont turbulents, plus elle les aime. Je l'admire et je ne le lui dis pas assez souvent parce qu'on est trop pris dans le quotidien.

Comme enseignante, elle fait la différence. Je me trouve tellement chanceux qu'elle m'aime. On admire souvent notre contraire. Philippe Noiret, c'est peut-être un peu ma blonde, en gars. Le monde rayonne autour de ma blonde. Les gens gravitent autour d'elle parce qu'ils l'aiment.
FL Elle est belle, aussi.
AG Et fine! [rires] Moi, je n'ai pas toutes les qualités. On ne peut pas être bon en tout. Ceux qui m'entourent sont précieux.

Parlons cuisine et santé!

AG Quand je reçois à la maison, je cuisine. En fait, je cuisine tous les repas. Petits et grands. Tous les jours. Ma blonde a toutes les qualités, sauf ça. Et moi, j'aime ça.

FL Je ne cuisine pas du tout. Qu'est-ce que ça donne? Je ne comprends pas cet engouement pour la cuisine, les émissions de cuisine. La nourriture, c'est rien dans ma vie.

AG J'aime ça au boutte! C'est parce que tu ne prends pas de vin.

FL Je ne mange pas de sauce, pas de gras, pas de sel, pas de... mais je mange très bien.

AG Le vin et la bouffe, c'est un partage. J'ai trois enfants: à table, il y n'a pas de télé. Je sais que tu partages autrement.

FL Michel cuisine. Les enfants viennent manger. Ils boivent du vin. Je n'empêche pas les gens de boire. Je parle, j'ai du plaisir et je fais de belles tables: des nappes, de la coutellerie, de la vaisselle. C'est un défi pour moi. Quand je vois les vieux qui boivent, qui boivent, qui boivent...

AG C'est quoi, ça? [rires]

FL Ils ne se voient pas vieillir, ils sont complètement ivres, tout le temps. [rires] Je suis allée dans des maisons de gens âgés. Un moment donné, j'entends des bruits, ça descend très fort dans l'escalier. Arrive une madame de peut-être 75 ans en *baby doll*. Le monsieur suit derrière, une bouteille de vin à la main. Ils ont du fun dans l'escalier! Le monde se gèle! Moi, je vais passer à travers la vie à jeun, lucide. Du début jusqu'à la fin. [Elle frappe sur la table.] Je ne me gèlerai pas. [silence]

AG T'as jamais fumé un joint. Jamais, jamais, jamais?

FL Quand j'ai eu 14 ans, tout le monde fumait autour de moi, *droppait* de la mescaline. Ma mère m'a dit: «Fabienne, quand t'es née, tu faisais de l'eczéma et de l'asthme. Alors tu as pris de la cortisone. Peut-être que ça a joué sur tes glandes surrénales. Si tu prends de la drogue, tu peux paralyser. Tu ne pourras plus marcher.» [rires silencieux] Je l'ai crue. Mes amis aussi. Alors quand ils fumaient, je ne fumais pas. J'ai eu peur de ça jusqu'à 18 ou 19 ans. Après, j'ai commencé à faire des migraines. Comme si c'était une embolie cérébrale. L'alcool peut provoquer ça.

AG Et la mauvaise bouffe.

FL Je ne mange pas de saucisses, pas de charcuterie. Pas de nitrates, parce que c'est très mauvais pour la santé... Brûler de la viande sur le *charcoal?* Non merci! [rires]

AG Un Juif israélien a concocté un livre de recettes avec un Palestinien: *Jerusalem: A Cookbook,* de Sami Tamimi et Yotam Ottolenghi. De la cuisine moyen-orientale végétarienne, adaptée à l'Occident en Grande-Bretagne. Coup de cœur.

FL Quand je travaillerai moins, j'aurai du temps pour cuisiner. Il faut du temps pour faire un gâteau au chocolat, un vrai gâteau au chocolat. Je n'ai pas de temps.

> Le vin et la bouffe, c'est un partage.
>
> Alain Gravel

En vieillissant, on dirait que j'ai de moins en moins de temps. Autrefois, j'écrivais deux ou trois séries en même temps, une quotidienne, je produisais *Les Bougon,* je venais en ville deux ou trois fois par semaine, je revenais à la maison, j'écrivais. Aujourd'hui, je manque de temps. Alors j'ai l'impression que je ralentis. Un jour, je vais peut-être faire un gâteau au chocolat, mais ça ne veut pas dire que j'aurai le goût d'en faire un aux carottes le lendemain!

AG Un tiramisu!

FL Je ne peux pas manger ça. Je vais faire ça pour qui? Tu sais quoi? Tu sais ce qui va être horrible? Tu vas faire du diabète.

AG Mais non, je le brûle.

FL Et ils vont te couper les deux jambes!

AG Mon père faisait du diabète.

FL T'es dans le trouble, Alain!

AG Les médecins me le disent: «Tant que tu brûles, t'as pas de problème.» Sais-tu à combien mon cœur bat la nuit? Trente-huit. Si j'arrête de parler, assis, je serai à 45.

FL Tu penses que ça va t'empêcher de faire du diabète?

AG Non, je brûle. Je prends du vin, toujours une petite affaire de trop...

FL Du sucre!

AG Ça ouvre les artères.

FL Mesures-tu les risques de cancer?

AG Arrête! C'est dans la tête.

FL Le lobby de l'alcool, sais-tu ce que c'est?

AG Du gin tonic, c'est bon!

FL En ce qui concerne le cancer du sein, l'alcool est plus dommageable que les hormones. On ne peut pas le dire parce que le lobby de l'alcool empêche de sortir la nouvelle.

Votre état de santé vous inquiète-t-il à ce point?

FL On s'empoisonne partout. On mange des fraises qui goûtent les insecticides. Dans le vin, pensez-vous qu'il n'y a pas de pesticides?

Vous n'y sacrifiez pas du plaisir?

FL Non, parce que je n'ai jamais été là. On s'empoisonne. C'est la réalité des choses. Je suis une personne sensée et je pense qu'il faudrait aussi que vous voyiez la réalité. Le vin, je suis d'accord, Alain, mais pas plus qu'une fois par semaine. Si tu me dis que tu bois tous les jours, t'es déjà alcoolique! Tu uses tellement ton corps, tu vas avoir besoin de genoux, de hanches... Sais-tu quoi, Alain? L'équilibre.

AG Côté bouffe, on ne s'entend vraiment pas.

FL Combien de calories par jour? T'es pas à trois ou quatre mille.

AG Je ne sais pas.

FL Tu ne calcules pas tes calories!

AG Je ne calcule rien. Quand j'ai fait les Pyrénées à vélo, je brûlais de six à huit mille calories par jour! Le soir, je les récupérais: deux assiettes, vino!

FL J'ai vraiment l'impression qu'on s'empoisonne.

AG Là où je te rejoins, c'est au sujet des antibiotiques dans la viande. J'essaie de faire attention à ça. Mais j'aime manger. C'est un plaisir. Tu as le droit de ne pas aimer, mais tu n'as pas le droit de ne pas essayer. Dans la bouffe, j'essaie tout. J'ai mangé du chien bourguignon dans un restaurant en Corée.

FL Oubliez-moi…

AG C'est peut-être ça aussi qui fait peur à 55 ans. Pour moi, la vie, c'est un escalier roulant que tu montes à l'envers. Quand t'arrêtes, tu descends. Est-ce que je vais être encore capable de grimper cet escalier qui descend? Quand t'arrêtes de bouger dans la vie, tu descends. Un vieux prof m'avait dit ça, au cégep.

Les deux principes de vie de Fabienne

FL L'équilibre. C'est un beau principe.

AG Tu n'es pas équilibrée tant que ça. Dans la bouffe ou dans le reste, t'es une TOC! [rires]

FL J'écris à l'ordinateur depuis 20 ans, je suis exposée à des radiations. Je suis sûre que j'ai tout l'intérieur brûlé.

AG Tu penses à ça?

FL Depuis 25 ans, je pense à ça. Pas toi?

Un deuxième principe?

FL La passion.

AG Tu ne peux pas être équilibrée et avoir la passion.

> L'équilibre.
> C'est un beau
> principe.
>
> Fabienne Larouche

FL Ce n'est pas antinomique. Je fais des excès. Je travaille très fort, c'est ma nature. En vacances, je m'ennuie au bout de trois jours. Ça m'ennuie les musées. Alors je reviens à la maison.

AG J'aime ça au boutte, les musées.

FL Pour vrai? L'été dernier, je suis allée tourner à San Francisco. Sais-tu quoi? La Californie, c'est instable.

Vous parlez des tremblements de terre?

FL Moi, je sens les tremblements de terre à 0,5. Tu dois les sentir à une magnitude de 2,5. Je ne peux pas vivre là-bas, c'est trop instable. J'ai senti la terre bouger 15 nuits. C'est épouvantable! La Terre m'angoisse.

AG Ton chum, c'est un saint!

Beaucoup de choses vous angoissent.

FL À 13 ans, j'avais peur des nuages. Je ne voulais plus sortir dehors. Après, j'ai eu peur qu'un coup de vent emporte la maison. J'ai décidé de coucher dans le sous-sol. J'avais des questions métaphysiques: «Maman, c'est quoi la matière?» J'ai toujours eu peur des tremblements de terre. Je sais où sont les failles. Je ne comprends pas que le monde s'installe là! En Californie, je regardais en dessous des viaducs. C'est fait comme ici: du ciment! Ça va tomber. Sont dans le trouble, tellement dans le trouble!

AG TOC!

Impressionnant!

FL Un moment donné, je dis à Michel: sors du désert. Il y a des failles partout. Alors on va coucher à St. Louis, Missouri. En route, j'en profite pour *googler* les failles: à 50 km de St. Louis, en 1911-1912, se sont produits les deux plus grands tremblements de terre de l'histoire de l'Amérique. Neuf ou dix à l'échelle de Richter. Quand ça va péter cette affaire-là, ça va diviser l'Amérique en deux. Que j'avais hâte de revenir au pays! Là-bas, j'étais toujours en éveil. J'attendais le *big one.* [rires] Je ne dormais pas. À une heure moins vingt du matin, je me réveille, ça bouge. Je dis: «Michel, c'est un tremblement de terre? On s'en va. On retourne chez nous! On ne va pas se faire avaler par la terre.» Il me répond: «Non, Fabienne. Je vais dire non une fois dans ma vie et c'est ce soir.» Finalement, on s'est couchés sur le sofa: on attendait mon tremblement de terre! Je ne pourrais pas vivre là, je sens ça, l'instabilité. Je suis un écureuil.

À l'affût.

FL Tout le temps. C'est ma personnalité. Toujours à l'affût de la catastrophe. La bouffe, c'est la même chose. Depuis que j'ai commencé à lire là-dessus, je me dis qu'on est inconscient, tout le monde.

Ces angoisses servent-elles l'auteure?

FL J'écris probablement à cause de ça. Quand je m'installe dans mes personnages, mes histoires, je suis plus calme.

> Quand je m'installe dans mes personnages, mes histoires, je suis plus calme.
>
> Fabienne Larouche

Pour moi, la vie, c'est un escalier roulant que tu montes à l'envers. Quand t'arrêtes, tu descends. Alain Gravel

À peine la séance photos terminée, ils ont repris leur course. Une heure plus tard, Alain Gravel commentait les événements du jour au bulletin de nouvelles. Aussitôt après, Fabienne Larouche, de retour dans les Laurentides, regardait en direct, en même temps que des centaines de milliers de téléspectateurs, le dernier épisode de la saison de *30 vies*. Pas de répit pour les guerriers... M.C.

Gaétan
Boucher
+ Pierre
Harvey

Je ne connais rien au patinage de vitesse, et le ski de fond n'a jamais été pour moi qu'un prétexte pour rêvasser au milieu des sapins enneigés. Pourtant, j'admire Gaétan Boucher et Pierre Harvey, champions de ces deux disciplines. Qui n'a pas besoin de héros, de modèles? En allant à la rencontre de ces deux athlètes de ma génération, j'étais curieux de savoir comment deux hommes qui ont pratiqué leur activité dans un monde où le déclin des performances précède l'apparition des premiers cheveux gris s'accommodaient du vieillissement. Attention, il va y avoir du sport!

Les athlètes olympiques

La mi-cinquantaine

Avec le temps, votre rapport avec la performance a évolué. Comment vivez-vous ça, vous qui avez poussé votre corps à ses limites?

Gaétan Boucher On le fait encore! Je me garde en forme, mais je ne suis plus capable de faire de la compétition. En fait, je suis capable: ça ne me tente plus. Je n'ai plus le désir de faire de la compétition. Ce serait différent si je demeurais à Calgary, par exemple, je patinerais régulièrement, c'est sûr. Et peut-être que je ferais de la compétition sur 1000 mètres. Mais il n'y a pas d'anneau de glace ici, donc je ne fais pas de patin.

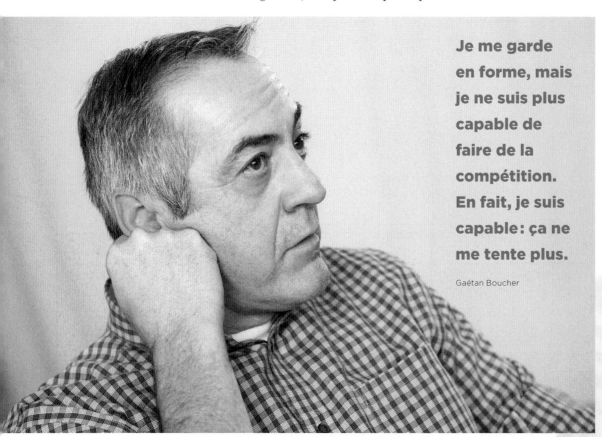

Je me garde en forme, mais je ne suis plus capable de faire de la compétition. En fait, je suis capable: ça ne me tente plus.

Gaétan Boucher

Pas de patin! Même pas pour jouer au hockey avec des amis?

GB J'ai arrêté il y a sept ans. J'ai fait de la compétition de vélo, il y a quatre ou cinq ans. Des critériums. Ma condition physique n'était pas mauvaise, mais le vélo a beaucoup changé. J'ai fait deux courses et j'ai changé de vélo! [rires] Je me suis entraîné sérieusement et, l'année suivante, à la fin de la première course, j'ai dit: «Ça ne me tente plus!» Je ne veux plus souffrir. [rires] Depuis ce temps-là, je n'ai pas le goût de faire de la compétition. Il y a le fait aussi que le monde nous compare toujours à ce qu'on était, c'est fatigant !

Pierre Harvey Le monde pense qu'on reste pareils.

GB Et qu'on va être bons dans tout !

PH J'ai réglé ça.

Mais vous devez y faire face, puisque vous continuez à faire de la compétition.

PH À 37 ou 38 ans, je me faisais battre : « J'ai battu Pierre Harvey ! » C'est là que je me suis demandé : « Qu'est-ce que je fais ? Est-ce que j'arrête parce que je n'aime pas entendre ça ou encore j'ai tellement de fun que je l'oublie, je ferme les oreilles et je ne m'en fais plus ? » J'en vois qui sont à la retraite depuis trois ou quatre ans et qui s'entraînent à l'année. Moi, je fais du vélo et, quand la neige arrive, je sors mes skis. Les premières courses, j'ai de la misère. Fin janvier, je commence à être compétitif. Comme j'habite à Saint-Ferréol-les-Neiges, je fais du ski tous les matins. À sept heures, je suis de retour à la maison ; à neuf heures, au bureau. Le soir, quand on rentre à la maison et qu'il tombe une petite neige, ma blonde et moi on sort faire une demi-heure de ski, avec une petite lampe frontale. Toutes les cinq minutes, elle dit : « Câline que c'est beau ! » Des fois, je lui dis : « T'as droit à quatre "Que c'est beau !" pas plus. » [rires] Un matin, on s'en venait tranquillement sur le bord de la rivière, et elle a dit : « Que c'est beau ! » au moment où est arrivée une gang de vieux...

Je fais des courses. J'ai besoin de ça.

Pierre Harvey

Vieux? Quel âge?

PH Cinquante ans! [rires] Ils faisaient du ski alpin et un peu de ski de fond. On a skié ensemble. C'est plus social que sportif. La piste est à côté. Les gens se stationnent à la maison le samedi matin: «Qu'est-ce qu'on met comme cire? De la bleue?» Ils arrivent à neuf heures et demie, et on part skier jusqu'à midi, une heure, deux heures.

Il reste quand même un petit besoin de compétition, non?

PH Je fais des courses. J'ai besoin de ça.

GB C'est correct. T'es dans ton sport. Moi, je suis un amateur de golf. Les gens pensent: «Ah, le golf, c'est pas aussi facile que le patin!» Pas aussi facile que le patin! C'est-tu assez niaiseux! Ça ne me tente plus de me comparer. Je n'ai rien à prouver. Je veux avoir du plaisir avec des chums. Sauf qu'il y en a toujours un qui parle beaucoup et qui veut se prouver. Des fois, on réagit un peu plus et… on lui paie la traite! [rires]

PH L'été, je fais du vélo de montagne avec des chums. Partir deux heures dans le bois, c'est de l'habileté avec de la forme physique et de l'endurance. Et on fait des voyages: on va au Colorado, on fait une course qui dure sept jours en Colombie-Britannique. On part de l'île de Vancouver, on roule en forêt et on finit à Whistler. Le paradis terrestre! Chaque année, on se dit: «Qu'est-ce qu'on fait?» Au printemps, on veut aller à l'île Majorque, en Espagne, en gang encore, faire du vélo. Ce n'est pas un hasard si j'habite Saint-Ferréol-les-Neiges. On ne s'y installe pas parce que les maisons coûtent moins cher ou parce qu'on y travaille. Tout le monde travaille à Québec. La seule raison, c'est parce qu'on aime la montagne, le ski, l'hiver, jouer dehors. Là où j'habite, 90 % des gens sont sportifs. Le vendredi soir, il y en a un qui fait un cinq à sept: « Je prépare un voyage à skis dans les Chic-Chocs. J'ai réservé deux chalets. Qui vient ? » Il y en a 15 qui se battent pour y aller ! Ma fille court en vélo de montagne. De temps en temps, je vais m'entraîner avec elle et elle me dit: « Cette année, je vais te battre ! »

Ça finira par arriver ! [rires]

PH Elle progresse.

GB Tu régresses ! [rires]

Vous dites volontiers que votre fils, Alex, est meilleur que vous.

PH J'ai gagné des coupes du monde à 31 ans. Lui, à 22 ans. À 3 ans, il chaussait des skis; à 17 ans, il partait à l'automne au championnat du monde junior de vélo de montagne, en Italie, et en mars, au championnat du monde de ski de fond. Puis il a délaissé le vélo pour le ski. Deux jours d'école, deux jours de ski. Il a un bon entraîneur, il fait de la muscu, il sait comment bien manger.

GB Ça n'existait pas dans notre temps. La première année où j'ai fait l'équipe nationale, il a fallu que mon père argumente longtemps pour que je parte trois mois. Cinq mois l'année d'après. Depuis ce temps-là, au séminaire Saint-François, on a une plus grande ouverture d'esprit. Mon père aimait tellement la compétition. Si le directeur lui disait non, il répondait: « C'est ben de valeur, mais il part pareil. » [rires]

Je n'ai rien à prouver. Je veux avoir du plaisir avec des chums.

Gaétan Boucher

De la performance au plaisir

Est-ce difficile de convertir la performance en plaisir de faire de l'activité physique ?

PH Ça dépend des sports. Si j'avais fait du saut à skis, je n'aurais pas continué à 50 ans pour le plaisir ! En skis de fond, je vois des messieurs de 80 ans. Chaque année, je vais au championnat du monde des maîtres, et il y a des gens de 70, 80 ans encore dans la course. De vieux Scandinaves, de vieux Finlandais. Quatre-vingt-deux ans, le monsieur, et il est droit et fort. Il n'y a pas de choc, pas de risque de blessure, t'es dans la neige. Et c'est du travail symétrique, les bras, les jambes.

GB C'est comme le vélo. On peut en faire à n'importe quel âge, à notre vitesse, selon nos capacités. Le patin est un peu différent. Avec de longues lames, si on veut avoir du plaisir, il faut patiner de façon régulière. Sinon, c'est demandant sur les jambes à cause de la position. Et puis moi, comme j'ai un bon appétit — avec les compétitions et les entraînements, on mangeait beaucoup —, si je ne fais pas d'exercice…

… il y a un problème ! [rires]

GB Il faut que je me prive de quelque chose. On est mal quand on n'est pas en condition physique correcte. On est plus fatigué, on dort mal. Un de mes chums, Benoît Lamarche, est une sommité en matière de maladies cardiovasculaires et il est chercheur à l'Université Laval. Il a patiné avec moi dans l'équipe olympique à Sarajevo et à Calgary. Benoît et moi, on a les mêmes goûts : on est des amateurs de chips, de pizzas et de réglisses rouges. [rires] L'autre jour, je lui dis : « J'ai décidé que je ne mangeais plus de chips. » Et lui qui connaît ça, les maladies, m'a répondu : « Es-tu malade ? Pourquoi te priver ? » « Je veux faire attention. » « Manges-en moins ! Tu ne peux pas te priver de ça, t'aimes ça ! Continue à t'entraîner et manges-en moins ! » Il faut avoir du plaisir dans ce qu'on fait.

Même quand on s'astreint à un entraînement soutenu en vue d'une compétition ?

PH Je n'ai jamais sacrifié rien. On a tellement de plaisir que ce n'est pas dur, la veille d'une course, de ne pas prendre une bière. Tu n'y penses même pas. Après la course, c'est autre chose ! Alex prend un coup 10, 15 fois par année, avec ses chums. Je suis bien content quand je le vois comme ça, je me dis…

… il est vivant !

PH Il ne faut pas accumuler de frustrations. Dans mon temps, on avait du fun tout le temps, tout le temps, tout le temps. On est en skis dans les Dolomites, il fait soleil, la neige est incroyable, on n'a même pas envie de rentrer pour dîner. On prenait une bière tous les jours pendant que les filles de l'équipe se privaient parce que l'entraîneur leur disait : « T'es trop grosse ! » Elles

Dans mon temps, on avait du fun tout le temps, tout le temps, tout le temps.

Pierre Harvey

finissent anorexiques. Chaque hiver, une fille *scrapait* sa carrière. Les entraîneurs n'étaient pas assez compétents. Ils disaient: «Tu as 10 livres de trop.» La fille était musclée, super *fit*, mais elle essayait de perdre 10 livres. Et elle voyait les gars de 18 ou 19 ans manger, manger, manger! À huit heures le soir, ils écoutent la télé, ils prennent un deux litres de crème glacée et ils le mangent au complet! Deux litres! Ils passent trois heures dehors, ils sont en croissance. Pendant ce temps, les filles ne mangent pas et se font vomir.

GB L'enfer!

PH Quand le taux d'adiposité d'une femme baisse sous les 5 %, elle arrête d'avoir ses règles et le calcium sort de ses os. Vingt-sept ans et le squelette d'une femme de quatre-vingts ans...

GB Je n'ai rien sacrifié. J'ai voyagé, j'ai rencontré du monde de différentes cultures, j'ai appris l'éthique de travail, la discipline. Parce que j'aimais mon sport. Je n'ai jamais manqué un programme d'entraînement.

PH Tant qu'on progresse, on est motivé. Tant que tu vois une possibilité de progresser.

Avez-vous une grande conscience de votre corps, de la machine qu'est le corps?

PH C'est élémentaire. Après un entraînement, on se sent toujours super bien. Le corps sécrète des endorphines, c'est de la morphine.

Il y a de l'euphorie.

PH Le matin, quand j'arrive au travail après une demi-heure de ski, plus rien ne me stresse. Je pars le matin avec le sourire et il reste collé. Je suis imprégné de ça. On va trouver une solution. Question d'attitude. Et cette attitude-là, quand tu es sportif, il faut que tu la développes, parce que tu passes 15 ans à te battre contre un chrono, à te battre pour améliorer ton virage. Pour moi, même une compétition, c'est un jeu. Il y a le physique et le mental. Quand tu pars pour un raid de cinq heures à vélo de montagne, il faut que tu sois patient au début : « Énerve-toi ! On va te revoir plus tard ! » [rires] Celui qui descend en fou, tu le vois en bas : il a crevé son pneu parce qu'il est allé trop vite. Pour moi, ça demeure un jeu. En vieillissant, le côté social prend plus de place. Je pars avec trois ou quatre chums, et on passe deux heures à placoter. On parle de toutes sortes de choses. Comme si on allait chez le psychologue ! [rires]

Soignez-vous votre alimentation ?

GB De temps en temps.

Pas plus que ça ?

GB Pas plus que ça. Je soigne mon alimentation, mais j'aime bien manger.

PH Ce n'est pas un sacrifice.

GB Je n'ai jamais été un amateur de desserts.

PH Moi non plus. Jamais de gâteau.

GB Ma femme cuisine très bien et elle est sportive. Mes enfants aussi. Je vais manger des frites, mais jamais de poutine. J'en prends une et je me dis : c'est la dernière. Généralement, on fait de bons repas. Quand on mange gras, on s'en aperçoit tout de suite. Alors on se dirige vers des choses un peu plus santé. On prend une bonne salade.

PH Pour moi, manger c'est manger bien. C'est meilleur que manger moyen. Au goût. Du yogourt, j'aime ça. Des fruits, j'aime ça. Ce n'est pas une torture.

Ce n'est pas un sacrifice.

PH Je suis bien content toutes les fois que je mange une pomme. C'est bon !

GB Je bois de l'eau, du café et de la bière. Du vin de temps en temps. Pratiquement rien d'autre. Très rarement une boisson gazeuse, un jus. Quand on s'entraîne régulièrement, on a soif. On apprend à boire de l'eau et finalement on trouve que c'est bon un verre d'eau froide quand on s'est entraîné pendant une heure. C'est ce dont on a besoin.

Gaétan, maintenant

Le type de patinage que Gaétan a pratiqué n'est pas très social. Le golf, davantage.

GB Pas autant que les gens le pensent. Quand je reviens du golf, ma femme me demande: «Et puis, de quoi vous avez jasé?» Pas grand-chose! Je frappe ici, il frappe là. T'as un petit peu d'espace quand tu changes de trou. On ne parle pas beaucoup au golf. Après, oui. Maintenant, je vais dans un gym. Je fais un peu de vélo en groupe. On est cinq gars, tous amateurs de vélo récréatif, et une fois par semaine, on embarque là-dessus et on jase. Là, même les débutants sont capables de tourner la tête et de jaser! [rires] Je fais aussi un programme d'entraînement le soir, à la maison, avec ma femme et ma fille. Ça s'appelle Insanity, c'est un programme qui dure 8 semaines, 6 entraînements par semaine, des séances de 37 à 45 minutes: des sauts, des *push-ups,* de la course sur place, toutes sortes d'exercices.

À trois!

GB On a du fun. Et c'est intense! Depuis deux mois, je m'entraîne entre cinq et dix fois par semaine: je dois avoir perdu au moins cinq livres. On aime ça parce qu'on se sent bien. Hier, j'ai fait un programme avec ma femme avant de manger et de regarder le match Canadien/Boston. On est deux amateurs de Boston. [rires]

Vous avez gardé la discipline d'un athlète.

GB Ah, oui! Le programme est très intense. Quand on a fait 6 ou 7 exercices de suite toutes les 30 secondes, je prends un *break* de 10 secondes les genoux à terre. Personne ne va me dire: «Eille!»

Personne ne regarde votre chrono. [rires]

GB C'est pour ça qu'on a du fun. Après, on s'assoit pour souper et on se sent bien.

Depuis deux mois, je m'entraîne entre cinq et dix fois par semaine.

Gaétan Boucher

Le corps bouge, évolue

Est-ce que vous idéalisez le corps que vous aviez, disons, à 25 ans ? Comment vivez-vous cette transformation ?

PH [silence] Il y a le *peak* physique, mais j'ai gagné des coupes du monde à 31 ans. Peut-être qu'à 27 ans, j'étais meilleur qu'à 31, mais à 31, j'étais plus intelligent ou j'avais développé autre chose. À partir de 30 ans, ça a toujours descendu et c'est normal. Ça ne me dérange pas tant que ça. Je ne regrette pas parce que j'ai encore du fun. Presque autant. L'année passée, je suis allé au championnat national des maîtres, j'ai fini une course quatrième et j'étais aussi content que quand je finissais premier au championnat canadien. J'étais satisfait de l'entraînement que j'avais fait. J'étais avec des vieux schnocks de mon âge et je les ai suivis pendant un bon bout.

GB Moi, c'est un peu différent. J'ai eu une blessure en 1984 qui m'a beaucoup affecté à partir de 1985. Pourtant, ma meilleure année, physiquement, c'était 1985. Je patinais mieux que jamais. Jusqu'à la fin janvier. J'ai eu mes pires années par la suite. J'ai pris ma retraite parce que les résultats s'en allaient de même.

PH Quand on ne s'améliore plus, ça devient très difficile de se motiver, de se préparer à la compétition. À moins de recevoir un salaire.

GB Quand on commence, on espère finir parmi les 10 premiers au championnat du monde. L'année suivante, dans les huit premiers, puis les cinq premiers, les trois premiers. Après, on espère être parmi les cinq premiers, les huit premiers, les dix... C'est le chemin inverse. [rires] J'ai trouvé ça dur, cette baisse des performances. J'aurais aimé continuer. Tout le monde aimerait continuer au même niveau.

PH J'ai été chanceux : j'ai eu mes meilleurs résultats à la fin de ma carrière. Les deux dernières coupes du monde, je les ai gagnées après Calgary. J'ai fini sur une bonne note. Ma conjointe était enceinte d'Alex : dans ma tête, c'était fini. Je me disais, je n'élèverai pas un enfant à distance.

> J'ai pris ma retraite parce que les résultats s'en allaient de même.
>
> Gaétan Boucher

> J'ai eu mes meilleurs résultats à la fin de ma carrière.
>
> Pierre Harvey

L'exercice physique fait-il partie de votre vie pour de bon?

PH Absolument.

GB Je ne me vois pas ne pas faire d'activité physique. Ma femme me le dit, je deviens bougonneux et malheureux quand j'arrête: « T'es marabout, va donc courir. » Et je recommence à m'entraîner.

PH Quand j'ai des petits bobos, un petit mal de dos, de l'arthrose, je me dis: « J'espère que je vais être capable de faire des courses cet hiver. » Rien ne m'en a encore empêché. Il y aura un moment où je ne serai peut-être plus capable. Je vais passer à autre chose.

GB J'ai un ménisque qui a une petite déchirure et je ne peux pas courir. J'avais recommencé pour ma fille, je voulais faire un demi-marathon, mais j'avais trop mal au genou, j'ai dû arrêter. Mais je peux faire du vélo, du ski de fond, des programmes d'entraînement, des sauts, etc.

Quand une porte se ferme, il s'en ouvre une autre.

GB Fait que c'est correct. Tant qu'on peut faire une certaine activité, comme la raquette, l'hiver, c'est correct.

Cinquante ans, cinquante et un, cinquante-deux, cinquante-trois, tout ça, c'est pareil pour vous?

PH Je m'attends à ce qu'un jour, ça paraisse plus. L'avion descend lentement. Je sais qu'à 60 ans, ça pique du nez! [rires]

GB Cinquante, ça ne m'a pas dérangé. Je ne trouve pas ça vieux. Mais 60, me semble que c'est comme...

… un gros chiffre?

PH Je suis le plus jeune de la famille, et mon frère me dit qu'à 50 ans, tu ne t'en rends pas compte, mais à 60, il y a beaucoup de choses que tu faisais avant, que tu ne fais plus pareil. Physiquement, c'est plus marqué.

GB Possible. Je ne me vois pas à mon âge. Je pense que j'ai encore 25 ou 30 ans. J'ai 55 ans, et quand mon père en avait 55, il me semble que…

… il n'avait pas l'air de ça! [rires]

GB Non. Mon père n'a jamais eu l'air bien vieux, mais quand même, dans mon esprit, non. On pensait toujours: «Un vieux de 50!» Je ne me sens pas à cet âge-là. Je me sens plus jeune. Au moins 30 ans! [rires]

Soixante ans, c'est vieux?

GB [silence] Ce n'est pas vieux, c'est une étape à traverser, physiquement, mentalement. Vieux pour moi, c'est 75. On vit vieux, maintenant.

PH Quand je ne serai plus capable de faire du ski ou du vélo, là je vais me sentir vieux. Tant que j'ai du plaisir à le faire, le goût de le faire, l'âge ne me dérange pas. Mais la journée où je vais dire que c'est fini… Oh! Là, ça va me rentrer dans le corps.

GB Probablement.

PH Normalement, je suis censé être capable d'en faire jusqu'à 70 ans, même 80. Si un jour je comprenais que je ne peux plus en faire… C'est tellement beau glisser dans le bois, dans la neige! C'est comme si on m'injectait de l'oxygène. Les abdominaux travaillent, le haut du corps. Les bras, le dos. Il fait un beau soleil, il est tombé une neige blanche, on est ébloui. Je m'inquiète, pourtant je vois des vieux qui marchent bien tranquillement.

Et qui ont du plaisir.

PH Oui, c'est ça.

> ## Je ne me sens pas à cet âge-là. Je me sens plus jeune.
>
> Gaétan Boucher

Vous êtes des modèles. Ça vous pèse ?

GB [silence] On est peut-être plus conscients de certaines habitudes, d'un code d'éthique qu'il faut respecter. On a grandi avec ça. On a toujours fait attention. Question de réputation, de comportement, d'attitude. Ça ne me pèse pas. J'ai travaillé au centre-ville pour le Bureau laitier du Canada pendant deux ans et quelque. J'allais m'entraîner le midi et, en revenant, j'arrêtais manger, je lisais le journal et là, j'étais très conscient. On le sent quand les gens nous regardent et murmurent. Je faisais attention. Fallait pas que j'échappe de nourriture ! Au bureau, les gens regardent : « Qu'est-ce qu'il mange ? » Mais on n'a pas de mauvaises habitudes. Et tous les deux, les gens nous respectent. On est très semblables, pas *show-off*.

PH Dans un centre commercial, on me dit : « Salut Gaétan ! » [rires] Je me fais dire ça souvent.

GB Même affaire ! Les gens me prennent pour toi : « T'es ingénieur ? » « Non, c'est Pierre. »

PH Les gens sont toujours contents, toujours gentils. Quand on m'invite à rencontrer les jeunes dans une école, j'essaie d'orienter ça : « J'avais un potentiel. J'ai eu la chance de pouvoir l'exploiter quand j'étais jeune. Ici, tout le monde a un potentiel. La chance dans la vie, c'est quand tu peux le découvrir et l'exploiter. Il y en a qui sont de super pianistes, mais qui n'ont jamais touché un piano de leur vie. » Parce que répéter, pour la 43e fois, que moi j'ai fait ça, puis ça... Les gens finissent par dire : « Es-tu le Bon Dieu ? » Non, je ne suis pas le Bon Dieu. Pantoute !

Vous n'êtes pas du genre à étaler vos médailles.

GB Ce n'est pas notre style. [rires]

PH Il y a des gens qui, à la fin de leur carrière, gagnent leur vie en faisant des conférences. Tu passes ta vie à répéter ce que tu as fait quand t'avais 18 ans.

À vivre dans le passé.

GB Si on fait ça, il faut faire le lien avec les gens à qui on parle.

J'aimerais vieillir en...

PH J'aimerais vieillir en continuant d'avoir du plaisir. En vieillissant, tu découvres que le plaisir, c'est toi qui le fais. C'est de ta faute si t'es malheureux, de ta faute si t'es heureux. Il y a un pourcentage qui tient à l'hérédité, mais il y a un pourcentage qui te revient. Plus tu vieillis, plus tu le réalises. J'aimerais vieillir en continuant d'être heureux et même en apprenant encore plus. Apprendre. Apprendre à vivre. Il y a des gens qui ne savent pas vivre, pas manger, pas profiter de la vie.

Or, ça s'apprend.

PH Ça s'apprend. Il devrait y avoir un cours au secondaire : apprendre à vivre. Pas juste apprendre à être gentil avec les gens et à bien parler,

J'aimerais vieillir en continuant d'être heureux et même en apprenant encore plus.

Pierre Harvey

Légendes vivantes

Il y a un boulevard Gaétan-Boucher, un anneau de glace artificielle, une école, un centre sportif à votre nom. Une piscine, un centre d'entraînement, des pistes Pierre-Harvey... On s'y fait?

PH C'est drôle, hein! Gaétan est une légende. On est les premiers sportifs québécois. Mon grand-père bûchait dans le bois, il avait 16 enfants. Il ne connaissait même pas le mot *sport*.

Mais il bûchait.

PH Mes parents n'ont jamais fait de sport. Les dernières années, ils ont joué au golf. On est la première génération. Normal qu'il y ait des rues et tout ça!

Pas des rues, un boulevard! [rires]

PH Normal, c'est lui qui a ouvert la voie.

> Mon grand-père bûchait dans le bois, il avait 16 enfants. Il ne connaissait même pas le mot *sport*.
>
> Pierre Harvey

mais apprendre à vivre. Des attitudes de vie que tu développes et que tu gardes toute la vie.

GB J'aimerais vieillir en sachant que je n'aurais pas pu faire mieux. C'est sûr que j'aimerais ça retourner en arrière dans certaines occasions, dont l'année 1985! [rires] Et les années après! Règle générale, je me dis plutôt qu'on a fait ça parce qu'on aimait ça, ce qui a eu des conséquences positives sur nos vies. J'ai quatre enfants et une femme et tout le monde va très bien. Tous adorent le sport, ont une bonne éthique de travail, une bonne attitude, pas de problème. J'ai quand même fait quelque chose de bien. Finalement, je n'ai pas de regrets.

Se dire qu'on a fait de son mieux.

GB Se dire qu'on a donné l'exemple. Mes enfants ont beaucoup de respect et de fierté, indépendamment du sport, pour le genre de père que je peux être. Ma femme dit: «Quand ils veulent argumenter, c'est à moi qu'ils parlent.» Alors même s'ils disent: «Ah, mon père a fait ci, mon père a fait ça!», c'est quand même elle qui est la boss de la famille! [rires]

Sentiment partagé?

PH Avoir des enfants à qui on a pu transmettre nos valeurs, c'est ce qu'on peut avoir de mieux dans la vie. Les enfants, c'est la plus belle chose. On me donnerait n'importe quoi, des médailles, rien ne remplace ça.

> J'aimerais vieillir en sachant que je n'aurais pas pu faire mieux.
>
> Gaétan Boucher

Les enfants, c'est la plus belle chose. On me donnerait n'importe quoi, des médailles, rien ne remplace ça. Pierre Harvey

Nous nous étions dit qu'il pourrait être amusant de demander aux deux athlètes olympiques de reproduire, assis et sans équipement, une pose sportive. Le concept pouvait paraître fantaisiste. Pourtant, Véro n'a pas eu à leur donner d'explication. Gaétan Boucher et Pierre Harvey ont réagi au quart de tour. Le skieur et le patineur d'élite renaissaient sous nos yeux, heureux comme des enfants qui voient tomber la première neige. Qui doutera encore que l'activité sportive soit l'une des clés du bonheur ? M.C.

Pierre
Curzi
+ Marie
Tifo

Les amoureux

Quand je les ai connus, dans les années 80, on ne voyait qu'eux. Ces années-là, quand le milieu du cinéma se retrouvait, on croisait des producteurs, des réalisateurs, des techniciens. Bien peu d'acteurs. Pourtant, du moins à mon souvenir, Marie Tifo et Pierre Curzi étaient toujours là. Elle, fougueuse, qui avait été révélée dans *Les bons débarras*. Lui qui venait de connaître la consécration dans *Les Plouffe* et *Le déclin de l'empire américain*. Apparemment inséparables, les deux acteurs allaient partager l'écran dans *Pouvoir intime*, *Dans le ventre du dragon*, *Le Jour «S...»*, *Lucien Brouillard* et *Maria Chapdelaine*.

Plus de 25 ans avaient passé depuis notre première rencontre quand je suis allé leur rendre visite à la campagne, près du mont Saint-Hilaire. Assis à la terrasse, le regard tourné vers l'étang, ils semblent toujours aussi amoureux. Comme pour renforcer cette impression, deux mésanges ont voleté au-dessus de leurs têtes tout au long de la rencontre. Il y avait de l'amour dans l'air. Justement, je voulais qu'ils me parlent d'amour et aussi de leur soixantaine...

169

Certains sont effrayés par les mots *vieux, vieillesse*. Vous?

Pierre Curzi Bah!

Marie Tifo On n'a pas d'angoisse à ce sujet.

PC Sauf qu'on a commencé à en parler depuis que je suis arrivé à 65 ans.
Pas parce que c'est l'âge de la retraite. C'est arrivé au moment où j'ai quitté
la politique. Où j'allais quitter la politique.

MT Pas tout à fait! [rires] Moi, je peux te le dire quand nos discussions
ont commencé. Je crois que ta décision d'entrer en politique a entraîné
un changement de vie.

PC T'as raison. J'aurais pu rester à l'Union des artistes, j'étais devenu
président de toutes sortes d'affaires. Je devenais président de la Fédération
internationale des acteurs, je restais président de la Coalition pour la
diversité, j'étais président du Fonds d'investissement de la culture et
des communications. J'accumulais les présidences!

MT C'est pas de ça qu'on doit parler.

PC Je veux juste éclaircir ce point-là.

MT Chaque fois qu'on a été trop confortables, on a brisé cet équilibre.
Quand on était à Outremont, Marie, une poétesse, nous a dit: «Outremont,
on y arrive, on ne part pas d'Outremont.» Nous, nous y étions arrivés.

PC J'étais très heureux.

MT Pierre était très heureux. Il jouait au tennis trois fois par semaine. Je travaillais, naturellement. Je travaille tout le temps.

Et pourtant vous êtes partis. Vous n'aimez pas le confort?

MT Confort, pour moi, peut-être que c'est un signe: hop, la retraite! C'est le vieillissement. J'avais 40 ans à peu près quand on est partis d'Outremont. Ça fait 20 ans qu'on vit ici. C'est inconscient, mais après tu réfléchis: «On a fait un *move*.» T'as fait le même quand finalement, à l'Union des artistes, tout était facile. Tu avais une place dans la société. Un rôle social. Et là, quand on t'a offert de faire de la politique – parce qu'on est venu te chercher –, on s'est beaucoup parlé, Pierre, on a eu une grosse réflexion là-dessus, et on s'est dit: «Vas-y!»

PC Je pouvais continuer ce cumul des présidences, mais il y avait quelque chose d'inassouvi. La volonté d'intervenir dans la société. Et ça, à ce moment-là, c'était la politique.

Et si vous ne le faisiez pas à ce moment-là...

PC Il aurait été trop tard. Donc, je me suis dit: les prochains 10 ans. De 60 à 70 en politique, et après ça, bingo, bye. J'aurai fait ce que je peux pour la société et je me sentirai en accord avec mon destin. Je suis allé là où mon destin m'a poussé. Puis j'ai quitté la politique et là, je me retrouve... Là, je vais arrêter de parler.

> Je suis allé là où mon destin m'a poussé.
>
> Pierre Curzi

MT Non, non, tu te retrouves où?

PC Retraité, l'année passée. À la retraite. Assez confortable. Et il y a une sorte de culpabilité.

MT Y a pas un p'tit ennui, quand même?

PC Pas encore.

MT Quand même.

PC Cet été, après le deuxième mois de vacances, j'ai commencé à m'ennuyer. Je me suis dit: «Je vais retourner jouer au tennis, m'occuper de la maison, faire les travaux.» Non seulement je ressentais un peu d'ennui, mais j'avais le sentiment qu'il me fallait mener mes convictions jusqu'au bout.

MT T'es pas allé jusqu'au bout.

PC Je ne sais pas si je vais continuer comme Guy Rocher [voir page 186], avec la même intelligence, mais je risque de continuer longtemps et sous différentes formes, parce qu'on est fait d'un certain nombre de convictions, de valeurs, et il faut toujours que ça s'actualise si on est vivant. Si on veut rester vivant. Je ne suis pas capable d'imaginer que, même à la retraite, on abandonne ce à quoi on croit. Il me semble que ça ne se peut pas.

Et vous, Marie, même réflexion?

MT Je n'ai pas le même parcours. Pas ce questionnement. Bien sûr, je l'ai par l'intermédiaire de Pierre, car on vit ensemble. On s'interroge beaucoup sur tout ce qui se passe. Tous les matins, je vais chercher mes journaux. Vraiment, je me tiens au courant, mais ce n'est pas ça qui me motive dans la vie. Pierre a le besoin d'en parler, moi, je ne l'ai pas. J'ai toujours été actrice. Depuis l'adolescence, c'est ce que je suis. À presque 65 ans, c'est plus difficile de garder la flamme. D'avoir encore le goût et le désir de jouer. Parce que c'est juste ça. Ça se résume à jouer. Quand t'as joué une centaine de pièces de théâtre, dans une quarantaine de films, beaucoup de séries télé, depuis tes débuts, et que tu n'as jamais manqué de rien en matière de création, arrive un moment où les rôles qu'on te propose ne sont pas à la hauteur de tes attentes.

En vieillissant, les femmes ont de moins en moins de rôles. Résultat: il y a une partie de la population qu'on voit peu à l'écran, dont on raconte beaucoup moins les histoires.

MT Il y a toujours de très beaux rôles pour les hommes. Pour nous, c'est plus difficile. Le cinéma, alors là, on est totalement absentes. Heureusement qu'il y a la télévision et le théâtre. Tomber sur Marie de l'Incarnation, à mon âge... Ç'a été le plus grand rôle de ma vie.

Dans ce spectacle intitulé *La déraison d'amour*, l'histoire de Marie de l'Incarnation, conçu à partir de la correspondance de la fondatrice de l'ordre des Ursulines à Québec, vous paraissiez avoir été touchée par la grâce!

MT La grâce. Vraiment. J'ai été comblée dans mon métier. Mais il est de plus en plus difficile de le faire, surtout de gagner sa vie et d'être aussi passionné.

Être deux

Dans le spectacle *La renarde et le mal peigné*, vous interprétez la correspondance amoureuse de Pauline Julien et Gérald Godin. Dans la peau de la chanteuse, militante et comédienne et dans celle du poète, journaliste et ministre, vous avez tous deux un plaisir évident.

MT Juste avant d'entrer sur scène, on a comme un frisson. C'est incroyable! Parce que, quand même, on en a joué des auteurs. Le mythe et le vécu de ces gens-là dépassent tout. Quand la salle est remplie, ça touche. C'est le fun de faire notre métier.

Et de le faire ensemble.

MT Et de le faire ensemble.

PC Il y a un petit peu de nous dans Pauline Julien et Gérald Godin. En fait, il y a beaucoup d'identification dans tout ça. C'est rare et précieux.

Vous jouez depuis une quarantaine d'années. Y trouvez-vous encore du plaisir?

PC C'est le secret, je dirais la raison de notre longévité comme couple. On a toujours joué ensemble. Je veux dire jouer à faire les serres, jouer à voyager, jouer au sens noble du terme. On a partagé.

On a toujours joué ensemble. Je veux dire jouer à faire les serres, jouer à voyager, jouer au sens noble du terme. On a partagé.

Pierre Curzi

MT Je prends ça comme de grosses aventures. On se lance tête baissée dans des choses qui n'ont aucun maudit bon sens! Dans le fond, les serres… [rires] La politique aussi. C'est un *trip* à deux. Pour tout ça, il faut être deux. C'est notre vie à nous: deux.

PC Ça a commencé par notre rencontre au cinéma. Très rapidement, on a mis ensemble nos familles. Ça, c'est un élément majeur. On a obligé le fils de Marie, mon fils et ma fille à vivre ensemble. À partir de là, on a créé une unité. Cette unité nous a fait partager tout le reste. Tout ce qui découle d'une aventure familiale dans le monde.

MT Qui dure et qui est très forte. Pour notre famille, on est le couple. Nos enfants nous ont fêtés, il y a deux ans, lors de notre trentième anniversaire.

PC Ils voulaient nous marier!

MT Ils voulaient nous marier! [rires] Ç'a été extraordinaire! Un moment très fort. Pour eux, on représente la famille, l'union de la famille; et ici, c'est le lieu. On garde cette chose-là, qui n'a aussi pas de bon sens, parce que ça représente beaucoup pour tout le monde. Pour nous, surtout, mais pour tout le monde aussi.

Cette vie à deux constitue votre force.

MT C'est vrai que c'est notre force.

PC Dans le fond, on n'est jamais seul. On n'a jamais été seul. On a toujours été deux.

MT Beaucoup de femmes de mon âge sont seules. Nous, on est deux. Il y en a toujours un qui travaille.

PC On a été deux dans toutes les aventures qu'on a entreprises. On est toujours deux. C'est fabuleux. Probablement que ça répond aussi à mon angoisse la plus profonde: la peur d'être seul et la peur de mourir. Le fait d'être deux, d'avoir un amour, c'est l'antidote total au vieillissement et à la mort. Même que ça soulève des questions. À un moment donné, inévitablement, ce deux ne sera plus. Un des deux va disparaître. Que va-t-il arriver de l'autre? Très inquiétant. On n'est pas capables de l'imaginer. C'est dur à imaginer parce que nos vies sont si intimement mêlées. Les imaginer démêlées…

MT J'aime autant ne pas penser à ça.

Si je vous présente comme un «vieux couple», vous y voyez un compliment?

PC On est un vieux couple. Je pense bien qu'on se connaît pas mal! [rires] Qu'est-ce que ça veut dire d'autre, un vieux couple?

MT «Vieux couple», ça doit avoir une connotation péjorative. On met à profit tout ce qui s'est passé et on s'en va encore plus loin.

PC On est un vieux couple vivant.

MT C'est ça.

> C'est notre vie à nous: deux.
>
> Marie Tifo

Quarante ans, la grâce

Est-ce que certains âges ont été plus difficiles à accepter?

MT Je dirais 40 ans. Les femmes, on a toujours peur du 40 ans. [rires] C'est affolant. Et même, j'avais dit une fois, mon Dieu, c'était ridicule: «Moi, à 36 ans, je vais mourir, je vais disparaître comme Marilyn Monroe!» Une affaire d'actrice! À 40 ans, je me souviens m'être acheté un scooter et avoir sillonné la ville. C'est là qu'est né mon désir de quitter la ville et de venir à la campagne. On vivait les fins de semaine à la campagne et on revenait en se disant: «Ah, Seigneur, si on pouvait vivre à la campagne!» Je me souviens très bien avoir dit: «On arrête de dire ça, pis on le fait! C'est pas quand on va être plus vieux qu'on va vivre à la campagne, c'est maintenant. Quand on va être vieux, on va vouloir revenir en ville pour être près des hôpitaux!» Comme actrice, ç'a été un âge extraordinaire. Une période de grâce. Vraiment. Au théâtre, je jouais toujours des rôles plus vieux, des femmes de 40 ans, même si je n'avais pas la maturité. Quand j'ai eu 40 ans, je l'avais vraiment!

PC Finalement, tu as été mère Marie de l'Incarnation! L'épouse de Dieu! [rires]

Sans âge!

PC Éternelle, historique!

Le corps

PC Le nombre d'années a plus ou moins d'importance. Ce qui compte pour moi, qui suis très physique, c'est par exemple une douleur. Je me suis fait mal au dos et ça a pris deux mois à guérir. Le corps me parle. Le temps est marqué par la capacité physique.

MT T'as jamais été malade!

> **Les femmes, on a toujours peur du 40 ans. C'est affolant.**
>
> Marie Tifo

PC Mais là, le corps me parle. Quelque chose s'est brisé. Je ne peux plus faire n'importe quoi. Je suis obligé d'en tenir compte. Ce qui a changé, et ça je l'ai vu, c'est hormonal ; la sexualité ne disparaît pas mais se transforme. Là, j'ai vu un passage majeur de l'âge. Je dirais donc que c'est organique, pour moi, le temps.

Ça ne survient pas un matin.

MT Non. Quoique le mal de dos… [rires]

PC On doit intégrer cette donnée, l'état du corps, et commencer à réfléchir autrement.

MT J'ai trouvé la soixantaine excessivement difficile.

PC Physiquement difficile.

MT J'ai été très, très malade. [silence]

Avant, il y a eu la ménopause.

MT Ouais. Vers la cinquantaine. À 50 ans, le corps change. C'est hormonal. Quand je tournais, je trouvais ça épouvantable ! Suer devant la caméra, c'est l'horreur ! [rires] Y a juste ça qui me tombait sur le nerf. Mais la maladie… Je ne peux pas dire que je pensais vraiment à la mort ou tout ça. La mort ne m'habite pas du tout. Mais être diminuée dans mon énergie… Je n'avais plus du tout d'énergie.

Ces ennuis de santé sont survenus au tournant de la soixantaine ?

MT Je dirais deux ou trois ans très difficiles. J'attrapais tout. J'allais à l'hôpital, le C. difficile, le zona, tout. L'hépatite. D'ailleurs, probablement que la décision de Pierre de laisser la politique…

PC L'état de santé de Marie a joué dans ma prise de décision.

MT Devant un pareil manque d'énergie, on se pose de graves questions. Le plaisir de vivre n'était plus beaucoup là.

PC T'étais diminuée.

MT Je n'étais plus capable de faire ce que j'aime le plus au monde, partir le matin et monter dans les vergers avec le chien.

PC Et on ne parle pas de la hanche. Marie avait de la difficulté à marcher. C'était majeur.

MT Majeur. La soixantaine fut difficile à cause de ça.

Face à une épreuve comme celle-là, êtes-vous du genre à lire tout ce qui s'écrit sur le sujet pour trouver des réponses ou nourrir votre réflexion ?

MT Non, jamais.

PC Une amie m'a prêté un livre sur le vieillissement. J'ai trouvé ça plate au boutte. Je l'ai abandonné ! [rires]

MT Tout se joue entre nous deux. C'est tacite, on n'en parle pas nécessairement. On a assez de le vivre et de le faire vivre à l'autre par le fait même. Alors, non.

Je dirais donc que c'est organique, pour moi, le temps.

Pierre Curzi

J'ai trouvé la soixantaine excessivement difficile.

Marie Tifo

175

Les vieux

MT Moi, j'aime les vieux. J'aime le contact avec les vieilles personnes. Quand Pierre était député, on allait dans les centres pour personnes âgées.

PC Et on aimait bien ça.

MT C'est ce qu'on aimait le plus. Parce que les personnes âgées, les vieux, n'ont plus rien à prouver. Ils sont devant toi et ils te parlent ouvertement, sans rien.

Sans filtres.

MT Ils t'aiment, ils t'aiment ou ils ne t'aiment pas. Hein, Pierre! Ah, c'était formidable!

PC «Ah, c'est vous, le député!» Vous n'avez pas voté pour moi, vous! Les vieux, c'est comme les jeunes: y en a de toutes les sortes. Y a pas mal de vieux en politique. Bien des vieux souverainistes, indépendantistes. Y en a qui sont comme ils ont toujours été dans leur vie, confortables. D'autres sont plutôt idéalistes et aventureux. Mais à certains moments, quand je vois une assemblée de têtes blanches, j'ai un autre sentiment. Je ne sais pas lequel. Souvent, ça fait: «Oh, *boy,* on est toute cette génération-là.» On est aussi nombreux qu'avant, mais ça m'apparaît beaucoup plus qu'auparavant.

MT Dans notre métier, les salles sont remplies de personnes âgées.

PC L'autre soir, y avait 300 personnes, toutes âgées de 50 ans et plus.

MT Une chance qu'elles sont là! C'est vraiment notre clientèle.

PC Oui, mais ce n'est pas diversifié. Les jeunes à Montréal vont se retrouver

---

> Les vieux, c'est comme les jeunes: y en a de toutes les sortes.
>
> Pierre Curzi

L'engagement

MT Pierre et moi, on est aussi très près de la déficience intellectuelle.

PC On est porte-parole de la Maison de la montagne depuis une dizaine d'années.

MT On y a tissé des amitiés incroyables. Quand Pierre a été élu député, quand il siégeait à l'Assemblée nationale, on a vécu l'éloignement. On était loin l'un de l'autre.

PC Mais il y a toujours eu des périodes d'absence. Les tournages, les tournées, les voyages.

MT Quand même, ç'a été plus long: j'étais toute seule. La solitude, c'est quelque chose qu'on a de la difficulté à vivre.

PC Je n'ai pas encore apprivoisé la solitude. Toi, oui.

MT Ces années-là, je me suis réellement intégrée à mon milieu. Chez mes amis. Mes déficients. J'ai commencé à faire du bénévolat, à les sortir toutes les semaines. C'est ce qui m'a remplie. Ce contact m'a un peu sauvée. Pas sauvée, parce que je n'étais quand même pas en train de couler, mais j'étais tristounette. Surtout que ça correspondait à une période où je n'étais pas en forme. Mais eux, je te dis que la joie de vivre, ils l'ont! Parfois, j'allais faire à manger et je ressortais dans une forme incroyable!

Ils sont dans la vérité.

MT C'est un privilège d'être leur amie.

avec du monde d'un peu partout, de toutes sortes de couleurs. Un profil très différent de celui d'un public composé de gens de notre génération, vraiment blancs, francophones, avec les mêmes valeurs.

Limite ghetto.

PC Il y a quelque chose là.

Néanmoins, vous fréquentez des gens de toutes les générations. Les milieux de la culture, des médias, de la politique sont multigénérationnels.

PC Ça, c'est merveilleux! Même en politique.

MT On s'est un peu isolés en habitant ici. Il faut dire que c'est magnifique tout ça.

Tellement que vous n'en sortiriez jamais.

MT C'est ça, le problème. Culturellement, on a un manque. Aller au cinéma, au théâtre, devient une aventure: une heure pour y aller, une heure pour revenir. On s'est quand même un peu isolés. On est en questionnement: est-ce qu'on va quitter ce lieu? Est-ce qu'on s'en va en ville?

PC Dur à quitter.

Regard sur la société

Vous avez aussi fait des choix quant à la société québécoise.

PC À la longue, par métier et par intérêt, on a développé une vision du Québec. Et on va la porter jusqu'à la fin.

MT Ce serait difficile de ne pas être préoccupé par ces questions en ce moment.

PC Dans le fond, on l'est peut-être d'une façon plus intime. On est préoccupés de l'avenir et ça s'incarne dans la famille, les enfants, les petits-enfants. Socialement, politiquement, j'ai le sentiment que ça m'échappe. J'essaie de garder l'histoire, l'espace démocratique des principes, mais je sens que je n'ai plus de prise réelle là-dessus, sauf la possibilité d'y contribuer à ma manière, d'exprimer un point de vue, d'influencer, même modestement.

Que voulez-vous dire par «plus de prise réelle»?

PC Ce qui détermine les changements, ce sont des forces qu'on ne contrôle plus. Des forces démographiques. Des forces économiques qui nous échappent de plus en plus. Seul un lien politique permettrait de se réapproprier ces centres de décision. Or, on est incapable de choisir une forme définitive. On est géré par des forces qui nous échappent de plus en plus. C'est vrai pour les

> **On est préoccupés de l'avenir et ça s'incarne dans la famille, les enfants, les petits-enfants.**
>
> Pierre Curzi

communications, l'économie, la démographie.
À peu près partout. Je n'ai pas renoncé, mais...

Le vieil homme et l'amer?

PC [rires] Non, je ne pense pas, car j'affirme encore
mes convictions haut et clair. Mais je vais avoir de
moins en moins de prise. Je vais vieillir, c'est tout.
Sans l'amertume et le renoncement que je vois
chez bien des vieux indépendantistes. Il y a une
absence chronique de porteurs, de hérauts, de
chevaliers blancs à la forte crinière! Devenir le
chef politique d'Option nationale? Remplacer
Jean-Martin Aussant? Cela se serait traduit
par 15 ans d'efforts inouïs. À un moment donné,
c'est trop.

MT Là, l'âge entre en ligne de compte.

PC Oui.

MT Quel âge as-tu, mon chéri?

PC Soixante-sept. Je me revois à l'Assemblée
nationale, dans les corridors. Est-ce que j'ai
vraiment envie de retourner à la période de
questions pendant 4 ans, 8 ans, 12 ans? Pas assez
de liberté. Pas assez d'air. Pas assez de vin. Pas
assez de discussions.

**Vous avez trouvé ce qui ne va pas dans notre
système politique: ça manque de vin!**

PC Ça manque de vin! [rires] C'est étonnant. Il fut
une époque où il y avait beaucoup de vin, beaucoup d'alcool en politique.
Là, c'est devenu un lieu... pas sobre, mais quasi sobre. Un peu janséniste.
Dans le milieu des médias, de la création, il y a des familles, de la chaleur.
En politique, il y a beaucoup plus de calculs, d'agendas. Beaucoup de solitude.
C'est étonnant. Ce n'est pas un milieu de vie exaltant. C'est oppressant, parce
que ça ne lâche jamais. Ce ne sont que des problèmes auxquels tu dois trouver
des solutions. Souvent des problèmes insolubles.

Les plaisirs

La santé d'abord?

MT On est du genre: il faut vivre, quand même. [rires]

PC On est gourmands!

MT On mange bien, on boit et on bouge.

PC Je joue au tennis parce que j'aime jouer. Je ne suis pas capable de me
mettre à faire des exercices.

MT Moi non plus. J'ai essayé.

PC T'essaies encore !

MT J'essaie encore. Je fais de l'aquaforme. [rires] Je souffre, mais j'y vais parce que c'est le fun, parce qu'il y a plein de femmes de mon âge et qu'on rigole beaucoup. On est des joueurs dans la vie, alors il faut qu'il y ait du plaisir. Dès qu'il y a une contrainte, l'un et l'autre, on n'embarque pas. Si je marche le matin, c'est parce que c'est vraiment agréable. Si le chien n'était pas là, peut-être que je marcherais moins. Le plaisir, même pour la bouffe. Grâce à Pierre, on a u ne alimentation très européenne.

PC Grâce à l'Italien en moi, il y avait déjà de beaux principes de fruits, de légumes, d'huile d'olive et tout ça. Et j'ai toujours fait un potager. Cette année, il était affreux, mais je ne m'en suis pas occupé, alors c'est normal.

La continuité

Êtes-vous des grands-parents très présents ?

MT Je l'ai été les premiers temps, parce que mon fils habitait à côté. Toi, pas tellement.

PC Pas tellement.

MT Grand-père Pierre et grand-maman Marie. Mon fils venait porter son chien, son gros Bob, ici tous les matins et allait conduire les filles à la garderie. J'allais les chercher. J'ai fait ça pendant cinq ans, puis ils ont déménagé. Donc, j'ai un peu perdu mes petites-filles. Tous nos petits-enfants sont un peu éloignés. Pourtant ici, c'est formidable. Quand on a acheté les serres, mon fils s'en occupait. J'avais le goût de la *business* familiale, d'un héritage familial, comme les gens qui ont un vignoble. Peut-être que j'ai rêvé un peu, mais c'est de ça que j'avais le goût. Dans mon métier, je n'ai pas de regrets. J'ai été comblée. Pas d'échec, rien. Alors ça me reste d'avoir échoué dans un certain sens. On a quand même transmis quelque chose, puisque mon fils est devenu horticulteur. Sur le terrain devant, il y avait six grandes serres. Pierre a tout démoli. Pièce par pièce.

PC Entièrement. Un été.

MT Avant d'entrer en politique.

Il vous a fallu faire le deuil de ce projet de vie.

MT Oui.

Dans mon métier, je n'ai pas de regrets. J'ai été comblée. Pas d'échec, rien.

Marie Tifo

179

Avec l'âge, je suis tanné de défaire. J'aimerais ça pouvoir faire.

Pierre Curzi

PC Je n'avais pas le goût de voir ça vieillir, mais l'aventure a été formidable.

MT Elle a été extraordinaire!

PC Avec l'âge, je suis tanné de défaire. J'aimerais ça pouvoir faire. J'ai une frustration à ce chapitre-là. Ici, j'ai tout reconstruit. Dix ans après, j'ai tout déconstruit. Je ne veux plus défaire. J'aimerais ça construire. Ça peut être petit, mais construire.

Vous rêviez de quelque chose qui vous survive.

PC J'avais une maison à Montréal, c'est ma fille qui l'a. J'ai une terre, je veux la donner à mon fils. Je veux faire ça maintenant. Laisser quelque chose. Si je ne peux pas laisser quelque chose politiquement ou publiquement, au moins laisser une sorte d'héritage. Dans cette veine, l'an dernier, mes frères et moi avons eu un tout petit héritage d'une tante italienne qu'on ne connaissait pas. [rires] C'est incroyable!

MT Giuseppina.

PC Personne ne la connaissait. Je suis allé en Italie et j'ai fait la cartographie, l'arbre généalogique de la famille, parce qu'on était tout mêlés. On ne savait pas qui était l'enfant d'un tel. On se trompait sur le nombre de frères de mon père. Je vois les ravages de l'âge, là-dedans! [rires] Je parlais italien alors que je ne parle pas vraiment italien. La graine a été semée par *Caffè Italia Montréal*, le film de Paul Tana.

MT Presque 30 ans, ç'a été long à pousser, quand même! Mais tu l'as en toi et la langue italienne te vient facilement.

PC Je suis un fils d'immigrant et je viens de me rendre compte qu'il y avait eu cette absence d'une famille retraçable au Québec. Je pense que ça a manqué aussi à mes frères. On a des descendants, mais c'est comme s'il n'y avait eu personne avant nous. Je suis content d'avoir pris le temps de m'inscrire dans le temps, que ce petit héritage soit le déclencheur d'un retour dans ma propre histoire, mes racines. Je suis complètement québécois, mais il me manquait ce bout de racine en Italie.

MT C'est pour ça aussi que c'est si important, pour nous, la famille.

PC La *casa*, la maison, la famille. Ces valeurs viennent de là. Et je vois les effets d'une certaine conscience que le temps imparti a une limite. Il faut commencer à léguer ce qu'on possède.

Ne pas se dire qu'on le fera un jour, le faire maintenant.

Les deux Oui, oui.

MT C'est un grand bonheur. On se donne du bon temps. L'an dernier, Pierre est parti de la politique. Moi, j'ai fait une télésérie, mais pas de théâtre. Le théâtre est extraordinaire, mais il nous gruge, on se crache le cœur. Et ta tête est juste là pendant tout ce temps. L'an dernier, donc, on est allés au Mexique, on est allés voir le Grand Canyon. L'hiver, on a fait du ski. C'est extraordinaire pour un couple d'arriver à s'isoler et d'être bien ensemble. C'est une grande richesse.

Rêvez-vous de mourir sur scène ?

MT Surtout pas mourir sur scène! Pense aux gens!

PC Elle meurt! [applaudit] Encore! [rires]

MT Un soir où je jouais Marie de l'Incarnation, je suis tombée face contre terre, je me suis évanouie! J'allais monter dans la tombe! Je ne sais pas comment j'ai pu faire. Et là, je me réveille et je fais – actrice – : «Vous croyez que je vais mourir.» J'ai continué mon texte jusqu'à la fin!

PC Les gens ont trouvé ça ben bon!

MT Je ne pense pas à ça, que je vais m'arrêter de jouer. Je ne pense pas à une retraite.

PC J'y ai pensé. L'an dernier, je me suis dit: ça ressemble à une retraite. Quelques activités, mais pas beaucoup. Enfin, le temps de m'adonner à toutes mes passions, comme le tennis, la mycologie – je suis un fou des champignons. J'ai repris en main toutes les opérations financières de notre vie. Là, dans mon garage, j'avais des plans pour me faire un établi. Et après un an de ça...

MT Je pense qu'on ne s'arrêtera pas, mais l'énergie va nous manquer. Aujourd'hui, on est capables de dire que des affaires nous intéressent moins. On refuse.

**Avez-vous
des modèles?**

PC Le couple inspirant
que forment nos amis
Marcel Sabourin [voir
page 42] et Françoise.

MT Je pense aussi à
Janine Sutto [voir page
24]. Notre modèle à
toutes. Quand j'entends
les acteurs, les actrices
parler des gens qui les
inspirent, c'est toujours
du monde ben, ben
loin. Des acteurs
hollywoodiens ou
européens. Moi, celles
qui m'ont vraiment
inspirée dans ma vie
d'actrice sont Janine,
Monique Mercure,

Andrée Lachapelle, Michelle Rossignol. Je suis l'héritière de ces femmes-là.
Elles ont tracé la voie. Maintenant, ce sont mes grandes amies.

PC Je suis content de connaître monsieur Parizeau et Gilles Vigneault [voir
page 42]. De grandes pointures.

MT Des gens dont on est fiers.

PC Guy Rocher aussi. J'ai un plaisir coupable à dire : « Je les connais. » Dans
les premières conversations, j'étais assez intimidé. Je ne suis pas trop timide
dans la vie, mais avec ces gens-là, on se sent…

MT On se sent petit.

PC Gêné. Et je trouve que c'est un beau sentiment.

Le respect est un beau sentiment.

PC J'ai beaucoup de respect pour ceux qui ont suivi une ligne très droite – et
Dieu sait que ce n'est pas mon cas. Moi, j'en ai suivi une quant aux principes,
dans les idées, mais le parcours… L'énergie de Gilles Vigneault sur scène est
magnifique, impressionnante ! Et dans la vie, c'est un bon vivant, joyeux,
buveur de vin. Ce que j'aime aussi, c'est sa parole. Une entrevue avec Gilles
Vigneault ! Une image naît à gauche, à droite. Ça me comble !

MT Moi aussi.

PC J'adore cette parole qui fleurit. Fred Pellerin a aussi cette faculté de faire
fleurir, de faire naître des images.

L'ego apaisé

Diriez-vous que vous êtes à un bel âge de votre vie?

MT Ah, oui!

PC On a beaucoup de liberté. Moins de soucis, moins d'inquiétudes économiques ou d'amour-propre.

MT On fait partie du paysage depuis très longtemps. Alors, on n'est pas affamés. Je travaille avec de jeunes actrices qui veulent. Elles prennent beaucoup de temps pour se déguiser avant d'aller à un gala. Nous, on n'avait pas ça. Dans notre temps, on ne disait pas qu'on avait gagné un Génie. On n'en parlait pas. C'était gênant, ça n'avait pas de valeur. Maintenant, c'est différent.

PC Notre ego est apaisé. Étonnamment, mon passage en politique m'a apporté beaucoup d'humilité. Les gens pensent que c'est là que tu développes un gros ego. J'ai le sentiment contraire. On se rend compte qu'on est rien de plus qu'un temps dans une longue histoire et que la possibilité d'agir est très circonscrite. Malgré toutes nos prétentions, il en restera relativement peu de choses. Pour moi, ç'a été une école de modestie. L'exercice du pouvoir fait peur quand on voit des gens pris dans cet engrenage. Depuis, je me sens moins obligé d'être partout tout le temps. Dieu sait pourtant que j'y suis beaucoup! J'ai moins besoin d'être absolument la vedette, le numéro un. On a beaucoup donné, là-dedans.

MT On s'est calmés.

> **Étonnamment, mon passage en politique m'a apporté beaucoup d'humilité.**
>
> Pierre Curzi

Se voir

Vous pouvez allumer la télé et tomber sur *Les bons débarras* ou *Le déclin de l'empire américain*… Des images de vous plus jeunes.

MT Ça, c'est quand même un choc. C'est comme pas moi: «Ah! Une petite fille!» Avant, j'avais beaucoup de difficulté à regarder *Les bons débarras*. J'ai voulu racheter les deux premières journées de tournage de *Pouvoir intime*, parce que je n'étais pas capable de supporter ce personnage, qui était moi. Maintenant, ce n'est plus moi du tout. Et il y a quelque chose de tendre: je suis émue par moi-même. [rires] Je vois la petite Marie à tel âge, tel âge, tel âge. Ce parcours m'émeut. Pas de: «Mon Dieu, de quoi j'avais l'air quand j'étais jeune!» Ou de: «Ah, j'étais ben belle!» Rien de tout ça. C'est quelqu'un d'autre et c'est émouvant. Un moment de vie. On a la chance que ce soit resté.

Ça ravive plein de souvenirs.

PC C'est comme des reflets brisés d'un miroir de ta vie. Ce qu'il y a de bien, c'est que dans chacun des rôles on exprime une partie de soi et parfois cette partie nous a échappé et s'est incarnée dans un personnage. Alors, c'est comme si l'on refaisait un tour de soi-même. Magnifié.

MT Magnifié.

PC J'étais tellement plus mince! [rires]

PC On est fondamentalement quand même toujours un petit peu orgueilleux. [rires] Néanmoins, on vit une sorte d'apaisement.

Vous voir à l'écran aujourd'hui vous fait quoi?

MT C'est dur. [silence] Avec la haute définition, il n'y a plus de mystère. Tout est amplifié. Ayoye! Comme c'est tout le temps la beauté qui est véhiculée par l'image, c'est très difficile. Là, être une vieille femme, tu le sens. Au tournage aussi. Ils sont obligés de soigner l'éclairage, sinon ça donne des résultats épouvantables. J'ai tellement été magnifiée au cinéma et partout, que là, mon image me surprend. J'avoue que c'est difficile. Il n'a pas ça, lui.

PC Le regard change. Il faut de l'acceptation. On est rendus là. Là-dedans, il y a des rides, du vieillissement.

MT Je n'ai pas de problème quand je me vois moi-même. En entrevue, c'est moi et ça va très bien.

PC Dans les personnages, ça devient difficile.

MT Je ne sais pas pourquoi. C'est dans le *look*. Je n'avais pas ça, avant.

Jouer une femme dans la soixantaine devient-il plus difficile?

MT Oui. Il y a quelque chose là.

PC Probablement que tu endosses le regard qu'on a tous, c'est-à-dire qu'à l'écran, les personnes qui vieillissent n'ont pas l'air si vieilles que ça. Dans la fiction, en général, les gens plus âgés sont toujours bien éclairés. Les actrices hollywoodiennes sont toutes remontées. Le mensonge dans la fiction est plus dur à prendre quand c'est toi, le mensonge. Je pense qu'elle est là, la difficulté.

Pour la suite des choses

Qu'aimeriez-vous que l'on dise de vous?

MT [silence] Je n'ai jamais pensé à ça. C'est comme s'approcher un peu de la mort et de ce qu'on va laisser. Le couple? Qu'est-ce qu'on va dire du couple? J'aimerais qu'on parle de la force de l'amour. La relation a quelque chose de fort, qui va nous avoir marqués, nous et notre famille, et j'espère nos amis aussi.

PC Probablement qu'on aura été, qu'on est – sans aucune prétention – un couple assez égalitaire. C'est arrivé comme ça.

MT Même si la politique a un peu changé la donne, quand on rencontre des gens, il y en a autant pour l'un que pour l'autre. Je ne reste jamais en retrait.

PC C'est pas arrivé si souvent, que je sache, d'avoir des couples qui vivent sur un pied d'égalité. Et chez qui l'égalité ne détruit pas l'amour. Au contraire, ça l'enrichit. S'il y a quelque chose dont j'aimerais qu'on se souvienne, c'est de ça, de cette égalité, dans cette différence totalement assumée. Ça nous nourrit tous les deux. Ça, ce serait bien.

J'aimerais qu'on parle de la force de l'amour.

Marie Tifo

Le fait d'être deux, d'avoir un amour, c'est l'antidote total au vieillissement et à la mort. Pierre Curzi

La séance photos s'est déroulée à la vitesse de l'éclair. Quatre ou cinq minutes ont suffi. Marie a suggéré qu'ils s'installent comme lorsqu'ils regardent la télévision. Tout était là : la proximité, l'affection, la vérité des sentiments. Les années de vie commune. Avant de partir, Pierre m'a amené voir le fantôme des serres qu'il s'est résigné à démolir. Puis, j'ai cueilli quelques pommes avec Marie. Souvenirs croquants d'un bel avant-midi d'automne passé à la terrasse, tout près de l'étang, à proximité du bonheur. M.C.

Danielle
Ros
+
Guy
Rocher

La psychanalyste
et le sociologue

Dans la préparation de ce livre, j'ai essuyé quelques refus. Rien de plus normal. Chaque fois que cela s'est produit, je me suis relevé les manches et j'ai exploré d'autres avenues. À quoi bon insister ?

Puis il y a eu Guy Rocher... Après m'avoir donné son accord, le vénérable sociologue a bien tenté de se retirer : j'ai fait la sourde oreille et lui ai demandé d'y réfléchir. Je tenais à le rencontrer ! Quand il a finalement accepté de parler de l'âge, du sien notamment, le jumelage avec la psychanalyste Danielle Ros s'est vite imposé. Regards contrastés sur le temps qui passe.

Danielle Ros Je n'arrive pas à croire que je suis dans l'année de mes 80 ans!

Guy Rocher Je ne peux pas croire que j'arrive à 90! C'est là, mais on ne le croit pas. Je me souviens de ma mère, de ma belle-mère, de mes tantes qui me disaient: «Je ne peux pas croire que j'ai cet âge-là!» Je me disais: «Je les comprends.» Je les comprends encore mieux!

Guy, vous avez d'abord accepté de participer à ce livre, puis vous avez reculé. Pourquoi?

GR Je trouvais que je n'avais pas assez réfléchi à mon vieillissement. Comme j'ai vieilli activement, j'avais le sentiment que c'était prématuré! [rires] C'est fou de dire ça!

La transmission : un devoir

Vous accordez beaucoup d'importance à la transmission.

GR Absolument. Je me sens une responsabilité de transmettre ce que j'ai vécu, ce que je connais, ce que je vois venir, ce que je trouve du passé dans le présent, qui se continue. C'est pour cela que je reste actif.

DR Je me suis rendu compte, il n'y a pas très longtemps, que je n'ai plus envie de communiquer, j'ai envie de transmettre. Encourager, accompagner, dire à quelqu'un: «Oui, tu peux.» Dire oui, en fin de compte. Cherche. N'aie pas peur d'être qui tu es. D'être heureux. D'être bête. [silence]

Vous avez choisi tous les deux de demeurer actifs.

GR Je le fais par passion. Il y a une passion chez moi qui reste vivante. La passion des causes qui sont devant nous. Le printemps érable m'a fait réfléchir et m'a amené à appuyer fortement les étudiants. Le projet de charte de la laïcité me passionne. C'est une passion de plus en plus sereine. Je n'ai pas devant moi un avenir dont je me sens responsable pour moi. J'ai des enfants, des petits-enfants, je veux encore contribuer à cette société dans laquelle je ne serai plus. À ma manière. Tout en sachant que cette société sera probablement très différente de celle que je pense, que je veux. Parce que je suis un vieux sociologue qui sait que les sociétés peuvent changer rapidement. L'histoire n'est pas linéaire. En même temps, il y a un élément de transmission. J'ai la chance d'être en état d'être actif à mon âge. C'est une responsabilité en même temps qu'une chance. Je me sens responsable de ce que je sais, de la mémoire que je porte encore. C'est pour cela que je me sens tenu de parler de la Révolution

> Il y a une passion chez moi qui reste vivante. La passion des causes qui sont devant nous.
>
> Guy Rocher

tranquille et du Rapport Parent. Je suis le dernier survivant de la commission Parent. [rires]

On m'invite souvent dans les cégeps. Pour les étudiants, la Révolution tranquille, c'est l'Antiquité! Pour leurs jeunes professeurs aussi. Pourquoi la commission Parent a-t-elle proposé de créer des cégeps? Parlez-nous de l'élaboration de la loi 101! Je me sens tenu de faire partie de la mémoire collective que l'on doit entretenir autour de ces événements qui ont marqué l'histoire moderne du Québec. C'est une responsabilité que je me suis imposée. Et puis, j'y prends du plaisir! [rires] Je dois l'avouer, je prends du plaisir à rencontrer des cégépiens. J'aime beaucoup le climat convivial des cégeps. Les étudiants et les professeurs ont des rapports beaucoup plus simples, moins formels, moins hiérarchiques qu'à l'université. Quand j'entre dans un cégep, parfois je confonds les étudiants et les professeurs! J'aime beaucoup la vivacité des étudiants de cégep. La période des questions après une conférence est toujours très active.

S'opposent-ils parfois aux idées que vous exprimez?

GR Parfois. Certainement.

Ça ne vous gêne pas?

GR Au contraire, ça me stimule.

Quand Janette Bertrand est intervenue au sujet de la laïcité, elle s'est refusée à toute confrontation en raison de son âge. Vous, non.

GR Je suis trop vieux pour ça, mais je le fais encore! [rires]

DR Cette passion dont vous parlez, je l'ai aussi. C'est ce qui me fait vivre. Ma curiosité n'est pas celle des événements, mais la curiosité des êtres, dans leurs projets, leurs défis, leurs espoirs, leurs regrets. Vous parliez de la charte. Moi, ce qui m'intéresse là-dedans, ce sont les individus qui seront devant ça, pas la situation politique qui est passionnante et fascinante… Que pense une femme musulmane dont la tradition et le mari lui ont demandé de se couvrir du voile? Comment va-t-elle aménager ça elle-même, avec son identité?

GR Je trouve ça très beau ce que vous dites, Danielle. Ça me fait prendre conscience que j'ai vécu toute ma vie dans des institutions. Je les porte encore. L'université, je la porte depuis 60 ans.

DR Avec un cheminement qui a une unité très forte.

GR Gouvernement, université, Église catholique, j'ai vécu dans des institutions dont je me suis préoccupé et dont j'ai bénéficié. Beaucoup.

J'ai contribué à la vie universitaire, mais elle m'a apporté beaucoup. Je suis heureux d'avoir été lié à ces institutions. Je ne me suis pas senti enfermé. J'ai pu me sentir enfermé dans l'Église catholique un temps, mais j'ai fait éclater les murailles. Je ne me suis pas senti enfermé dans l'université parce que l'université m'a permis d'être sur la place publique et m'a donné une liberté qu'aucune autre institution ne pouvait me donner. La liberté du professeur est un grand privilège. On a la liberté de notre enseignement, la liberté aussi d'aller sur la place publique, sans être – en général, en tout cas – interpellé par notre autorité universitaire.

DR Je déteste les institutions. [rires] C'est un mal nécessaire, une idée qui s'inscrit dans la conservation et la répétition. L'institution est une proposition de régression. L'*alma mater*.

Vous n'aimez pas les cadres. Guy y a trouvé une sécurité qui lui a permis de se faire entendre.

DR Vous avez tout dit.

Qu'est-ce qui vous a amenée à donner des conférences sur les femmes et le vieillissement?

DR J'ai fait ça à une période de ma vie où je commençais à me rendre compte que je vieillissais. [rires] Pour comprendre.

À quel âge?

DR Vers 60 et quelques... Parce que ce 60 ans, pour moi, c'est un point très brûlant. Il y a beaucoup à dire sur l'identité féminine. Une femme qui vieillit n'a rien à voir avec un homme qui vieillit. Elle est à la limite de perdre une identité sociale parce qu'elle perd une identité sexuelle. J'avais décidé de prendre ma retraite, de ne faire plus que de l'analyse. C'est l'année de la mort d'André, mon mari [silence]. Le jour où il prenait sa retraite, on avait rendez-vous à six heures. Je ne voulais surtout pas être en retard. Je suis pratiquement tombée sur son corps. [silence] Crise cardiaque. Tout s'est mis ensemble.

Faites-vous un lien direct entre la fin de sa vie active et son décès?

DR Ce n'est pas si direct, mais c'est un élément de réflexion. Ça ne peut pas être complètement un hasard. André n'est pas le seul à qui ce genre de chose est arrivé. Il perdait sa famille.

> # Une femme qui vieillit n'a rien à voir avec un homme qui vieillit.
>
> Danielle Ros

Comment avez-vous réagi ?

DR Je n'ai pas été déprimée au point de ne plus travailler, mais j'étais déprimée au point de ne plus savoir, de ne plus penser. De ne plus imaginer. D'avoir perdu le sens, mes passions… J'ai dû réfléchir à ce que je voulais, à qui j'étais. Je n'ai pas d'enfant. Aucune famille.

GR Vous étiez toute seule.

DR Complètement seule. Je le suis toujours. André non plus n'avait pas de famille. Soixante ans, c'est ça pour moi. Qu'est-ce que c'est qu'être une femme dans cette société ? Qu'est-ce que c'est que de vieillir ? Qu'est-ce qu'une femme qui vieillit ? Je me suis intéressée à ça parce qu'il fallait que je réponde à ça. C'est du travail ! Alors une fois que j'y ai répondu, le vieillissement, je m'en fiche ! [rires] Pour moi, c'est passé. Maintenant, je parle de « parler vrai ». Quelles sont les conditions d'une parole vraie ? À mes conférences, je crois que les gens étaient quelquefois un peu assommés. Vieillir, oui, c'est vrai. Mourir, c'est vrai.

On préfère se croire éternel ?

DR Quand on est enfant, on est tout-puissant. Puis ado jusqu'à jeune adulte, on est éternel. Le temps présent de 20 ans, c'est le futur. On vit dans le futur et pour le futur. Dans le projet. Et puis, un peu plus âgé – en tout cas, c'est mon expérience –, on se rend compte qu'il y a le présent aussi. C'est là que les bilans personnels commencent. En tout cas, moi, c'est là que ça a commencé. Vers la cinquantaine.

Qu'est-ce que j'ai fait ? Qu'est-ce que ça vaut ?

DR Qu'est-ce que j'ai fait et pourquoi ? Pour moi, la psychanalyse a été fondamentale. J'allais là parce que j'avais des difficultés de couple. Je me disais : « C'est de ma faute ! » J'allais chez mon analyste tous les matins, sauf samedi et dimanche. Cet effort de regard sur soi est une expérience absolument étonnante dans la mesure où on se rend compte qu'on se ment sans arrêt. Enfin, je me suis rendu compte que je me mentais. [rires] La recherche, c'est se rapprocher de soi dans ce qu'on a de nu. La nudité extrême, c'est mourir.

Plonger en soi

Guy, vous vous êtes davantage préoccupé de défendre vos idées que de ces questions, n'est-ce pas ?

GR Oui et non. J'ai eu des coups durs, moi aussi. J'ai eu à réfléchir sur moi. J'ai fait une psychothérapie qui m'a été salutaire. Ce n'est pas 60 ans, mais 50 qui a été un tournant important dans ma vie. Un tournant à la fois professionnel, affectif et personnel. Cinquante ans, la prise de conscience que la moitié de ma vie était terminée. C'est un choc ! J'avais, je pense, un vide affectif à ce moment-là, dont je me rendais plus ou moins compte.

> Quand on est enfant, on est tout-puissant. Puis ado jusqu'à jeune adulte, on est éternel.
>
> Danielle Ros

Une grande inquiétude devant l'avenir. Et j'ai eu, tout à coup, à m'occuper de moi. Je m'occupais de ma famille, de mes enfants, de ma femme. Des finances, de l'auto.

Vous étiez responsable.

GR J'étais responsable. Le choc de la cinquantaine m'a fait conclure qu'il fallait peut-être que je parle de moi à quelqu'un qui m'écouterait et essaierait de m'aider à passer au travers. J'ai eu recours à un ami psychologue, psychiatre. Ça m'a révélé à moi-même des fonds de tristesse que je me refusais à reconnaître. Des deuils que j'avais endeuillés, bien enveloppés, que je n'avais pas pleurés assez. Je menais une vie où les sentiments étaient étouffés. Ma vie active me permettait d'écraser ces deuils. Les exigences de la vie matérielle, intellectuelle et professionnelle me permettaient de...

... de regarder ailleurs.

GR Toujours. Jusqu'à ce qu'il y ait un arrêt dans ma vie.

DR Apprendre à vieillir et peut-être même apprendre à vivre, c'est une succession de deuils. Deuil du sein de la mère. Il y a un moment où on vous l'enlève. [rires] Il va falloir que je me débrouille. Le deuil de l'entrée à l'école. Puis le deuil de la puberté, un deuil qu'on ne fait pas forcément bien et quelquefois pas. C'est vraiment très compliqué l'adolescence. Après, il y a le deuil de gens que nous aimons, la retraite. J'ai la chance d'avoir eu tellement de métiers, ma retraite...

GR C'est flou.

DR Mais c'est quand même un deuil. Je dois tenir compte de la réalité de mon corps, de mon âge. J'ai arrêté la psychanalyse de longue durée il y a un an. Je ne prends plus que d'anciens patients qui veulent revenir pour une tranche, tout simplement parce que je ne veux pas m'engager auprès de quelqu'un pour deux ou trois ans et risquer de le convier à suivre mon cercueil. [rires]

Aussi clair que ça!

DR Ah, mais oui! On ne s'engage pas comme ça!

GR J'ai enseigné jusqu'à 86 ans. J'ai aimé enseigner, j'ai aimé le contact avec les étudiants, la salle de cours. Les étudiants, ç'a été une des stimulations dans ma vie. Au moment où j'allais avoir 65 ans, l'université m'a offert de participer à un cours intitulé *Préparation à la retraite*.

DR C'est épouvantable! [rires]

GR C'était très ennuyant, et je ne me reconnaissais pas. Comme l'université ne pouvait pas déclarer qu'on devait prendre sa retraite à 65 ans à cause d'une loi à laquelle j'ai participé, j'ai continué à enseigner! [rires]

> **Le choc de la cinquantaine m'a fait conclure qu'il fallait peut-être que je parle de moi à quelqu'un.**
>
> Guy Rocher

Vous êtes habile! [rires]

GR J'ai vu venir la chose! Au début des années 80, le gouvernement du Québec a présenté une loi selon laquelle il est discriminatoire d'imposer la retraite à 65 ans, sauf pour les policiers et les pompiers. Les recteurs d'universités sont venus devant la commission parlementaire pour être exemptés de cette loi, disant qu'après 65 ans les professeurs ne peuvent plus enseigner. Il se trouve que j'étais le sous-ministre... [rires] J'en ai bénéficié par la suite. Mais je sentais bien qu'il fallait que ça vienne un jour. J'ai fait une syncope devant les étudiants. Alors, là, ç'a été mon choc.

Vous aviez 86 ans.

GR Une petite syncope d'une minute. Assez pour que les étudiants se rendent compte que j'étais malade. Je me suis remis rapidement. Rien depuis ce temps-là. Mais ç'a été pour moi une prise de conscience. [rires]

Quand aviez-vous commencé à enseigner?

GR En 1952.

L'enseignement vous manque-t-il?

GR Finalement, j'ai trouvé que la première année où je ne donnais pas de cours, j'avais acquis une grande liberté. Pas de cours à préparer chaque semaine, pas d'étudiants à rencontrer, pas d'obligations ni d'examens à corriger. Mais il y a aussi des contraintes, des limites que je n'aime pas.

Des limites physiques?

GR Je ne peux plus faire de sport. Je n'ai plus le goût de voyager, et ça me peine un peu. Je vis des limites, mais avec des libertés, comme la liberté de parole: j'ai l'impression que je peux dire ce que je veux, puisque je ne dépends plus d'aucune institution. Ma vie est derrière moi, en partie, donc je peux dire le fond de ma pensée. Et si on me contredit, eh bien tant pis, je l'accepte. J'ai encore plus de passion qu'avant de dire ce que je veux dire.

Qu'est-ce qui vous motive?

GR La colère, parfois, devant des situations que je n'aime pas. J'ai de la colère devant mon université, devant mon gouvernement. Donc, je m'exprime plus librement. Je laisse libre cours à ma colère plus souvent qu'avant. Ça fait partie de la liberté que j'ai acquise avec la retraite. Mais c'est une colère qui n'est pas un chagrin. C'est la colère d'un engagement de longue date quant à la gratuité à l'université ou à la laïcité, par exemple, lorsqu'on va vers des situations qui me paraissent incohérentes avec ce qu'on a vécu depuis 50 ans.

Indignation, colère, ces mots résonnent-ils chez vous, Danielle?

DR Absolument pas. [rires] Je me dis que voilà un deuil à faire. Qu'est-ce qu'on veut? Regretter? Rester dans le passé? Se plaindre? Être en colère? Passer son énergie à chercher à ne pas perdre? J'ai fait un vœu pour la nouvelle année: je ne veux plus parler du temps!

De la météo ?

DR J'étais en train de devenir esclave du temps qu'il fait. Si j'ai à sortir et que ça glisse, je fais autre chose, c'est tout. Je ne veux plus regretter le moment où je m'en foutais de la neige, de la glace. Guy, l'énergie que vous avez, vous la passez dans une préoccupation sociale. C'est nécessaire, la colère et l'indignation politique. Moi, au contraire, je vais plus vers le désir de sourire. Le désir de me permettre d'être généreuse alors que je suis quelqu'un de très critique. [rires]

GR Ce que j'appelle « contrainte », vous l'appelez « deuil ». Vous avez tout à fait raison.

DR Du coup, j'en fais un choix. Si je fais le deuil, ça veut dire que je choisis. Je suis libre.

GR Il y a quelque chose que j'ai perdu... [rires] et qui me peine encore. Pratiquer des sports, pour moi, a toujours été important. Sports d'hiver, sports d'été. Je ne le peux plus et c'est un gros deuil pour moi. Je viens de donner mes patins.

Jusqu'à quel âge avez-vous patiné ?

GR Quatre-vingts ans.

C'est quand même pas si mal, non ?

GR Mais...

... vous auriez bien continué !

GR Oui.

Les vieux, leur place

Vous êtes maintenant vénérables ! Est-ce que vous croyez qu'il y a de l'âgisme dans notre société ?

GR Ça existe.

DR Absolument. Il y a toutes sortes de prétextes. En fait, on nie, on ne veut pas voir le vieillissement et la mort. Alors du coup, interdit de vieillir ! Interdit de mourir ! Ça n'existe plus, on abrite ça avec des raisons économiques, toutes sortes de raisons. Je me pose la question non pas comment faire avec les vieux dans une société, mais que peuvent faire les vieux dans la société, que veulent-ils faire ?

GR La modernité n'est pas faite pour les vieux. La modernité est tellement faite pour la rapidité, le changement. Avec la technologie et les changements que cela entraîne, on est toujours en retard quand on est vieux. Presque toujours. Et puis on est de plus en plus à la charge de la société, parce qu'on coûte plus cher en santé et qu'on n'apporte plus rien ; au contraire, on bouffe des médicaments et on a tant de médecins, tant de chirurgiens. Bref, on coûte cher et on va coûter de plus en plus cher.

> **On nie, on ne veut pas voir le vieillissement et la mort. Alors du coup, interdit de vieillir ! Interdit de mourir !**
>
> Danielle Ros

> **Ma vie est derrière moi, en partie, donc je peux dire le fond de ma pensée.**
>
> Guy Rocher

Puisque notre société est vieillissante.

GR Il y a une comptabilité.

DR Exactement. Nous sommes en plein changement de culture. Être un homme actuellement, un homme jeune, n'est probablement pas aussi facile que quand vous aviez 30 ans. Vieillir change aussi. Le temps et l'espace n'existent plus, alors on est tout-puissants. La toute-puissance du bébé : on veut tout, tout de suite. Toute l'information, tout de suite ! On n'est pas adaptés à ça. Probablement que dans 30 ou 40 ans, l'humain sera complètement différent dans sa façon de construire un raisonnement.

Que pensez-vous de l'évolution de la place des gens âgés dans la société ?

GR La situation des personnes âgées dans la famille, dans la structure parentale, a changé. Dans les sociétés traditionnelles, les personnes âgées étaient prises en charge dans la famille. Ce n'est plus le cas.

DR C'étaient des ressources.

GR Mon problème de vieillissement, comme le vôtre, est un problème de

La transparence

DR Imaginez que vous êtes une femme. Tout d'un coup, vous devenez transparente. Qu'est-ce qu'on fait avec ça ? Est-ce qu'on est en colère ? Est-ce qu'on regrette ? Est-ce qu'on dit : « Ah ! » Est-ce qu'on se fait tirer la peau ? Est-ce qu'on se fait… ?

À quel âge associez-vous la transparence des femmes ? Cinquante ans ?

DR Soixante. J'avais l'air plus jeune, je crois. [rires]

Vous croyez que jusqu'à 60 ans, on vous voyait encore ?

DR [rires] Vous me faites penser à deux moments tout à fait drôles – après coup. Il y a une vingtaine d'années, je marchais à l'université et des ouvriers m'ont sifflée. Il n'y a pas tellement longtemps, j'étais en voiture, et pourtant je conduis bien, mais je devais gêner. Deux jeunes personnes, deux ados, m'ont dit : « Hé, la mémé, tu peux pas… » [rires]

Bref, c'était bien quand on vous sifflait !

DR C'était mieux ! [rires] Il me semble que chez les hommes, le poids est différent. Il est individuel. Mais pour une femme, il y a une réalité qui n'est plus là. Alors que, je vous assure, entre 60 et 61 ans, on ne change pas tellement ! En ce qui me concerne, j'ai choisi – pas facilement – d'abandonner l'énergie de contact, de séduction, parce qu'elle m'abandonnait, et d'en faire une énergie de recherche, de communication, de contact avec les gens. Et non de contacts plus sexués. Je ne parle pas du tout de sexe, de faire l'amour. Je parle vraiment du sentiment d'être ou non une femme.

Et de susciter du désir ?

DR La séduction. J'utilise cette énergie que les femmes ne perdent pas, le désir de séduire, pour ce que je suis en train de faire, dans les cours que je donne, pour convaincre les gens de faire telle ou telle chose, pas telle ou telle autre.

riches. Une importante proportion de personnes de notre âge vit dans la pauvreté. Et il y en aura de plus en plus. Ça, je trouve que c'est d'une grande tristesse. C'est un grand problème de société moderne et post-moderne en ce qui concerne le vieillissement. Vieillissement et pauvreté.

Marginalisation, déclassement...

GR Marginalisation et culpabilisation. Vous coûtez cher à la société, tout en étant pauvres. Je me considère comme très privilégié. Je constate autour de moi la pauvreté des personnes âgées.

DR Les personnes âgées dont vous parlez, qui nous entourent, n'ont pas eu d'éducation. La pauvreté est quelque chose qui me fait mal. Quand il faisait très chaud, l'été dernier, je pensais aux femmes de mon âge dans des appartements sans climatisation.

Y a-t-il des aspects positifs?

GR Ce que j'apprécie dans le vieillissement, c'est l'importance de l'amitié. J'ai toujours eu des amis, mais depuis quelques années, l'amitié a pris beaucoup d'importance.

Vos amis vous sont très précieux.

GR Très précieux. Ça fait partie de l'enrichissement affectif. Des amis qui sont souvent plus jeunes que moi. Même souvent pas mal plus jeunes ! Avec eux viennent une amitié, une complicité et beaucoup d'affection mutuelle. Ça me procure beaucoup de joie, de plaisir de vivre, de chaleur humaine.

Soignez-vous ces relations?

GR Nous les soignons, ma femme et moi.

Plus que vous ne le faisiez auparavant?

GR Beaucoup plus. L'amour et l'amitié, maintenant, ont encore plus

Si on vous dit que vous ne faites pas votre âge, ça vous plaît?

GR [rires] Oui.

DR Ça fait plutôt plaisir.

GR Je suis flatté.

DR Je ne suis pas flattée, je trouve que c'est normal ! [rires]

GR Parfois, je réponds : « Je n'ai pas mon âge. » J'ai pris conscience de mon vieillissement, à peine à 60 ans, tout à coup dans des réunions d'amis, je me rendais compte que j'étais le plus vieux. Pendant très longtemps, j'avais été le plus jeune partout. Le plus jeune au collège, le plus jeune professeur, le plus jeune doyen. Un jour, je regarde autour de moi, je suis le plus vieux. C'était une prise de conscience importante. J'avais changé de catégorie. Depuis ce temps-là, partout où je vais, je n'ai qu'à regarder autour de moi, je suis toujours le plus vieux.

d'importance. Je n'ai pas été un grand-père très actif. L'amour de mes enfants et de mes petits-enfants est beaucoup plus présent dans ma vie. Ce n'est pas que je les aimais moins, mais j'ai plus le temps maintenant. C'est un plaisir d'être avec mes enfants qui ont 50, 60 ans, et mes petits-enfants qui ont 30 ans. Je redécouvre l'amour conjugal et l'amour de mes enfants.

Vous n'êtes pas isolé.

GR C'est une grande chance.

Et vous, Danielle ?

DR Je suis immigrée de la première génération. Sans enfant. [silence] Ce que vous dites de la valeur de l'amour, de l'amitié, de l'affection me touche profondément. C'est ce dont je parlais tout à l'heure quand je parlais de générosité vis-à-vis des autres. C'est là que je vais. [silence] Je ne reçois pas d'affection, je reçois autre chose. Le sentiment d'avoir été utile, un moment donné, d'avoir compris quelque chose et d'avoir aidé quelqu'un à le comprendre. C'est là que je mets ce besoin – parce que c'est vraiment un besoin –, la tendresse. La tendresse du sentiment, la tendresse du rapport avec les autres.

À quel âge est-on vieux ?

GR Passé 90 ans ! [rires]

Vous verrez l'an prochain !

GR J'utilise le mot *vieux* pour moi, comme provocation avec ma femme. [rires] Pour qu'elle me dise : « Non, tu n'es pas vieux. » [rires] C'est une blague entre nous. Et quand je veux vraiment parler de moi comme vieux, je dis : « Je suis un vieillard ! » C'est le summum. Elle a une réaction de colère ! C'est une provocation pour obtenir un : « Non, tu n'es pas vieux, voyons ! » J'aime me faire dire que je suis encore jeune.

DR On commence à être vieux à la naissance. Au bout de ça, il y a la mort. J'ai un magnifique arbre devant chez moi, un arbre énorme et très vieux qui commence à perdre son écorce. Et je me vois ! [rires]

GR C'est bien relatif, l'âge. J'ai des amis qui sont devenus vieux, jeunes.

DR Il y a des vieux de 10, 20, 30 ans... Je pense que la question serait : « Qu'est-ce que c'est que de vivre ? »

On se la pose jusqu'à la fin, non ?

GR Oui.

Les baby-boomers ont transformé la société à chacune des étapes de leur vie. Vont-ils changer notre regard sur la vieillesse ?

GR Quels changements peuvent-ils apporter ? J'ai peur d'un changement

L'amour et l'amitié, maintenant, ont encore plus d'importance.

Guy Rocher

négatif à leur endroit, d'une réaction des jeunes qui seront moins nombreux démographiquement pour continuer à faire vivre ce monde-là. Il y a des ambitions de vieillissement qui sont exagérées. On espère maintenant vieillir jusqu'à 120, 130 ans !

DR Les baby-boomers, les «jeunes vieux», sont dans la revendication, ce qui provoque des réactions très négatives, et avec raison. Ils sont dans la revendication de privilèges plutôt que dans le processus d'un déplacement de position par rapport à la société, aux privilèges, à leur propre passé. Ils sont dans le refus de la vieillesse sur tous les plans, social, économique, physique.

GR Et comme ils sont très consommateurs, de biens, de vacances, de loisirs, de voyages, de soins de santé, le choc du vieillissement risque d'être dur pour eux, parce que forcément, avec la retraite, on a des limites à la consommation.

Vous avez évoqué l'ambition de vivre jusqu'à 120, 130 ans. Et vous ?

GR Ce n'est pas mon espoir. J'y pense, mais je n'ai pas d'ambition à poursuivre comme ça. Je me dis que ça dépendra de mon état de santé.

DR Je suis seule, si bien que la grande inconnue, pour moi, serait de devenir inapte. Dépendante. Et pour moi, la solution est simple : le suicide. Je ne peux pas envisager de vivre dans une dépendance complète. Je ne serais plus vivante. Je m'efforce de vivre dans le présent. Pas le passé, pas hier, mais le présent et d'en jouir comme si... Je suis de passage pour un an. C'est ce que j'ai trouvé comme truc pour être absolument de bonne humeur et ne pas avoir peur. Jusqu'à il y a deux ou trois ans, je pensais au vieillissement avec une certaine inquiétude. Le grand vieillissement, le vieillissement débilitant.

La déchéance physique ?

DR Ce n'est pas le mot *déchéance*, il y a un jugement, mais vraiment une question de capacité. On a tous des amis qui souffrent de la maladie

Je m'efforce de vivre dans le présent. Pas le passé, pas hier, mais le présent et d'en jouir comme si... Je suis de passage pour un an.

Danielle Ros

d'Alzheimer. C'est effrayant. Je ne sais pas ce que vous en pensez, Guy, mais moi, je suis tout à fait pour le suicide assisté.

GR Moi aussi.

DR Je ne suis pas pour le suicide assisté seulement les 15 derniers jours, parce qu'ils n'en peuvent plus de nous entendre crier. Je pense que le droit de mourir, c'est aussi un droit de vivre.

GR Absolument. Je suis bien d'accord.

DR La réflexion sur le suicide assisté, l'euthanasie, est lancée, mais je crains d'être concernée avant qu'une loi passe. J'essaierais de prévoir mon suicide aussitôt que je le pourrais. Et du coup, je n'ai pas peur.

GR Je vais faire du thé. [Guy Rocher va à la cuisine.]

DR De la ciguë ! [rires]

Le temps file

Danielle, vous avez refait du théâtre en amateur ces dernières années. Pourquoi ?

DR J'ai été comédienne à Paris pendant une dizaine d'années. Quand j'ai quitté la psychanalyse, je me suis demandé ce que j'avais envie de faire et j'ai fait un rêve : j'étais sur scène. Je me suis rendu compte que je n'avais

jamais fait le deuil du théâtre. [silence] Sur Internet, j'ai cherché « cours de théâtre ».

Vous aviez 75 ans. Quand même !

DR Comment : « Quand même ! » ? [rires] Ç'a été une expérience formidable. J'ai joué deux pièces. C'est comme le vélo ! Complète liberté. Plus que ça, une compréhension. [silence]

Un sentiment d'urgence vous habite-t-il parfois ?

GR J'ai ce sentiment.

DR Vous êtes un homme de devoir.

GR Je réponds à des invitations parce que je sens que le temps m'est compté. J'essaie d'écrire aussi, parce que je sens bien que je ne pourrai pas le faire encore longtemps. Donc, oui,

je vis dans un sentiment d'urgence. Tenant compte du temps qui passe.

Dites-vous parfois « dans mon temps, c'était comme ci, comme ça... » ?

GR Ah, dans mon temps... Pas tout à fait comme ça ! Je parle aux jeunes du passé en disant : « Ce passé fait partie du présent. » La Révolution tranquille, vous en bénéficiez, vous, les filles qui êtes au cégep ou à l'université. Sans la Révolution tranquille, vous n'y seriez pas ! Le Rapport Parent est encore présent. La loi 101, c'est encore là. « Dans mon temps »,

> Je vis dans un sentiment d'urgence. Tenant compte du temps qui passe.
>
> Guy Rocher

pour moi, n'est pas nostalgique. Je n'ai pas de nostalgie, sauf peut-être pour les années de la Révolution tranquille qui ont été, pour moi, très intenses. Effervescence. Tensions. Changements personnels et collectifs rapides. Je ne voudrais certainement pas revenir avant la Révolution tranquille. Pas plus tard non plus.

Le plus bel âge de leur vie

GR De 1960 à 1975. [silence] On avait l'impression qu'on pouvait changer les choses avec Camille Laurin, René Lévesque et les autres.

DR Pour moi, c'est aujourd'hui. [silence]

Vous auriez dit la même chose il y a cinq ans?

DR Oh, non! [silence] Aujourd'hui, parce que je n'attends rien, j'ai tout. Je suis vivante et j'aime ce que je fais. Je suis en vie. Peut-être que dans trois mois, trois ans, je dirai autre chose, mais je n'ai jamais été plus heureuse que maintenant. J'ai l'impression d'avoir mûri, d'être en phase avec qui je suis, y compris biologiquement.

GR Il est vrai que je suis heureux, moi aussi, aujourd'hui. J'apprécie chaque heure des jours qui passent. Les petits et les grands bonheurs.

DR Il y a une détente... Je me donne le droit d'être heureuse. [silence]

Avez-vous l'impression que le temps va de plus en plus vite, que tout s'accélère?

DR À l'extérieur, oui. [rires] À l'intérieur, pas du tout.

GR Le temps passe trop vite. Beaucoup trop vite. Je n'ai pas vu passer mes 80 ans! Le temps s'est accéléré et c'est pour ça que j'ai un sentiment d'urgence. Le temps est de plus en plus court et c'est de plus en plus important de le remplir.

Qu'est-ce qui vous paraît le plus important dans ce que vous avez fait?

GR J'ai enseigné. C'est ce que j'ai fait de mieux. Ce que j'ai fait de moins mal! [rires]

« Ce que j'ai fait de moins mal. » Très québécois, n'est-ce pas?

GR Très québécois! Je suis authentiquement québécois.

DR Et voilà! [rires]

GR De souche! Je n'y peux rien. L'enseignement a occupé tellement de place dans ma vie. Et puis, j'ai réussi à garder une famille autour de moi. Mes enfants, mes gendres, même mes anciens gendres. Quand on a quatre filles, on a plusieurs gendres! Je pense avoir été un père qui a réussi à garder cette unité dans la famille et à certains moments à éviter certains conflits. Je suis content de ma vie. Au terme de ma vie, je peux dire ça. Pas seulement de moi, mais de ma vie.

DR Moi aussi.

GR C'est une chance de pouvoir dire ça.

Aujourd'hui, parce que je n'attends rien, j'ai tout. Je suis vivante et j'aime ce que je fais.

Danielle Ros

Apprendre à vieillir et peut-être même apprendre à vivre,
c'est une succession de deuils. Danielle Ros

Le sociologue et la psychanalyste souriaient devant l'objectif,
et je devinais les mille questions qui les préoccupaient. Bien-être
affiché, néanmoins lucidité... Depuis, Guy Rocher a passé le cap
des 90 ans, Danielle Ros, celui des 80. Nouvelles décennies,
nouveaux défis. Le temps ne nous laisse aucun répit. M.C.

Roméo Bouchard m'a prévenu sans détour : la rencontre aurait lieu dans le Kamouraska. Pas question pour lui de se rendre à Montréal! Tant mieux. Rien ne pouvait me faire plus plaisir. Après avoir évoqué diverses personnes de sa région avec qui il pourrait partager ses réflexions sur le vieillissement, je lui ai demandé s'il connaissait Christian Bégin. La réponse ne s'est pas fait attendre : « C'est mon voisin ! » Puis, le fondateur de l'Union paysanne a ajouté, un sourire dans la voix : « C'est mon ami ! »

Véro et moi sommes donc partis à leur rencontre, à Saint-Germain-de-Kamouraska, par une froide journée de décembre. On trouve facilement la maison de Christian Bégin. C'est la dernière à droite au bout du rang. Vue imprenable sur le fleuve et la côte de Charlevoix. Roméo Bouchard nous y attendait. À ses côtés, l'animateur de *Curieux Bégin* ne tenait pas en place. À la première occasion, il disparaissait derrière ses chaudrons — en vérité, il se cachait derrière eux —, sans perdre un mot de ce que son vieil ami avait à raconter. Dialogue intergénérationnel sur fond rural.

Christian Bégin + Roméo Bouchard

Les voisins

Saint-Germain-de-Kamouraska

Est-ce la présence de Roméo Bouchard qui vous a donné l'idée de vous installer dans ce rang de Saint-Germain-de-Kamouraska?

Christian Bégin On s'est connus quand j'ai acheté la maison ici. Je connaissais Roméo de réputation, par l'Union paysanne, mais je ne savais pas qu'il était mon voisin. Roméo est devenu un grand ami, mais aussi un mentor, une référence dans sa façon de combattre. Il a une trajectoire absolument folle, une histoire absolument singulière. Parti de la prêtrise, il a été un des premiers à faire de la culture biologique au Québec. Il s'est battu dans les mouvements étudiants, dont McGill français. Il a écrit des livres magnifiques qui sont pour moi des références. Et «il a tout son poil au cul», comme disait mon père!

Et vous voilà tous les deux dans le même rang.

Roméo Bouchard Tout ça est un grand paradoxe. Les régions éloignées se sont vidées de leurs élites et de leur population traditionnelles. Par la force des choses, elles sont habitées, visitées par toutes sortes de nouveaux groupes. Et avec les moyens modernes, on peut demeurer actif et en lien avec l'ensemble du Québec. Je travaille beaucoup d'ici, mais il reste qu'on est loin. Internet n'élimine pas la nécessité de se déplacer. Comme les grands médias culturels et d'information sont essentiellement à Montréal, c'est très difficile d'être présent. On n'est pas dans le club.

CB Je l'ai senti lors du mouvement étudiant l'an dernier. La perception qu'avaient les gens ici de ce qui se passait à Montréal n'avait rien à voir avec la réalité. On est en contact avec le reste du monde par la télé, mais les gens ici avaient l'impression que Montréal était à feu et à sang, que c'était la guerre civile. Et je n'exagère pas. Des gens à Saint-Pascal me disaient: « J'irai pas à Montréal, pas en ce moment, c'est trop dangereux! »

RB L'inverse est vrai aussi. On mène ici des batailles majeures, parce que c'est l'offensive généralisée sur les ressources naturelles, même le pétrole, et on est incapables de se faire entendre à l'échelle de la province, souvent parce que les médias nationaux ne sont pas là. On sait très bien qu'on ne peut rien gagner si on n'arrive pas à avoir une visibilité dans les médias nationaux. Ils ne se déplacent pas et, pour nous, aller à Montréal pour une entrevue de cinq minutes une émission à Radio-Canada, ça n'a aucun sens.

L'exode rural, l'exode des jeunes

Le Bas-Saint-Laurent, est-ce une région vieillissante ?

RB C'est une des régions les plus vieillissantes du Québec, une de celles où la population de jeunes a le plus diminué. Il y a six étables vides autour de chez moi. Il y a six ou sept ans, elles étaient pleines de vaches.

CB On est passé de 29 fermes à Saint-Germain, à je ne sais pas combien.

RB Il en reste trois majeures. Le déclin s'est fait en une trentaine d'années. Les fermes laitières sont les seules encore rentables au Québec. Tous les autres secteurs sont déficitaires. Et les fermes laitières sont en sursis. Ce sont des entreprises qui valent de quatre à cinq millions, elles ne sont plus transmissibles. Il y aurait de la relève, mais elle n'est pas capable de prendre le relais.

Roméo est devenu un grand ami, mais aussi un mentor, une référence dans sa façon de combattre.

Christian Bégin

CB Financièrement. C'est hors de prix.

RB Pour une vie aussi peu souhaitable et prometteuse.

CB Aussi peu valorisée, surtout. Il n'y a aucune valorisation, à part des tentatives un peu grotesques d'émissions de télé où de jeunes fermiers se cherchent une blonde ! [rires] À part ça, on n'entend pas parler beaucoup de cette vie-là.

RB Elle est très marginale. Il n'y a même pas 5 % de la population qui vit de l'agriculture dans des paroisses agricoles comme Saint-Germain ou Kamouraska. Pourtant, 90 % du territoire est agricole. Quand on vient s'installer à la campagne, on est au cœur de cette métamorphose des régions rurales. Des populations décimées ont perdu leur jeunesse, les éléments les plus dynamiques, les plus compétents. Les ressources qui s'ajoutent viennent de l'extérieur.

Le retour à la terre

Christian, comment êtes-vous devenu un chantre du terroir ?

CB Je suis un néorural. La découverte de cette réalité est arrivée grâce à *Curieux Bégin*, l'émission que j'anime à Télé-Québec. Je me suis rendu compte qu'il y avait, malgré tout, malgré ce vieillissement de la population, le retour d'une certaine jeunesse dans la région. Des jeunes reviennent ici après leurs années universitaires. Ils essaient de redynamiser la région. Je le vois avec ceux qui viennent d'ouvrir la microbrasserie Tête d'allumette à Saint-André. Perle et Kim*, à Kamouraska. Beaucoup de jeunes familles viennent s'établir à Mont-Carmel.

RB La plupart d'entre eux n'étaient pas de la région. Le retour à la terre, ça a été très fort ici. On était vus comme des étranges, des extraterrestres, des pouilleux. On a eu tous les noms : les couvertes de laine, les barbus, les crottés. Mais on a fini par s'intégrer. Il y a eu une deuxième vague à la fin des années 90 : des gens qui, à la fin de leur vie active, en préretraite ou à la retraite, s'achètent une maison.

Viennent-ils ici pour améliorer leur qualité de vie ?

RB Ces gens emmènent leurs compétences, leurs ressources. Ils ne viennent pas pour s'intégrer.

CB Ils viennent se déposer.

RB Et là, il y a une nouvelle vague, la troisième, en tout cas dans le Kamouraska. Une nouvelle tribu.

* Perle et Kim sont les propriétaires du restaurant Côté Est à Kamouraska.

Cette nouvelle tribu, est-elle plus jeune?

RB Ce sont des gens au début de la trentaine. Et ils se lancent dans des projets agricoles nouveau genre ou des projets de restauration. Ils ont beaucoup de rigueur. Nous, on improvisait, on apprenait.

Christian, ici vous êtes un jeune de 50 ans!

CB [silence] Je me rends compte que je fais partie de cette gang de jeunes trentenaires. Je suis le plus vieux, mais en même temps mon meilleur ami ici c'est Roméo, qui en a 77. Je viens d'être élu conseiller municipal du village par acclamation. Aucun mérite, si ce n'est que j'avais le goût de comprendre ce qui se passe et comment se vit l'exercice du pouvoir. La semaine prochaine, la population est invitée au dépôt du budget. La tradition veut qu'on fasse toujours affaire avec le même traiteur. Des sandwichs pas de croûtes. J'ai dit: « Ça vous tente d'essayer autre chose? Je connais des gens à La Pocatière qui

Je fais partie de cette gang de jeunes trentenaires. Je suis le plus vieux...

Christian Bégin

font des charcuteries. Au lieu d'acheter une brique de fromage jaune orange, on pourrait aller au Mouton blanc*. » Ils m'ont regardé comme si j'étais un extraterrestre. On a beau être dans une région où on a accès à ces produits, les gens ne vont pas acheter de l'agneau chez L'ami Berger*. Et ce n'est pas seulement une question économique, c'est une question d'habitude, de mode de vie, de résistance au changement. Il y a une méfiance par rapport au changement et aux nouveaux arrivants qui viennent bousculer l'ordre des choses.

Cet ordre est-il immuable ?

RB C'est une population qui se sent menacée. Elle a perdu beaucoup de ses éléments les plus dynamiques et ne pourra pas à elle seule imaginer la relance de tout ça. Un groupe réfléchit à la façon de reprendre l'église de Saint-Germain pour en faire quelque chose.

CB Dans sept ans, il n'y aura plus d'argent et on va la démolir.

* Mouton blanc est une fromagerie située à La Pocatière. L'ami Berger est un éleveur d'agneaux situé à Saint-Pascal-de-Kamouraska

RB C'est une église remarquablement belle et avenante.

CB Son histoire est extraordinaire.

RB Ça ne sera pas les vieux de la place, les quelques cultivateurs qui restent, qui vont être en mesure de concevoir et de gérer un projet. Ils doivent laisser faire ceux qui ont envie de le faire. Les gens ont vieilli. Ils commencent à comprendre qu'ils doivent céder leur place. Ils n'ont pas su se renouveler eux-mêmes, mais si ça vient des autres... c'est la mort. La mort de leur monde. Les néoruraux en campagne, c'est aussi problématique que les Arabes à Montréal. [silence et rires] Intégrer les communautés immigrantes à Montréal, ce n'est pas simple. Les Arabes ici, c'est nous autres !

Quand même, vous y êtes depuis 1975 !

CB À la réunion au sujet de l'église, il y avait beaucoup d'anciens résidents. Quand ils ont vu que des jeunes prenaient ça en main, certains se sont dit : « On est trop vieux. C'est pas nous autres qui allons le faire. On laisse ça dans les mains des jeunes. » Il n'y avait qu'une exigence : garder un endroit pour le culte. C'était une évidence pour tout le monde.

> Les gens ont vieilli. Ils commencent à comprendre qu'ils doivent céder leur place.
>
> Roméo Bouchard

Vivre à la campagne

Roméo, vous n'avez plus d'exploitation agricole ?

RB J'ai vendu ma ferme en 1995.

Vous avez vendu à cause de l'âge, de la fatigue, ou vous aviez envie de passer à autre chose ?

RB J'étais dans la soixantaine. Les règles du marché avaient évolué, il aurait fallu que j'investisse 150 000 $. M'endetter à 62 ans, ça ne m'intéressait pas. J'ai préféré vendre. Je ne le regrette pas, même si je m'ennuie de ma ferme et de mes animaux. Ç'a été des années clés pour moi, les années où je me suis vraiment enraciné, construit, donné un contenu, celles où j'ai été le plus fier de ce que j'étais, de ce que je faisais.

CB Tu me disais hier que c'est aussi là que tu t'es construit comme homme.

RB J'étais un intellectuel. Je n'étais pas apprécié pour autre chose que pour mon intelligence. À la ferme, je suis devenu autre chose. J'ai été responsable de ma vie. C'était une ferme isolée, on ne pouvait compter sur personne. Mes machines, mes animaux, mes champs. Et j'ai eu mes enfants, ma famille. Je me suis prouvé à moi-même que j'étais un homme complet. C'est ce qui m'a donné ma force. C'est un dur métier, venir en campagne. Vivre dans un milieu, un décor comme celui-là, est extraordinaire! Parce qu'à mesure qu'on se retire de l'action, des responsabilités, quand on vieillit…

CB … on est plus contemplatif.

RB La nature devient la réalité-refuge fondamentale. On n'est plus dans la construction sociale ou politique. J'écris beaucoup et j'aide des jeunes, mais je ne peux pas me rembarquer, je ne peux pas démarrer ou prendre le leadership d'un mouvement.

Les vieux comme courroie de transmission

Ce ne serait pas raisonnable de vous «rembarquer»?

RB Il y a des cloches qui sonnent quand on vieillit. On est mieux de se ménager un peu. [rires] Alors, qu'est-ce qu'il nous reste?

La contemplation!

RB La nature!

CB Il reste plus que ça. Il n'y a pas une journée où Roméo ne va pas sur Facebook. Il est très à l'affût. Il n'a plus un rôle de leader, mais un rôle de courroie de transmission. Dans le monde dans lequel on vit, on a toujours

Il y a des cloches qui sonnent quand on vieillit.

Roméo Bouchard

l'impression que les jeunes vont apporter le changement, mais ceux qui détiennent la connaissance et l'expérience et qu'on oublie souvent, qu'on relègue aux oubliettes, ce sont les vieux. On vit dans une société où il y a eu une rupture par rapport à ce transfert de la connaissance des aînés vers les plus jeunes. Roméo est un exemple. J'espère qu'à 77 ans, j'aurai cette fougue et cet esprit combattif. Mais c'est surtout une mine de connaissances. Mon fils a été actif dans le mouvement étudiant l'an dernier. Ces jeunes-là avaient l'impression qu'ils étaient les premiers à aller au front. Il a fallu lui donner l'heure juste : « Si vous êtes dans la rue, c'est parce qu'il y en a eu avant vous qui y sont allés. »

RB Je vais souvent devant des groupes de jeunes dans les écoles. Il y a une profondeur historique que les jeunes et les moins jeunes au Québec n'ont plus. Je suis un généraliste. J'ai couvert beaucoup de domaines et j'ai vécu mon enfance et mes premières études sous Duplessis. Quand Duplessis est mort en 1959, j'avais plus de 20 ans. Des gens actuellement qui ont vécu Duplessis...

CB ... il y en a moins.

RB Et qui ont vécu la Révolution tranquille, il n'y en a plus beaucoup.

Cela vous confère-t-il un statut de vieux sage ?

RB Les gens sont gentils avec moi. Ils sont intéressés. Il y a eu des moments où je n'étais pas fin. J'étais agressif, combatif. Au début, à l'Union paysanne, j'ai fessé fort sur l'UPA, sur les lobbys agroalimentaires. Je me suis fait des ennemis. Maintenant, c'est résorbé et les gens vont plutôt me dire : « Vous aviez raison, dans le fond. » Même au sein du noyau de résistance, ici, dans le Kamouraska, où j'ai dérangé le plus.

CB On l'aime de plus en plus depuis qu'il se tient plus tranquille ! [rires]

C'est là que vous vous retrouvez, dans le militantisme.

RB L'arrivée de Christian est une bénédiction pour moi. Ça me réconforte énormément d'avoir quelqu'un à qui parler. Il est en contact avec d'autres réseaux. En campagne, c'est extrêmement important, les réseaux. En ville, ça vous tombe dessus ! Évidemment, Internet joue un rôle important là-dedans, mais ce n'est pas suffisant. J'ai besoin de parler à du monde ! Tant que je n'ai pas discuté avec quelqu'un, je ne trouve pas les mots. Moins fatigant qu'avant, mais pas moins rigoureux.

> **Ceux qui détiennent la connaissance et l'expérience et qu'on oublie souvent, qu'on relègue aux oubliettes, ce sont les vieux.**
>
> Christian Bégin

Le plus bel âge selon Roméo

Et pour vous, Roméo, quel est le plus bel âge ?

RB Mon enfance. Ça demeure « le paradis perdu ».
C'est la source à laquelle je reviens constamment.
Si j'avais à intituler le récit de ma vie, ce serait *Retour à la terre*. En partant aux études à 13 ans, je suis devenu pensionnaire à Chicoutimi, et ç'a été l'exil. Je suis tombé dans un monde que je ne connaissais pas. J'avais été élevé en campagne par des femmes. Les maîtresses d'école étaient nos deuxièmes mères. Et là, je suis tombé dans un monde d'hommes, un pensionnat, pas de sensibilité. J'ai eu horreur de ça !

Le plus bel âge selon Christian

Le plus bel âge de votre vie, ce serait quoi ?

RB Demande ça à Christian.

CB C'est très paradoxal ce que je vais te dire. Autant je n'aime pas l'idée de vieillir, autant je pense que je suis à l'orée de mes meilleures années. Je ne voudrais pas revenir en arrière. Beaucoup de périodes troubles. Je me sens plus serein, je trouve que je suis un meilleur homme, plus en accord avec ce que je suis, avec ce que j'ai envie d'être. Quelque chose de plus calme s'en vient et c'est peut-être à ça que j'aspire. Un désir de paix intérieure. Je suis à un bon moment de ma vie. [silence] Je voudrais que ça s'arrête là, en fait.

Que ça ne bouge plus ?

CB Je voudrais que ça ne bouge plus ! [rires] Que ça s'arrête et qu'on mange du lapin.

RB Si jamais il a une blonde, ça va consolider tout le système.

CB Arrête !

RB Il n'en parle pas, mais... En campagne, il ne faut pas être tout seul. Ça drague mal, icitte.

Un vieux sage pas sage

Roméo, vous êtes moins belliqueux, mais pas moins indigné. Êtes-vous assagi?

RB Non.

CB La notion de «vieux sage» ne convient pas. Le vieux sage ne déplace pas trop d'air. Je le vois trôner quelque part et faire le discours de la béatitude sur le mont de je-ne-sais-pas-quoi. Monsieur Bouchard n'est pas comme ça. Il continue à brasser la cage.

RB Il y a toutes sortes d'intellectuels, toutes sortes de penseurs. Il y en a qui sont purement des intellectuels et qui n'ont pas le côté actif et pratique. Il y en a qui n'ont pas le côté émotif. Moi, je suis un émotif, un gars dans l'action. Et j'aime confronter mes idées à de nouvelles connaissances. Beaucoup de gens vont fuir les contradictions. Moi, j'aime. Je m'expose continuellement à de nouvelles tendances. Avec les jeunes, je ne communique pas mon vieux stock. Je me confronte à tout ce qui arrive dans le monde en ce moment.

CB Avec le regard d'un homme de 77 ans.

RB Avec l'expérience que j'ai.

Vous ne commencez pas vos phrases par: «Dans mon temps...»

CB Je ne l'ai jamais entendu dire ça.

RB J'interviens aujourd'hui comme partie prenante, comme un citoyen concerné. Je suis plus conscient que le temps est un facteur. Le changement social s'inscrit dans le temps. Quand on est jeune, on veut que les affaires se passent instantanément. En 2012, les jeunes sont rentrés chez eux avec une amertume terrible. On a rangé nos casseroles, on s'est rassis dans le même fauteuil et on a continué à s'indigner dans nos salons. Dans la jeunesse, il y a le désir que les choses changent. Particulièrement aujourd'hui, où l'assouvissement des besoins doit être immédiat. La période d'attente rétrécit, rétrécit sans cesse.

CB Ça prend du temps faire les choses. Quand on est plus jeune, on a moins cette notion. La rage fait qu'on veut que ça se passe maintenant.

RB On se dit: «C'est tout de suite qu'on va gagner.»

N'empêche, le temps passe. Ressentez-vous une forme d'urgence?

RB Il y a à peu près un an, je me suis dit: «C'est évident qu'on n'arrivera pas à tout régler.» Il va falloir accepter de partir et que ce soit les autres qui s'arrangent avec ça. [rires] On en a parlé beaucoup, Christian et moi, de la question planétaire, des gaz à effet de serre, du climat, de la croissance illimitée. Je crois fermement qu'il nous reste 15 ans pour redresser les choix, sinon on entre dans la phase de l'effondrement de l'écosystème planétaire. Hubert Reeves dit: «À la fin du siècle, disparition possible de l'espèce humaine.» J'y crois fermement.

> Avec les jeunes, je ne communique pas mon vieux stock. Je me confronte à tout ce qui arrive dans le monde en ce moment.
>
> Roméo Bouchard

> Dans la quarantaine, j'ai eu le désir de mettre la parole en action.

Christian Bégin

Les âges des possibles

Est-ce que les décennies qui s'ajoutent vous affectent ?

CB Beaucoup.

RB Quarante, cinquante, ç'a été les décennies des grandes transformations qui m'ont mené aux vraies affaires. À 40 ans, j'ai tout abandonné à Montréal : mon métier, mes réseaux, ma femme, tout, et je suis venu dans une ferme. On recommence !

À 40 ans, tout vous paraissait possible ?

RB J'ai eu mon premier enfant deux ans après. À 50 ans, j'ai recommencé avec une nouvelle conjointe, et ç'a été l'âge d'or de la ferme. J'ai eu mon deuxième enfant. À 65 ans, j'ai fondé l'Union paysanne, le point d'arrivée de beaucoup de choses dans ma vie.

Christian, vous vous êtes réinventé dans la quarantaine. Vous êtes devenu animateur télé, militant, vous vous êtes installé ici.

CB Tout ça était probablement un peu là déjà, mais c'est vrai que la quarantaine a été la décennie de l'actualisation. J'ai toujours été indigné. Encore aujourd'hui, je trouve que mes bottines ne sont pas toujours en accord avec mes babines. Je suis capable de m'indigner dans mon salon et je peux tenir un discours plutôt articulé, mais je trouve que je ne fais pas encore assez de choses concrètes. C'est pourquoi je me suis engagé dans la politique municipale. Dans la quarantaine, j'ai eu le désir de mettre la parole en action. La parole est un outil avec lequel je travaille plutôt bien. Mais je ne suis pas arrivé là où je voudrais. Dans les faits, qu'est-ce que je change dans le monde ? Quelle est mon action concrète ? La cinquantaine va être pour moi encore plus déterminante.

RB À 40 ans, on prend notre place. On la trouve ou on ne la trouvera jamais !

CB Quelque chose s'est nommé. Le fait que je vive ici n'y est pas étranger. Il y a eu un besoin de me mettre en rupture avec un certain tourbillon et

Le temps file

Beaucoup de gens ont l'impression qu'en vieillissant tout va plus vite. C'est votre cas ?

CB C'est exponentiel. Je n'ai pas ton âge, Roméo, mais moi, entre 40 et 50 ans, j'ai fait : « Mon Dieu, qu'est-ce qui s'est passé ? » Le temps d'un clignement d'yeux. Mon père, qui a le même âge que Roméo, me dit ça chaque fois que je le vois : « Ça va vite, de plus en plus vite. »

RB C'est terrible !

CB Le monde va de plus en plus vite, et l'humain n'est pas constitué, même biologiquement, pour absorber la vitesse de ce changement. Nous-mêmes, on est effarés par la vitesse avec laquelle le temps passe sur notre propre existence. Imagine les vieux qui ne sont pas comme lui, qui n'arrivent pas à suivre grâce à Internet.

d'aller voir comment ça se passe ailleurs. On n'est pas à Tombouctou ou à Bangkok ni à Bombay, mais il y a une autre réalité ici, une autre façon d'appréhender le temps, le territoire.

RB Nous avons des parcours alternatifs. Les gens qui ont une *job steady* et qui prennent leur retraite à 60 ans ne vivent pas le même genre de cycles. Pour moi, le repli a commencé au début de la soixante-dizaine. Tranquillement, je me suis retiré des engagements que j'avais. L'horizon se rétrécit. Il ne se rétrécit pas nécessairement au point de vue intervention, mais physiquement.

Les effets du temps

Est-il facile d'accepter cette réalité?

RB Je n'ai pas de problème avec ça. Si on ne résiste pas, les hormones nous conduisent. Ton corps te le dit. On n'a plus le goût d'aller à des réunions le soir. Les voyages, avant, ça ne me fatiguait pas. Ma femme conduisait. Là, j'ai hâte de revenir à la maison. On est comme des enfants qui ne sont pas dans leurs affaires. Coucher à l'extérieur, c'est un gros dérangement. Je suis bien avec ma femme dans ma petite maison. C'est tranquille, Kamouraska, un milieu unique, serein. Je commence à avoir des problèmes de santé importants. C'est le signal que je vais devoir partir. Peut-être que le décompte est commencé. Moi, mourir, ça ne me fait pas peur. C'est une des rares affaires que j'ai retenues de mon passage en communauté. Dans une retraite fermée, un prêtre nous avait fait un sermon sur la mort et nous avait cité une phrase du cardinal Villeneuve. Sur son lit de mort, il avait dit: «Vous n'avez pas à vous attrister. Dans le fond, c'est comme le soir d'un beau jour.»

Le soir d'un beau jour. C'est bien trouvé.

RB Ma vie a été une belle journée, et là, c'est le soir. Normal que je me retire, que j'aille me coucher. Je me répète ça souvent. Je n'ai pas d'amertume, même si j'ai eu des échecs. J'ai fait ce que j'avais à faire. J'ai un peu la philosophie de la *Bhagavad-Gita*, un livre sacré de l'hindouisme. L'engagement entier dans ce qu'on fait et le détachement complet des résultats. Les résultats ne nous appartiennent pas. Ils résultent d'un paquet de facteurs qui ne sont pas uniquement de notre ressort.

C'est une forme de lâcher-prise. Vous aurez bientôt 80 ans, vous y pensez?

RB Beaucoup. J'ai toujours pensé que je ne vivrais pas plus vieux que 65-70 ans. Quand j'étais jeune, c'était l'âge où on était vieux. Évidemment, quand je suis arrivé à 65 ans, je me suis dit que je pouvais peut-être me rendre à 70! [rires] Je suis un peu étonné d'avoir près de 78. Comme c'est parti, je vais me rendre à 80. C'est beaucoup, 80. Au-delà de ça, je n'ai pas

Moi, mourir, ça ne me fait pas peur. C'est une des rares affaires que j'ai retenues de mon passage en communauté.

Roméo Bouchard

d'espoir, pas d'attentes. Absolument aucune. À 80, je considère que je suis
« passé date ».

CB Arrête, là !

RB On verra. Les gens de plus de 80 encore très actifs, des fois, je trouve ça
forcé. Pas toujours, mais chez certains.

CB Je ne me tanne pas de l'écouter parler, ce vieux christ-là… [rires]

Modes de vie

**Certains persévèrent-ils beaucoup plus longtemps que vous
en agriculture ?**

RB Plusieurs lâchent, à bout de souffle. C'est dur physiquement. Les
productions alternatives, biologiques, n'ont aucun soutien et subissent une
concurrence déloyale de la part de l'agriculture traditionnelle hyper
subventionnée qui fait des dégâts, qui ne paie pas ses coûts
environnementaux.

CB Il y a toute la dimension de l'effort aussi. On vit dans un monde où la
notion de l'effort s'évanouit. Ce sont des modes de vie qui demandent de
l'abnégation, du don de soi. C'est en voie de disparition.

RB Les premières années, à la ferme, je vivais avec à peu près 4000 $ d'argent
liquide par année. Pour faire fonctionner l'entreprise, il fallait dépenser le
moins possible. Plus j'ajoutais des produits d'autosuffisance, plus j'améliorais
mon sort. Quand les enfants ont commencé à aller à l'école, il fallait que je
vende une vache ou deux pour les habiller. Il fallait que je me ruine.

**Est-ce que beaucoup de gestes, de traditions, se perdent avec la fin
de ces modes de vie ?**

RB Il se passe des choses étranges. Les jeunes venus s'installer ici organisent
des soirées traditionnelles et il y a tout un mouvement « trad ». Je n'y suis
jamais allé. Je n'y crois pas complètement.

CB J'y suis allé. Vas-y !

RB À 18 ans, je dansais les danses carrées, la gigue, il y avait des violoneux,
des musiques à bouche, et je ne connaissais pas autre chose. Quand je suis
arrivé ici, Saint-Germain était l'endroit où, tous les mois, il y avait une soirée
de danse traditionnelle. Les gens des paroisses alentour venaient ici et il y
avait un orchestre invité. L'orchestre des Perron de L'Isle-aux-Coudres, c'était
le meilleur de tous. On swinguait la baquaise avec des bonnes femmes d'un
peu partout. [rires] Tout ça a arrêté. Et là, ils reprennent ça. Je suis sûr que
ce n'est pas pareil.

CB Ils reprennent les danses traditionnelles et ils les apprennent aux gens. Je
n'ai pas le bagage pour savoir si ce sont les vraies danses traditionnelles, mais
ils ont le souci de retourner aux racines. Et même avec d'anciens instruments.

RB Il y a plein d'affaires comme ça, une résurgence du patrimoine.

Quarante ans, ç'a été une sacrée baffe. C'est là que tout a changé.

Christian Bégin

LA question

Christian, vous venez d'avoir 50 ans ?

RB Là, tu vas te commettre, mon homme !

CB Quarante ans, ç'a été une sacrée baffe. C'est là que tout a changé. Dans ma vie intime aussi, il y a eu une grosse crise. La cinquantaine vient d'arriver et le mouvement n'est pas aussi violent, mais il n'est pas moins profond. La nécessité, tout à coup, de faire des choix. Et ce n'est tellement pas dans ma nature de choisir ! Dans mon métier, par insécurité, on dit oui à tout. Je ne suis pas du tout en paix avec l'idée de vieillir. Bien sûr, il y a l'aspect physique. Je vis dans un métier où je me vois vieillir. J'ai fait *Les enfants de la télé* il y a quelques mois.

Vous avez revu des images de vous, jeune.

CB Je suis constamment aux prises avec le fait que je vieillis. Les acteurs sont soumis à ça, à ce corps qui se transforme. Mon *casting* change. J'ai vieilli, j'ai épaissi, j'ai une barbe. Tout ça a une incidence sur les rôles qu'on m'offre et sur la façon dont je pratique mon métier. Outre ça, je ne suis pas en paix avec l'idée de vieillir parce que j'ai l'impression que ça m'oblige à faire des choix que je n'ai pas envie de faire. Je suis assoiffé de trop de choses. Je n'aurai jamais le temps de tout faire. Et ça m'énerve!

C'est nouveau?

CB Ça a commencé dans la quarantaine, ça s'accentue dans la cinquantaine. [silence]

RB C'est typique de la vie moderne. On dit aux gens: «Voyagez! Faut que vous alliez partout!» Il faut avoir tous les plaisirs.

CB Ce n'est pas une question de plaisir, c'est une question de curiosité. Ce n'est pas de l'hédonisme. Je veux comprendre comment fonctionne le monde. Je veux écrire, je veux... Je me suis rendu compte que 50 ans, c'est l'heure des choix. Je ne peux plus continuer au rythme auquel je vais. Je ne peux plus. Mon corps ne me le permet plus. Là, je viens d'enfiler trois pièces de théâtre, dont une dernière extrêmement exigeante avec Maude Guérin*. Je termine cette pièce épuisé. Avant, il y a eu la reprise d'*Après moi*, celle du *Prénom*, tout l'été, les enregistrements de *Curieux Bégin*, ceux de *Trauma*. J'ai un peu la langue à terre. J'ai 50 ans, il va falloir que je fasse des choix. Des choix de vie. Peut-être même changer de vie complètement. Le métier m'a servi magnifiquement. J'ai été gâté, j'ai fait des choses merveilleuses, j'ai assouvi presque tous mes désirs. Et là, il y a l'envie de changer de vie. L'arrivée ici est un premier pas.

Vue de la cinquantaine

CB J'ai l'impression que l'écriture prendra de plus en plus de place dans ma vie: on peut écrire de partout. J'ai un fantasme d'auberge, d'accueillir les gens. Ça fait des années que je parle d'un projet avec le docteur Julien*, ici, pour accueillir des jeunes, et je me dis qu'il va falloir que ça se fasse, sinon une partie de moi ne sera pas comblée. Certains, à l'instar de Roméo, sont des modèles pour moi. Des gens qui changent le monde. Mais on se rend compte à 50 ans que le monde ne changera pas! [rires] À 50 ans, j'ai moins de temps en avant qu'en arrière. Je n'irai pas mieux. J'ai beau me dire que je vais vivre jusqu'à 90 ans, mon corps va vieillir. Il va m'imposer des limites de plus en plus grandes. Ça n'ira pas mieux. Mon *peak*, il est atteint.

RB Tu ressens ça?

CB Oui!

RB Je pense que l'accomplissement se fait entre 50 et 60, 70 ans.

CB Je ne te dis pas que je ne m'accomplirai pas, je te dis que mon corps... Je ne pourrai plus être aussi [silence] girouette, partout. Je ne pourrai plus faire 50 000 affaires en même temps.

Je ne suis pas en paix avec l'idée de vieillir parce que j'ai l'impression que ça m'oblige à faire des choix que je n'ai pas envie de faire.

Christian Bégin

* Il s'agit de la pièce *Clôture de l'amour* présentée au théâtre de Quat'sous.

* Lire la rencontre entre Gilles Julien et Pierre Bruneau à la page 6.

218

Vous êtes comblé sur le plan professionnel ?

CB Je rends grâce parce que je suis comblé. Et quand je n'ai pas de *job,* je m'en crée ! Mais la nécessité d'être toujours dans l'œil de l'autre devient de moins en moins pressante. Dans ce métier, on a l'impression qu'on ne peut exister que dans l'œil de l'autre, alors on multiplie les occasions d'être aimé et vu. Si on ne me voit pas, on va m'oublier. Cette pression est moins grande. Mais je n'aime pas ça vieillir ! Je ne suis pas en paix du tout avec ça.

Ça va passer, non ?

CB Peut-être. [rires] Ça ne m'empêche pas de vivre et ce n'est pas un souci quotidien, pas une pression, pas une hantise.

Ici, du moins, le temps s'arrête.

CB Il n'y a rien à faire. Le temps s'arrête. Je mène une double vie. Moi à la ville, moi à la campagne. Je me rends compte que l'espace ici commence à vouloir prendre plus de place en moi. En même temps, je ne suis pas allé en Afrique, en Asie. Je veux aller voir, mais je me dis : « Arrête et sois juste ici. Inscris-toi dans la vie d'ici auprès des gens d'ici. »

Y croyez-vous entièrement ?

CB Je n'y crois pas entièrement. Je suis déchiré entre ce désir que ça bouge et l'envie de me déposer. Je me rends compte que je ne me suis jamais inscrit réellement, j'ai toujours été [silence] un nomade.

> Je pense que l'accomplissement se fait entre 50 et 60, 70 ans.
>
> Roméo Bouchard

Établir son territoire

S'inscrire ici, c'est s'enraciner ?

RB En dehors de la ville, on n'a pas le choix de s'enraciner. On n'est pas des contemplatifs ni toi ni moi. On est sensibles à la nature. On est capables de l'interpréter et tout ça, mais on a besoin de contact. Christian a un contact très sensible avec les gens. Plus que moi.

CB Être ici est en train de changer ma vie complètement : mon rapport aux êtres, mon rapport à moi-même. C'est en train de remettre les pendules à l'heure. Tout ça amalgamé au fait que je vieillis. Le territoire a une incidence sur nous.

RB Tout à fait.

CB Vivre le territoire. Se laisser imprégner par le territoire. Quand j'arrive de Montréal, à Saint-Denis je vois les premiers cabourons, les épaules me baissent de six pouces. J'arrive chez nous ! Ça fait presque 10 ans que je suis séparé, j'ai quitté une maison dans laquelle j'ai vécu 16 ans. Depuis, j'erre d'un appart à l'autre. Là, j'ai trouvé mon chez-moi. Je vais mourir ici. C'est ma dernière maison.

Là, j'ai trouvé mon chez-moi. Je vais mourir ici. C'est ma dernière maison.

Christian Bégin

C'est apaisant.

CB Absolument apaisant. Nécessaire. Si je restais en ville tout le temps, je deviendrais fou. En ville, je suis toujours en action. Je vais voir des amis, je suis au restaurant tous les soirs. Ici, je me fais à manger, je vous ai préparé à dîner.

RB Je suis convaincu que Christian, s'il le veut, a un très bel avenir ici. Les gens sont fiers de le voir porter le Kamouraska comme il le porte. Évidemment, il faut qu'il y trouve son compte. Je n'en ai pas vu beaucoup qui se sont aussi bien amalgamés.

CB On a beau faire des blagues sur *Curieux Bégin,* ça ne part pas de rien. Je suis curieux des gens.

RB Tu les valorises.

CB Ma première réunion du conseil municipal a commencé à sept heures et s'est terminée à minuit! Dans un village de 270 personnes! [rires] Je me disais: « C'est ici que je vais commencer à comprendre ce qui se passe plus haut. »

Agir localement, penser globalement.

CB Nos grandes institutions ne travailleront pas pour le changement du monde, ça n'arrivera pas.

RB Aujourd'hui, chaque village ou chaque communauté doit trouver quelque chose qu'il peut mettre en valeur et en faire un tremplin pour le monde entier. Actuellement, on redécouvre le territoire. Les ressources naturelles nous ramènent à ça. Il n'y a pas juste de l'innovation technologique et des jeux vidéo dans la vie moderne. Un pays, c'est d'abord un territoire.

L'amitié

Vous n'êtes pas de la même génération et vos chemins sont différents. Pourtant...

RB ... on se rejoint. Je n'ai jamais eu un ami comme ça... Il y a des rencontres qui sont précieuses. Je n'ai jamais eu de sentiment paternel particulier, mais je veux prendre soin de Christian et je veux qu'il prenne soin de lui. Je veux qu'il soit heureux.

CB Il y a quelque chose de l'ordre de la filiation.

RB On parle pareil!

CB Il est magnifique! On n'est pas un miroir l'un de l'autre, nos batailles ne se font pas de la même façon et on n'a pas la même histoire. Mais il y a une reconnaissance, une filiation. Santé, mon Méo!

On se rejoint. Je n'ai jamais eu un ami comme ça... Roméo Bouchard

À peine avons-nous cessé d'enregistrer que Roméo Bouchard s'est écrié, fanfaron : « On n'a pas parlé de sexe ! » « Quand vous voulez, Roméo ! » lui ai-je répondu du tac au tac. Il a fallu l'intervention de son ami pour le sortir de ce mauvais pas.

Le repas allait bientôt être prêt. Peut-être faudrait-il faire la photo. En route vers le rang de la Montagne à Plourde, Véro et moi nous étions demandé si, malgré le froid intense, les deux hommes accepteraient de se faire photographier à l'extérieur. Avec une pensée pour la mère de Pauline Martin*, Véro leur a proposé de s'étendre dans la neige pour y faire l'ange. Les deux Kamouraskois d'adoption n'ont pas hésité une seconde : l'hiver ne les effraie pas. Pendant qu'ils s'agitaient dans la neige, le chien de la maison, trop heureux de prendre l'air, s'en donnait à cœur joie.

La suite ne surprendra personne : le repas était délicieux ; la compagnie, agréable. Au retour, j'ai souri en apercevant les derniers cabourons. Voilà, je rentrais à la maison. M.C.

* Lire la rencontre entre Pauline Martin et Michel Dumont, page 98.

Manon Barbeau + Raymond Cloutier

D e toutes les personnes rencontrées pour ce livre, Manon Barbeau, réalisatrice de documentaires et directrice du Wapikoni mobile, des studios ambulants qui permettent aux jeunes des Premières Nations de réaliser des films et d'enregistrer des musiques, est celle que je connais le mieux. Ces dernières années, je l'ai vue se transformer au contact de ses deux petits-fils, les enfants de sa fille, Anaïs Barbeau-Lavalette, conjointe d'Émile Proulx-Cloutier, fils de Raymond Cloutier. L'un des sujets qu'elle souhaitait aborder avec ce dernier : le bonheur nouveau que lui procure son statut de grand-mère. Réunion de famille avec des grands-parents qui, finalement, se connaissent assez peu.

Les grands-parents

En vieillissant, est-ce qu'on s'assagit ?

Raymond Cloutier Je ne me suis pas assagi. Je dirige le théâtre Outremont et, tous les jours, toutes sortes d'attitudes me mettent en colère. J'essaie de me calmer. Évidemment, ma compagne, Sylvie, n'en peut plus de me voir faire des montées de lait, mais c'est dans le fondement du tempérament.

Manon Barbeau Je m'assagis. J'ai l'impression de tendre vers la contemplation, vers un rapport plus calme aux êtres. J'ai déjà cassé des fenêtres, je n'en casserai plus jamais ! Je ne suis pas moins torturée, pas moins sensible, mais il me semble que la vie est beaucoup plus facile qu'elle ne l'était. Ça doit être une question de tempérament. Pourtant, j'ai été très bouillante. Quand je dis « casser des fenêtres », ce n'est pas une image : j'ai claqué des portes assez violemment pour casser des fenêtres ! L'injustice me dérange fondamentalement. Tout ce qui est racisme, injustice. Mais je ne suis pas révoltée. Je n'ai pas le temps d'être révoltée.

RC Pour ma part, je n'ai jamais été révolté. Bien que ce soit l'un des mythes qui circulent à mon sujet ! [rires]

D'accord, mais vous ruez dans les brancards.

RC Je suis en colère, mais je ne suis pas dans la révolte. En fait, je suis quelqu'un de très émotif et très fragile. Avec une grosse voix... [rires]

Grand-père, grand-mère

Êtes-vous grands-parents comme vous avez été parents ?

RC Manon s'occupe beaucoup plus des enfants que moi.

MB Je suis plus sensible avec mes petits-enfants que je ne l'étais avec les miens. J'ai plus de temps et de disponibilités, je n'ai pas à les élever et je n'ai pas l'angoisse que j'avais comme mère de ne pas répéter ce que j'avais vécu. Et d'être vraiment une bonne mère avec la crainte, toujours, que peut-être je n'en serais pas une et qu'on viendrait m'enlever mes enfants ! Ça planait sur moi tout le temps. Je n'ai pas du tout ça avec les

> Je suis en colère, mais je ne suis pas dans la révolte.
>
> Raymond Cloutier

224

petits-enfants. Moi aussi, je suis très sensible et c'est ce qui me relie à Manoé. J'ai l'impression que nous sommes des funambules qui marchent sur le même fil. Je me sens très proche de cet enfant. Pour lui, je suis le lieu de tous les possibles et de toutes les permissions. Rien d'impossible ! Moi, mon modèle – à part mon père, dans son atelier tous les jours à 89 ans ! – pour le moment, c'est Manoé. Il est tellement dans le vivant.

Manoé, le fils aîné de votre fille Anaïs et d'Émile, le fils de Raymond, a trois ans.

MB Il est tellement dans l'ouverture à tout, tant dans l'imaginaire que dans le lien, le son, et j'essaie vraiment, vraiment, vraiment de l'accompagner là-dedans. Pour moi, c'est miraculeux, parce qu'il me ramène à cette ouverture. On a tous un âge intérieur : j'ai sept ans. À partir de sept ans, j'ai toujours eu cet âge. C'est pour ça que je suis si bien avec lui. Je suis un peu son aînée pour le protéger et je suis assez proche de la magie pour ouvrir cette porte ! Je n'ai jamais eu les cartes qu'il fallait pour habiter ce monde. J'ai des cartes dans les mains et, chaque jour, je me demande laquelle utiliser ! Avec un enfant, on peut avoir n'importe quelle carte et en faire ce que l'on veut. Ça me sauve la mise !

Quand il aura sept ans...

MB On va être du même âge ! Mais c'est déjà formidable. Il est le magicien de ma vie. Ça change tout.

RC Pour des questions circonstancielles et pratiques, je ne suis pas capable d'avoir une réflexion comme ça. Je n'ai pas pu fréquenter nos enfants autant que Manon et Philippe, son conjoint. Vous avez des maisons voisines à la campagne, vous êtes beaucoup ensemble. Vous les avez gardés plus souvent. Nous, ça n'a pas adonné, je ne sais pas pourquoi. Je suis plutôt dans un rapport pratico-pratique, un rapport très simple : nourrir, laver, etc.

MB Je ne te perçois pas comme ça du tout.

> Je suis plus sensible avec mes petits-enfants que je ne l'étais avec les miens.
>
> Manon Barbeau

RC C'est ce que j'aime faire. Du concret.

MB Tu es un vrai grand-père pour Manoé.

RC Je suis un grand-père, mais je fais des affaires tout à fait pratico-pratiques.

MB Tu l'as emmené dans une grande roue à Paris, tu l'as fait grimper dans une espèce de carillon sur le tournage de je-ne-sais-trop-quoi, comme un vrai grand-père.

RC Je sais. Dans quelque temps, quelques mois, quelques années, dès qu'il va pouvoir venir dormir chez nous, je vais passer pas mal de temps avec Manoé, et Ulysse après lui. Quand je vais les garder, je ne sais pas comment fonctionne la maison. Je donne le bain, je ne sais pas où sont les serviettes ! Je rentre là et j'ai peur… [rires] mais je continue à être un père. Je vais être un père longtemps parce que j'ai eu mes enfants tard.

Tu parlais tout à l'heure de l'âge intérieur. Ça fait longtemps que je sais ça et que je n'ose le dire à personne. Il y a une dizaine d'années, alors que je jouais dans *Quatuor*, une pièce de Ronald Harwood, au théâtre du Rideau Vert, Gilles Pelletier nous demande : « Vous, sentez-vous que vous avez votre âge ? » Il avait pas loin de 80 à ce moment-là. J'ai dit : « Gilles, j'ai toujours eu 24 ans, 24 ans et demi, l'âge que j'avais juste avant la création du Grand Cirque ordinaire. » « Ah, c'est drôle ! Moi, j'ai 11 ans, dit Gilles, je suis dans une chaloupe et Denise, ma sœur, est là. Je suis en costume de bain, je sors de la chaloupe et elle me surveille. J'ai toujours cet âge-là. » Moi, c'est pareil. Je passe devant un miroir et j'ai l'impression que je ne connais pas du tout la personne que je vois. Deux minutes avant, dans la rue, j'avais 24 ans. Avec Gilles, je parlais souvent de ça et du rapport aux femmes : « Elles ne me voient pas, elles ne me trouvent plus beau ! Qu'est-ce qui se passe ? »

Je vais être un père longtemps parce que j'ai eu mes enfants tard.

Raymond Cloutier

La paternité

RC J'ai été un père nourricier. Des repas à quatre couverts tous les jours. Je ne sais pas pourquoi, c'était ma seule façon d'être poule. Avec Jules, je me suis calmé un peu parce que ça n'avait pas de sens. Mais Émile, je le suivais à la trace, partout où il marchait, pour être sûr qu'il ne se fasse pas mal, qu'il ne tombe pas. Tout le temps ! Il s'est cassé un bras à la garderie, je l'ai changé de garderie le lendemain ! [rires]

La séduction

Vous êtes un séducteur de 24 ans.

RC Toujours. Mais ça ne marche pas! [rires] Les femmes ne répondent pas du tout.

MB Le vieillissement, on le sent à partir du moment où le regard ne s'attarde plus sur soi. En général, quand on est jeune, c'est plusieurs fois par jour. Puis, c'est un peu moins. Et puis plus du tout. Quand ça arrive, tu ne le remarques même plus ou tu penses que c'est pour autre chose. Je n'ai pas de mal avec ça. Toi, ça te dérange?

RC Ça me dérange beaucoup. J'ai toujours vécu dans le regard des autres. Ma présence à la vie venait de... comment dire?

MB Du sentiment de séduire?

RC Non, mais ça m'était donné par les autres. Le corps existait parce qu'il était érotisé.

Votre métier a contribué à cette érotisation.

RC La rue, c'est un plateau pour moi.

MB Ah, oui! C'est pas mal, ça!

RC J'étais en représentation tout le temps. Ce qui ne veut pas dire que je n'étais pas vrai. C'est le « mentir vrai », le fait d'être acteur. Parce que dans la solitude ou dans l'intimité, je suis complètement dévasté. Alors, il faut que je me costume : c'est là que mon père qui était maître d'hôtel, en *tuxedo* et tout, arrive en moi. Je deviens un frondeur extrêmement social, très habile avec les relations humaines. J'ai fait de la radio, comme ça, pendant des années. Ce n'est pas une carapace ou une imposture : c'est ma seule façon d'exister.

Faut-il s'étonner que l'on se méprenne parfois à votre sujet?

RC Exact. Probablement que j'ai joué trop fort!

MB Tu parlais de solitude. J'ai toujours été très sauvage et je le suis encore. Et, moi aussi, j'ai été dans la séduction, j'ai eu besoin du corps des hommes, pour nommer les choses par leur nom.

> **Le vieillissement, on le sent à partir du moment où le regard ne s'attarde plus sur soi.**
>
> Manon Barbeau

RC Tu aimais leur corps ou qu'ils aiment le tien ?

MB Disparaître dans l'intensité de cette rencontre ultime faisait en sorte que je me sentais vivante. La solitude disparaissait.

RC C'est là que ça se passe. On est pareils. J'ai passé des années à ne vivre que du fait de pouvoir être avec des femmes la nuit. Je n'étais pas un don Juan. Peut-être compulsif, mais pas parce que je voulais posséder des femmes. Pas du tout.

MB La rencontre a lieu là.

RC Réconfort total. L'arrêt du temps. L'angoisse disparaissait. Le paradis, c'était là.

MB Chez moi, c'était tellement extrême que ça frôlait l'enfer. Tout le temps ! C'était à la fois vivre et mourir. Chaque fois, je jouais ma vie, complètement. Je ne pensais pas qu'un jour je pourrais passer à autre chose. Et je passe à autre chose avec un peu de nostalgie, parce que je suis allée vraiment loin là-dedans. Un moment donné, ce n'est plus ça que tu cherches. Et même si tu le cherchais, probablement que ça ne se produirait plus. C'était l'antidote absolu au sentiment de solitude.

La famille

Vous êtes aussi très proches de vos enfants.

MB Quand j'ai commencé tout ce travail chez les Premières Nations, je préparais un film sur les rituels de passage autour du sang menstruel parce que pour moi, le legs d'une femme à l'autre est extrêmement important, probablement parce qu'il a été rompu au départ de ma mère. Aujourd'hui, Anaïs fait des recherches sur ma mère, que j'ai vue trois ou quatre fois dans ma vie, et je mets ensemble tous les morceaux du casse-tête. Elle est en train de se reconstituer une grand-mère et de me recoller une mère ! On a travaillé très fort à retricoter une histoire de famille.

RC Ma famille ne m'intéresse pas, mais pas du tout ! Innovateurs dans certains cas, roturiers dans d'autres. Des écœurants, des bandits. Mais c'est de l'anecdote. De père en fils, et de l'autre côté, de père en mère, on a transmis de la misère affective. J'ai voulu arrêter la chaîne et je pense que j'y suis arrivé avec Émile. J'étais bien content que nos petits-enfants s'appellent Cloutier : la famille commence là. Barbeau-Lavalette-Proulx-Cloutier, Émile et Anaïs ne savaient plus quoi faire avec ça ! L'affaire commence avec moi. Émile ne connaît à peu près pas les Cloutier et je ne les vois jamais. Du côté de ma mère, c'est encore pire. Mon plus jeune fils s'appelle Jules, le nom du père de ma mère, et Émile s'appelle Émile parce que mon père s'appelait Émilio. Alors, j'ai pris ça.

MB Là aussi, on se rejoint. J'ai reconstruit ma famille. Il a fallu aller chercher

> J'ai reconstruit ma famille.
>
> Manon Barbeau

mon père, retrouver mon frère, qui était schizophrène et qui n'a pas vécu avec moi, donc perdu à 20 ans, et retrouvé, et reperdu, et retrouvé. Après, il a fallu retrouver ma mère. Arriver à élever mes petits convenablement pour qu'ils puissent faire des petits à leur tour, que je puisse être grand-mère et qu'il y ait un noyau familial équilibré. Je me retrouve donc avec plus de famille que n'importe qui!

Il y a quatre ans, un oncle que je ne connaissais pas m'a appelée pour me dire: «Voilà, ta mère est morte. Qu'est-ce qu'on met dans le journal? Viens chercher les cendres, vider l'appartement.» Avec Philippe et mes deux enfants, on est partis dans la tempête de neige pour aller dans un appartement qu'on ne connaissait pas. On a vu sa correspondance, ses bouddhas – elle était moine bouddhiste. On a vidé l'appartement, pris les cendres et on les a enterrées à la campagne pour qu'elle ne bouge plus jamais! [rires] À partir du moment où je récupère les cendres et qu'elle nous laisse un petit héritage, elle n'était pas riche, à moi, mon frère et mes deux enfants, j'ai une mère. Elle est dans la prairie, chez nous.

RC Mon père avait laissé 40 000 $ de dettes en 1966. Je n'ai même pas eu une cravate!

> **Ma hantise absolue, c'était d'être seule sur Terre. Que l'humanité disparaisse et qu'il ne reste que moi!**
>
> Manon Barbeau

La solitude

MB Ma hantise absolue, c'était d'être seule sur Terre. Que l'humanité disparaisse et qu'il ne reste que moi!

RC Tu as grandi loin de tes parents puisque dès ton très jeune âge on t'a confiée à tes tantes. Ça vient de là.

MB Peut-être. Maintenant, je m'arrange vraiment très bien avec la solitude. J'aime même être seule. Sauf que quand mon chum est parti, je m'ennuie et je me sens seule dans mon lit! La solitude me permet l'attention au vivant et au bonheur dont on est souvent distrait. On fait attention à l'un et on se préoccupe de ce que pense l'autre. Quand je suis toute seule, je suis dans l'observation du vivant qui me nourrit absolument. Le vrai bonheur, la vraie plénitude, n'est possible que seul.

RC Je suis très solitaire. Je dirais même misanthrope. Pourtant, j'ai l'air de quelqu'un qui aime vraiment le groupe, le collectif. Bizarre! [rires] J'ai été le premier à faire de la création collective de façon institutionnelle. La seule raison: avoir une famille. Pour qu'on soit une tribu, un clan et que j'aie une famille qui ne me lâche pas.

MB Le plus gros point commun, c'est celui-là: j'ai une famille élargie considérable. Tu dis «une tribu»; moi, j'ai des tribus! [rires] Je travaille avec les Premières Nations, entourée de 15 jeunes qui sont ma famille, et je prends chaque jour des nouvelles des jeunes des Premières Nations d'un peu partout: «Toi, tu bois trop.» «Toi, tu devrais retourner à l'école.» Grosse famille!

Les urgences de l'âge

L'âge, est-ce un sujet auquel vous pensez parfois?

RC Souvent. Je dis souvent: il me reste tant de temps. Je souhaite vivre jusqu'à 90 ans, alors il me reste tant... Et là, ce tant, on sait c'est quoi. Un des grands plaisirs dans ma vie, à part passer des nuits avec des femmes, c'est de créer des affaires! Écrire, concevoir, imaginer, réaliser. Créer des personnages.

Les urgences se trouvent là.

RC Créer. J'ai toujours dû avoir un travail alimentaire. J'ai, pour toutes sortes de raisons – je pense que c'est l'héritage de mon père –, soutenu un niveau de vie assez élevé. Même si à 12 ans j'ai reçu au collège une lettre disant: «Raymond, on déménage, on ne sait pas où on s'en va», j'ai été élevé dans une attitude et un environnement bourgeois. Mon père faisait accroire qu'il avait de l'argent. J'ai hérité de ça. Quand j'ai eu le rôle de Louis Riel, à Toronto, j'ai eu 30 000 $ d'un coup. Je les ai dépensés en trois ou quatre mois. [rires] Mon père en moi! Le plaisir de vivre. Évidemment, je suis obligé de travailler beaucoup, beaucoup, beaucoup. Ça m'empêche de créer, d'avoir ce plaisir ultime; je n'ai pas le temps.

Bref, il vous reste un peu plus de 20 ans.

RC Il faut que je simplifie ma vie et que je m'abandonne au plus grand de mes plaisirs, qui serait d'écrire en fait.

Et vous, Manon, pensez-vous à l'âge?

MB Le vieillissement, ça ne me préoccupe pas tellement. Mais, comme Raymond, le temps qu'il reste à vivre, j'en suis hyper consciente. Le temps passe de plus en plus vite, et il nous en reste de moins en moins. Ce qui me rend le plus heureuse, c'est la contemplation dans la nature. Seule à la campagne, je prends le temps d'observer ce qui vit autour de moi. J'ai des souvenirs fulgurants d'affaires que d'autres trouveraient insignifiantes. Je suis à la fenêtre l'hiver et il y a une petite musaraigne blanche qui rentre sous la neige et se creuse un tunnel. On voit juste le petit dôme de neige. J'en parle avec beaucoup d'émotion parce que ce sont des émerveillements absolus qui justifient ma vie: une disponibilité au moment présent. Je n'ai pas accès à ça assez souvent pour me nourrir parce que je suis dans le fonctionnel. J'ai

> Je souhaite vivre jusqu'à 90 ans, alors il me reste tant...
>
> Raymond Cloutier

appris à utiliser certains dons pour faire fonctionner une équipe et gérer un budget quand même assez élevé, mais je suis un peu à côté de la petite fille de sept ans! Il va falloir que je profite des derniers milles pour la retrouver. Écrire à partir d'elle. Apercevoir le monde à partir d'elle. Autrement, je vais être passée à côté.

Regarder des musaraignes des journées entières, vraiment?

 L'éternité est dans les petites choses, dans l'intériorité. La contemplation est le lien avec l'univers et, de loin, la chose la plus importante qui peut te ramener à ton intériorité à partir de laquelle tu peux créer.

Pour moi, la chose la plus importante est de voir la planète, le lieu où j'ai habité, d'essayer d'en voir le plus possible, mais aussi d'avoir accès à l'éternité des petites choses. Je ne pense pas qu'on crée dans l'urgence. On crée au contraire dans l'infinie lenteur qui nous ramène aux profondeurs de soi-même. Pour y arriver, il faut être en lien autant avec l'intérieur que l'extérieur. La musaraigne témoigne de ça. Ce qui se passe à l'extérieur, la vie, tout ce qui bruit autour de nous, c'est la preuve qu'on est vivant puisqu'on le perçoit. Quand je suis en contact avec ça, je me sens tout simplement vivante. C'est apaisant.

Les décennies

Auriez-vous dit ça à 40 ans?

 J'étais dans un processus de survie. La Manon de 40 ans était à New York dans une chambre d'hôtel. Je suis née à 10 h 40. À cette heure-là, j'ai mis Philippe à la porte de la chambre d'hôtel, gentiment, lui demandant de me laisser un moment avec moi-même. J'avais ma bouteille de champagne. J'ai laissé partir la petite Manon par la fenêtre et j'ai accueilli l'autre qui peut vieillir comme elle vieillit maintenant. J'ai décidé que je choisissais de vivre et que j'arrêtais de me poser des questions. La mort allait de toute façon avoir raison de moi, donc ce n'était pas nécessaire de précipiter les choses. J'ai été dans un processus de survie jusqu'à cet âge-là à peu près. Alors non, la Manon d'avant n'aurait pas dit ça. Aujourd'hui, j'ai de plus en plus envie de vivre à la campagne, de voir changer la lumière du jour, de me plonger dans l'eau claire et froide du ruisseau, de voir les colibris battre des ailes...

On est trop obnubilé par notre condition d'humain, nos mécanismes d'humain et nos boiteries d'humain. Il y a autre chose de plus grand et de plus harmonieux dont on n'est pas conscient. Et probablement que la petite

> **J'avais ma bouteille de champagne. J'ai laissé partir la petite Manon par la fenêtre et j'ai accueilli l'autre qui peut vieillir comme elle vieillit maintenant.**
>
> Manon Barbeau

musaraigne me ramène à cette gigantesque harmonie qu'on traverse maladroitement, en boitant, en ayant le rhume, en surveillant la Bourse, en pensant qu'il faut que les choses aillent vite.

Manon a fait le point à 40 ans. Est-ce que vos 40 ans, 50 ans, 60 ans ont été des prises de conscience de ce temps qui passe?

RC Quarante ans a été une charnière pour moi aussi. Notre génération de baby-boomers a étiré l'adolescence jusqu'à 40 ans. Puis tout à coup, on est

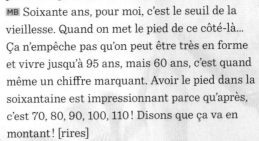

passé à l'âge adulte. Et à 60 ans.

MB Soixante ans, pour moi, c'est le seuil de la vieillesse. Quand on met le pied de ce côté-là... Ça n'empêche pas qu'on peut être très en forme et vivre jusqu'à 95 ans, mais 60 ans, c'est quand même un chiffre marquant. Avoir le pied dans la soixantaine est impressionnant parce qu'après, c'est 70, 80, 90, 100, 110! Disons que ça va en montant! [rires]

RC On dirait des milles à l'heure! Moi, à 40 ans, je suis sorti de l'adolescence et à 50 ans, je suis devenu vieux. Dans l'autre monde. Et la prochaine fois, ça va être au mois de mai, à 70 ans.

À 50 ans, vous avez d'ailleurs obtenu votre carte de l'âge d'or.

RC On m'a téléphoné: «Voulez-vous être porte-parole de l'âge d'or?» Mon agent m'a dit: «Fais-le, il y a des conférences, tu vas te faire un peu de sous avec ça.» On m'a alors demandé si j'avais ma carte. «La carte de quoi?» «L'âge d'or.» J'ai dit: «Écoutez, monsieur, ça n'a pas de bon sens!» «Ça vous prend votre carte.» Alors j'ai pris ma carte pour être porte-parole, sinon je n'aurais jamais embarqué là-dedans! [rires] Considérations alimentaires!

Qu'avez-vous fait de ce rôle de porte-parole?

RC J'y suis allé et j'ai vu de vieilles personnes de 50 ans. J'avais 50 ans, mais je sentais que j'en avais 24 pour de vrai devant ce monde-là. Je me suis dit: «Ces gens-là ne sont pas de ma génération. Ils n'ont pas écouté Jim Morrison!» Beaucoup de ces mouvements, de ces institutions s'adressent à des gens qui sont dans les régions, en campagne. Une autre culture. J'ai aimé les rencontrer, mais je n'en revenais pas de l'âge qu'ils avaient! Le chiffre était le même, mais pas l'âge! J'ai lâché tout ça quand je me suis aperçu que c'est une immense foire commerciale. Ce n'était que pour vendre des affaires aux vieilles personnes, certaines vulnérables. Des assurances, des montres: toutes sortes d'affaires! J'ai fui le bateau comme un rat. [rires]

Moi, à 40 ans, je suis sorti de l'adolescence et à 50 ans, je suis devenu vieux.

Raymond Cloutier

MB Nous avons passé une nuit dans un refuge de marcheurs où on entendait ronfler un homme d'un certain âge, ce qui a fait dire à Jacques, le père de Philippe: «Hé, t'as vu le vieux comme il ronfle!» Philippe lui a dit: «Mais il est plus jeune que toi, papa!» Jacques, qui dans sa tête ne faisait pas son âge, était convaincu d'avoir 15 ans de moins que lui! Je ne suis pas sûre qu'on soit toujours conscient de l'âge qu'on a.

RC Les gens âgés qu'on a connus quand on était petits ne nous ressemblent pas. Je vois les photos de mon père à 22 ans: il porte une cravate et un chapeau, et il a l'air d'avoir 50 ans, du moins dans ma mythologie à moi. Je suis certain qu'aujourd'hui, je n'ai pas l'air d'un gars qui va avoir 70 ans. Nous sommes d'un autre monde. Les gens de 70 ans, quand j'étais petit, boitaient et fumaient de gros cigares. On allait les visiter le dimanche. À cinq heures, il fallait qu'ils prennent un petit thé et ils se couchaient à six heures trente. Bob Dylan, McCartney, Charlebois, Jagger ont 70 ans.

Avez-vous des listes de choses à faire?

RC Je rêvais d'être Claude Nougaro. Quand j'avais 16 ans, je chantais. J'avais un tour de chant complet. J'ai écrit beaucoup de chansons. Quand je vois Émile, je suis jaloux pour mourir! Je voudrais être à sa place. J'ai des rêves comme ça, mais pas de liste.

MB Je voudrais écrire deux ou trois scénarios, réaliser deux longs métrages, écrire trois autres romans, apprendre une ou deux langues. Peut-être commencer à jouer du piano... et devenir médecin!

Médecin! Rien de moins!

MB On ne sait jamais. Il y a un architecte qui est devenu médecin à 80 ans. [silence]

RC Faire une vie d'ermite et avoir assez de sous pour y parvenir, ce serait ma seule liste. Je n'ai pas de talents pour gosser des affaires [rires]. La seule affaire que je sais faire, c'est cuisiner. J'adore cuisiner.

> Je ne suis pas sûre qu'on soit toujours conscient de l'âge qu'on a.
>
> Manon Barbeau

Le voyage à faire

Manon, il y a un an, vous avez voulu visiter le Japon avant qu'il ne soit trop tard?

MB J'ai beaucoup voyagé, mais je n'avais jamais vu le Japon. Ça restait un mythe. Je voulais donc voir le Japon avant qu'il ne soit trop tard. Comme je ne parle pas le japonais, j'ai participé à un voyage organisé. Huit personnes. Des randonneurs. Alors, je suis partie avec mon groupe de «vrais» randonneurs qui s'étaient entraînés sept jours par semaine pendant six mois. J'avais mal aux mollets tellement j'ai essayé de m'entraîner deux semaines avant. J'ai vu le Japon, mais je l'ai vu en courant tout le temps, tout le temps! J'ai l'impression d'avoir vu une série de diapositives! [rires] Je l'ai fait, le voyage au Japon! Pas celui dont je rêvais, mais au moins, il est coché, il est fait.

Quel est votre rapport avec les jeunes ? Souhaitez-vous qu'ils vous vouvoient ?

RC J'ai de la misère avec ça. Pourtant, j'ai toujours vouvoyé les enfants, à moins de les connaître depuis longtemps. Et c'est toujours intéressant. Les enfants, quand on les vouvoie, ils se redressent et deviennent quelqu'un. Quand je me fais vouvoyer par des employés ou des jeunes qui tutoient tout le monde mais me vouvoient, je me dis : « Faut que je défasse ça, comment je vais faire ? » Ça ne fait pas longtemps que je me fais appeler « monsieur », mais ça n'a pas de bon sens. Je ne peux pas me concevoir comme un monsieur.

MB Je me souviens de la première fois où je me suis fait appeler « madame ». Très précisément. J'avais fait monter deux jeunes sur le pouce. Ça fait longtemps. Toute mon équipe me tutoie, sauf peut-être deux personnes, mais je suis beaucoup plus proche de celles qui me tutoient. Elles ont entre 20 et 33 ans et j'aime beaucoup leur dynamisme. Denys Arcand parlait de la « génération baveuse », entre 20 et 30 ans. En général, ces jeunes sont plus difficiles. Ils savent tout et veulent te prouver qu'ils savent tout. Tes 30 ans d'expérience n'ont aucun poids. À partir de 30 ans, on dirait qu'ils s'ouvrent. Ils commencent à avoir une vraie expérience et veulent échanger des idées. Mais ils sont très confrontants. En même temps, ils sont très stimulants parce qu'ils te poussent souvent dans tes retranchements. Très souvent, ils ont raison aussi. Ils sont déstabilisants. J'aime ça, mais c'est fatigant pour le système ! Ça nous force à avancer, à réfléchir, à prendre de meilleures décisions. On n'avance pas seul.

Respect des Anciens

Pour certaines personnes des Premières Nations, vous êtes *kokom*.

MB Je suis *kokom* depuis cinq ans à peu près. Grand-mère. Il y a quelques années, j'étais à Kitcisakik, une petite communauté sans eau courante ni électricité. Notre atelier mobile était là et on pensait que c'était notre dernière escale. J'étais bouleversée par le fait qu'on n'allait sans doute plus revenir. La maman d'une participante m'a prise dans ses bras – elle était un peu plus jeune que moi – et elle m'a dit : « Pleure pas, *kokom*. » J'héritais du statut de grand-mère. Il paraît que c'est un très grand honneur chez les autochtones de se faire appeler ainsi. Je l'ai mieux pris par la suite.

Je ne pense pas que la sagesse vienne nécessairement avec l'âge.

Manon Barbeau

RC Elles sont consultées pour des décisions importantes.

MB Les *kokoms* sont respectés dans les communautés. Quand t'es une *kokom*, tu es consultée, aimée et respectée. Tu as une valeur à cause de l'âge. Et à cause de ce que la vie t'a apporté.

RC Dans notre culture, si les vieux ne sont pas respectés, c'est aussi parce qu'ils sont niaiseux. Faut dire les choses comme elles sont! J'ai consulté mes grands-parents souvent, je les ai fréquentés, et c'était du ronchonnement sur toutes sortes de patentes. Quand certains vieux Innus parlent, on voit qu'ils ont appris quelque chose.

MB Beaucoup d'aînés n'ont pas grand-chose à dire. Je ne pense pas que la sagesse vienne nécessairement avec l'âge.

RC Moi non plus. La sagesse vient dans certaines cultures un peu plus fréquemment, pour toutes sortes de raisons.

On y respecte les anciens.

RC Quoique beaucoup de jeunes me consultent parce que j'ai fait plus d'affaires qu'eux, plus longtemps. Mais pour avoir des avis à donner, il faut avoir réfléchi. Ils vont me consulter tant que je vais être intelligent, j'imagine.

MB Ici, c'est plutôt un défaut d'être vieux.

RC J'espère que non.

MB Les cultures amérindiennes ont été tellement amochées. Les aînés ont été aussi très amochés. Je n'envie pas ça. J'envierais plus certaines cultures asiatiques. Au Japon, les aînés sont vraiment respectés. J'ai beaucoup entendu cette

Techno

RC Je suis un peu jaloux de ceux qui vont rester parce que depuis 10 ou 15 ans, le développement technologique va à une vitesse exponentielle. Qu'est-ce qui va se passer dans 40 ans que je ne verrai pas? Dans 50 ans? Jusqu'où va aller l'intelligence artificielle? Comment est-ce qu'on va vivre? Est-ce qu'il va y avoir un arrêt?

MB Je ne pense pas que ça va s'arrêter.

RC Je suis très gadget. Toutes ces affaires-là sont des jouets pour moi. Ça m'obsède. Je dis à Jules, mon plus jeune fils: «Imagine quand tu vas avoir mon âge! Peux-tu imaginer ce qui va arriver?» Nos grands-parents ne pensaient pas à ça. Nous, rien ne nous étonnerait.

MB Ne serait-ce qu'avec Skype! J'ai des amis dont la moitié de la famille est au Pérou et l'autre, à Montréal. Le matin, ils déjeunaient ensemble sur Skype. Ils décidaient du menu du soir ensemble et le soir ils mangeaient exactement la même chose. Tu t'ennuies moins, l'autre reste présent. Si j'avais eu ça…

RC C'est pas trop chaud dans le lit, en tout cas! [rires]

plainte dans la bouche de mon père, Marcel Barbeau. En Orient, s'il avait eu l'âge qu'il a aujourd'hui et la carrière qu'il a, les gens n'auraient pas du tout le même rapport avec lui. Je pense qu'on pourrait continuer à être utile très longtemps d'une autre façon, mais je ne crois pas que ce soit très considéré en Occident.

RC Ce sont des sociétés très traditionnelles. On passe la même culture, les mêmes savoir-faire à l'autre génération tout le temps, depuis longtemps. C'est sûr que nous autres, avec l'obsession de la modernité...

MB La modernité et la consommation. Tu as fait ton temps, on te jette et on prend quelqu'un de jeune!

Heureux?

[silence]

MB Oui. Je suis plus sereine que je ne l'étais. J'ai beaucoup plus de moments de bonheur que quand j'étais plus jeune, pas des bonheurs permanents évidemment. J'ai des préoccupations personnelles, professionnelles, mais elles n'atteignent pas mon bonheur. Je suis plus sereine depuis que j'ai des petits-enfants. C'est venu asseoir ma vie et me permettre d'avoir le pied dans une autre étape où je dois être professeure de bonheur. Donc, c'est important que je le sois moi-même. Et puis c'est un mouvement d'aller-retour : mes petits-enfants m'apprennent aussi à être heureuse. Mes moments de bonheur sont de plus en plus fréquents. Mais je sais que je peux faire mieux!

RC Je n'ai pas reçu cette affaire-là de mes petits-enfants. Je ne peux pas dire que c'est une période heureuse, mais je suis paisible, même si je m'ennuie de jouer comme ça n'a plus de bon sens.

Bref, vous n'êtes pas vieux. Vous avez respectivement 7 et 24 ans.

MB Je suis quelqu'un de sept ans. Mûre, [rires] mais tout le reste, à part cette maturité de surface, a vraiment, vraiment sept ans, avec les grosses peines, les petites inquiétudes, l'émerveillement, la poésie, le besoin d'affection, les craintes. J'ai sept ans, mais je suis entourée d'une petite carapace de maturité.

RC Mon 24 ans est moins fou. Moins délirant.

Vous avez dompté la bête.

MB Elle s'est domptée toute seule.

RC Par la force des choses, mais c'est mieux comme ça. Je dis souvent à Émile : « Si j'avais eu ton sérieux! » C'est une génération extrêmement sérieuse. Des travailleurs acharnés. Ils ne font pas autre chose! On faisait ça pour avoir du fun! On achetait de l'affection, des plaisirs. La vie était éternellement un party.

> Mes petits-enfants m'apprennent aussi à être heureuse.
>
> Manon Barbeau

236

Le vieillissement, ça ne me préoccupe pas tellement. Mais, comme Raymond, le temps qu'il reste à vivre, j'en suis hyper consciente. Manon Barbeau

Lorsque les grands-parents se sont retrouvés devant l'objectif, ils étaient plus près l'un de l'autre qu'au début de la rencontre, mais encore incertains quant à l'attitude à adopter l'un face à l'autre. C'est là que Manon Barbeau a tenté un ultime rapprochement en saisissant le foulard de Raymond Cloutier. Moment fugitif où ils ont respectivement 7 et 24 ans... M.C.

Danielle Ouimet + Marguerite Blais

Les blondes

Je m'en souviens comme si c'était hier. Pourtant, cela fait bien cinq ans. Ce jour-là, en voyant le film de Sophie Deraspe, *Les signes vitaux,* j'ai pris la pleine mesure du temps qui passe. Danielle Ouimet y joue une femme aux soins palliatifs. Quarante ans ont passé depuis qu'elle a montré ses charmes dans *Valérie* et *L'initiation.* En repensant à cette image, j'ai eu envie de la rencontrer, même si, bien sûr, elle ne ressemble pas à la vieille femme diminuée que j'ai vue au cinéma. Lorsque Danielle Ouimet m'a suggéré d'inviter Marguerite Blais, la députée de Saint-Henri–Sainte-Anne, à l'origine de la création d'un ministère responsable des Aînés, j'ai tout de suite su que cette série de tête-à-tête se terminerait en beauté. Je ne croyais pas si bien dire...

Danielle Ouimet Faut que je t'arrange le cheveu parce qu'il y a quelque chose qui m'énerve. Je ne suis pas dans l'image, là, mais... [rires]

Marguerite Blais Tu m'arranges le cheveu parce que ça te dérange, toi!

DO T'avais une grande barre blanche, alors sur la photo...

MB Elle était blanche?

La beauté a beaucoup compté pour vous deux en début de carrière, non?

MB Seulement «en début de carrière»? [rires]

DO Encore maintenant! [rires]

Vieillir dans le regard des autres

DO C'est gratifiant. Le vécu dans la figure d'une femme donne beaucoup plus de beauté que la jeunesse. Devant des photos de moi quand j'étais jeune, je me dis: «Ah, oui, la perfection!» Maudit que j'étais innocente! [rires] J'ai l'impression que c'est écrit dans la face! Aujourd'hui, tous mes plis, je les ai gagnés. Cette sagesse, on la gagne avec le temps.

MB J'ai fait partie d'une génération – un peu comme Danielle – de femmes blondes. [rires] La femme était souvent le faire-valoir de l'homme. On était des objets. Alors, si on parlait, on pouvait déranger. Dans ma vie antérieure, je devais prouver que j'étais intelligente. Une femme moins «coquette» n'avait pas nécessairement à prouver son intelligence. C'est un poids à porter. Quand je suis allée à l'université à 45 ans, quelqu'un m'a dit: «Ah! T'as été capable de prouver que t'étais intelligente.»

Un homme ou une femme?

MB Un homme. On associe beaucoup l'intelligence aux diplômes universitaires. Pour parler de ce que Danielle appelle des «plis», je dis souvent que la caméra doit tomber en amour avec les rides qui, à l'instar des sillons d'une carte topographique, racontent les histoires de vie des hommes et des femmes. Et je le crois sincèrement. Ces expressions de vie prouvent qu'on est encore vivant. On vit. Nécessairement.

DO Différemment, avec plus de sagesse, plus de recul. Beaucoup plus et beaucoup mieux.

Sous le signe de la beauté

Vous arrive-t-il encore de vous dire: « Aujourd'hui, je vais être belle! »?

DO Non. Un ami marseillais me disait tout le temps: « La beauté, ça ne se mange pas en salade. » Ça ne sert strictement à rien. Dans le fond, c'est un état. Mais l'utilité de ça... à moins que tu sois une fille tordue et que tu dises: « Je vais utiliser mes charmes pour arriver à mes fins. »

MB Je ne te crois pas, Danielle. On est ici pour cette entrevue et tu t'es fait coiffer, tu t'es bien maquillée, t'as mis du rouge sur tes ongles, tu t'es habillée.

DO C'est par plaisir. Parfois, à la maison, je suis tannée de ne pas être belle, alors je me mets un beau pyjama pour avoir du plaisir à être belle. Aujourd'hui, je savais qu'il fallait que ce soit éclatant. Il fait beau, il fallait que ce soit beau. Je savais que la caméra rendrait ça un petit peu brillant. Le métier revient ! La beauté en soi doit être célébrée.

MB Sais-tu combien de fois tu as dit « beauté » et « belle »? [rires]

DO L'envie d'être beau, pas l'obligation.

MB L'obligation.

Vous vous picossez un peu ou je me trompe? [rires]

DO Je sais ce qu'elle voulait dire, mais ce n'est plus une obligation, c'est un plaisir.

Obligation ou plaisir pour vous, Marguerite?

MB [hésitation] J'ai le souci d'être belle, mais je me rends compte que j'ai changé. C'est inévitable. Je l'accepte. On nous parle souvent, à nous les femmes, de tout ce qui s'appelle Botox, chirurgie esthétique, etc. Quand on a été la ministre responsable des Aînés et qu'on a parlé d'acceptation du vieillissement, on doit faire face au temps qui passe. Il faut bien accepter de vieillir. En même temps, cette semaine, j'entendais madame Obama, qui a 50 ans, dire à ce sujet: « J'ai appris à ne jamais dire jamais. » Je n'ai jamais eu recours à ces moyens. Pour moi, la chirurgie esthétique, les moyens externes, ce n'est pas ça, la beauté, sauf si la personne en a réellement besoin pour être

> Le vécu dans la figure d'une femme donne beaucoup plus de beauté que la jeunesse.
>
> Danielle Ouimet

> J'ai le souci d'être belle, mais je me rends compte que j'ai changé. C'est inévitable. Je l'accepte.
>
> Marguerite Blais

241

bien dans sa peau, en harmonie. Ça, je l'accepte. On ne peut pas être contre le bonheur de quelqu'un. La beauté passe par un accomplissement. Se sentir bien. En paix. Serein.

DO Tu es d'accord avec moi. [rires]

Dire votre âge vous gêne-t-il?

DO Je n'aime pas le dire, parce que ça vient avec un jugement épouvantable. Quand je le dis, c'est souvent par provocation, parce que peu de gens de mon âge font ce que je fais. J'ai 66 ans et je fais encore du rafting sur la Rouge au printemps. Pour l'adrénaline. Il y en a qui vont dire: «Elle est folle, à son âge!» Ben oui, je vais me péter la gueule! Ce n'est pas plus grave que ça.

Vous leur dites: «Je suis vivante!»

DO Je suis vivante! Je fais des choses qui me mettent des étincelles dans les yeux. Comme on a eu une vie très active, une vie avec un public devant soi, on essaie de faire quelque chose qui va nous ébahir et nous amener plus loin. Je l'ai toujours fait, d'ailleurs! [rires]

MB Ça ne me dérange pas de dire mon âge, mais je constate depuis plusieurs années qu'il y a beaucoup de discrimination par rapport à l'âge dans le marché de l'emploi. À un certain âge, on te disqualifie automatiquement.

DO À la télévision.

MB Pas seulement à la télé. Beaucoup ont l'impression qu'à un certain âge on est moins en mesure de faire son travail, alors que c'est le moment de faire un transfert de ses acquis aux générations montantes. Des gens sont disqualifiés parce que le monde du travail est incapable de prendre ce virage culturel et organisationnel. C'est épouvantable! En politique, il y a beaucoup de personnes vieillissantes, des maires, des députés, et on l'accepte. C'est d'ailleurs l'un des rares métiers où on l'accepte.

MB Ailleurs, c'est plus difficile.

DO Surtout pour les femmes.

MB Pourtant, l'espérance de vie augmente de façon incroyable! Les 65 ans d'hier sont les 75 ans d'aujourd'hui. Voilà la réalité.

C'est le moment de faire un transfert de ses acquis aux générations montantes.

Marguerite Blais

Mesurer le temps

Y a-t-il eu des âges difficiles, des murs à franchir?

MB La soixantaine. Et aujourd'hui, c'est comme si j'avais une règle à mesurer: je regarde derrière ce que j'ai accompli, le temps qui reste sur la règle, et c'est comme s'il y avait une urgence de vivre. Qu'est-ce qui est important? Qu'est-ce qui ne l'est plus? Qu'est-ce que je voudrais encore accomplir de significatif? Y a-t-il des retours en arrière, des éléments que je voudrais retoucher? À 63 ans, il reste beaucoup moins de temps pour accomplir des choses.

Et ces choses-là doivent compter.

MB Il y a des décisions à prendre. Est-ce qu'il me reste 10, 15, 20 ans? Je parle de vie en bonne santé, en pleine forme. Et si je veux faire un bout de chemin dans une autre carrière, comment je l'organise? J'en suis là dans ma vie. Pour ça, 60 ans, ç'a été un choc.

DO J'ai 66. Avoir 80 ne me dérangera pas si je suis en pleine forme. Tout est une question d'être bien dans sa tête. Je n'ai pas de limites dans ma tête. Je ne m'en mets pas. Mon rêve, même si je n'ai plus l'argent pour le faire, serait de faire le tour du monde. Pour simplement vivre. Juste vivre. Qu'est-ce

> J'ai 66 ans et je fais encore du rafting sur la Rouge au printemps.
>
> Danielle Ouimet

Les rides à l'écran

Marguerite, quand vous étiez au début de la quarantaine, on vous a fait comprendre que vous étiez trop vieille pour travailler à la télévision.

MB C'était au début des années 90. On remarque déjà le changement à la télévision, bien qu'on voie souvent un homme de notre génération et de très jeunes femmes journalistes autour de lui. Comme faire-valoir.

Et vous, Danielle?

DO Comme animatrice, c'est terminé. Oubliez ça. À moins que je choisisse un sujet très sérieux. Hier, au Salon de l'auto, j'étais à côté d'Éric Salvail. Les gens se sont tous précipités sur lui. Moi, ils me disaient: «C'est un honneur, madame Ouimet, de vous serrer la main.» Ai-je vieilli ou ai-je fait mes classes? [rires]

Vous avez joué une femme aux soins palliatifs dans le film _Les signes vitaux._ A-t-il été facile d'accepter cette image?

DO La maquilleuse me mettait des taches blanches, des rides. Quand je me suis vue, j'ai vu ma mère: «Danielle, c'est là que tu t'en vas!» [rires] Finalement, je fais une belle vieille sympathique et c'est probablement ce qui va arriver. Ça donne quand même un coup de se voir comme ça!

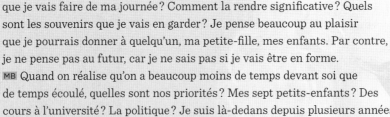

> Je suis heureuse à la maison, mais de ne pas pouvoir discuter ou rencontrer du monde, ça me fait vieillir.
>
> Danielle Ouimet

que je vais faire de ma journée ? Comment la rendre significative ? Quels sont les souvenirs que je vais en garder ? Je pense beaucoup au plaisir que je pourrais donner à quelqu'un, ma petite-fille, mes enfants. Par contre, je ne pense pas au futur, car je ne sais pas si je vais être en forme.

MB Quand on réalise qu'on a beaucoup moins de temps devant soi que de temps écoulé, quelles sont nos priorités ? Mes sept petits-enfants ? Des cours à l'université ? La politique ? Je suis là-dedans depuis plusieurs années, puisque je visite des CHSLD, des résidences de personnes âgées. Je suis en contact avec les aînés tout le temps. En bonne santé et en bonne forme, qu'est-ce que je veux faire le plus ? Regarder le paysage ? Lire ? Me remettre au piano ?

DO Tu travailles beaucoup, alors je comprends que tu veuilles faire quelque chose pour toi.

MB Peut-être pas juste pour moi. Je veux employer ce temps qui reste de façon correcte.

DO Elle est très généreuse.

Vous êtes plus égoïste ?

DO J'ai le temps de me lever le matin et de décider de ma journée. Remarque, j'aimerais beaucoup mieux travailler comme toi, mais ce n'est pas le cas pour l'instant.

MB On peut changer pour un bout de temps ! [rires]

DO Tu as un homme et des enfants ; moi, je vis toute seule dans une grande maison. Ma priorité a été de payer toutes mes dettes. Régler tout ça pour pouvoir faire ce que je veux. Ma maison est payée.

MB J'ai fait la même chose.

DO Je ne suis pas riche, mais je peux décider demain que je pars trois mois. Je suis heureuse à la maison, mais de ne pas pouvoir discuter ou rencontrer du monde, ça me fait vieillir. Ne pas participer à l'échange des idées, à la radio ou à la télévision, je trouve ça épouvantable !

MB Il y a des gens qui me disent : « Vous ne vous ennuyez pas de faire de la télévision ? » Non. Quand, à 41 ans, je me suis fait dire que j'étais trop vieille pour pratiquer mon métier, je n'ai pas fermé la porte tout de suite, mais psychologiquement, mentalement, la porte s'est refermée. Je ne m'ennuie pas.

DO La télévision, c'était gratifiant. On donne de l'énergie, mais ça nous revient. Et c'est exactement ce que tu fais : quelque chose de gratifiant.

MB La dernière fois qu'on s'est vues, c'est à l'Assemblée nationale pour une entrevue que je lui ai accordée. Les gens n'arrêtaient pas de venir voir

Danielle Ouimet. « J'ai lu votre livre ! » « Un autographe ! » Je l'ai amenée au Salon des députés, et c'était incroyable : quand elle est là, les têtes se tournent !

DO Quelqu'un m'a dit : « Si tu mets tes talons hauts, je vais t'appuyer pour que tu aies une médaille de l'Assemblée nationale ! » Mes souliers ont tellement de mérite ! [rires]

Mères et grand-mères

Quelle place cela occupe-t-il dans vos vies ?

DO On ne dira jamais assez comment on se découvre, on se redécouvre grâce à ces enfants-là. Comme si le fait d'avoir eu des enfants, d'avoir dû être sévère, directive, avait enlevé tout le côté le fun d'être avec des enfants. Une grand-mère n'a pas à taper sur les doigts. La petite m'écoute. Son frère, non ! [rires] Elle commence sa vie, elle ne voit de mal nulle part. Moi, je revis. C'est effrayant comme ça me fait faire attention à moi... pour elle. C'est important de lui passer une banque de savoirs. L'autre jour, je suis allée la chercher à l'école, et elle m'a donné un dessin qu'elle avait reçu de Boris, son amoureux. J'ai trouvé adorable qu'elle veuille donner ses belles choses. Je lui ai donc acheté un kit d'acrylique et, cette semaine, on va faire une toile pour Boris. Je lui ai parlé de ça au téléphone : elle m'attend comme le Messie ! Ça fait ma semaine ! [rires]

MB J'ai sept petits-enfants. Ma fille Cécilia, Péruvienne d'origine, en a trois. Son frère biologique, Carlos, a une fille qui est l'aînée de mes petits-enfants. Ma fille tunisienne a deux enfants. Et la blonde de mon fils guatémaltèque a accouché le 26 décembre. Francesco a donné une partie de son nom de

À 63 ans, il reste beaucoup moins de temps pour accomplir des choses.

Marguerite Blais

Plaire encore

Ne m'avez-vous pas dit, Danielle, que vous étiez un fantasme pour certains hommes plus jeunes ?

DO En ce moment, des 35 à 40 ans m'approchent.

MB *You're a cougar !* [rires]

DO *Oh, no !* [rires] Les jeunes qui sentent encore le pipi, non ! [rires] Je ne suis pas une maman dans l'âme. Au contraire, je veux qu'on m'apprenne des choses. Ce n'est pas à 35 ans... [rires] Bien sûr, il y en a qui peuvent m'apprendre des affaires, mais ce serait plutôt l'inverse. Je trouve ça tellement ennuyant !

Il faut apprivoiser la mort et la faire apprivoiser aux enfants sans les traumatiser.

Danielle Ouimet

famille, Santiago, comme prénom à son fils. Ça prouve l'importance des racines, des origines. Il y a un an, à Noël, Sarah, Tunisienne musulmane, me dit : « Tu es ma demi-grand-mère. Ma demi-mamie. » Je lui ai dit : « Parfait, je vais te donner la moitié d'un cadeau ! » [rires] Il y a à peu près un mois, j'ai reçu une lettre : « Chère mamie… » Dans sa lettre, elle me demande de lui raconter comment c'était en deuxième année, comment étaient mon bureau, les professeurs… Je lui ai écrit. La lettre sera lue à l'école. Je lui raconte que j'étais extrêmement touchée, profondément touchée, de ce « Chère mamie », parce qu'il y a un an, j'étais une demi-grand-mère. Elle m'a adoptée comme j'ai adopté sa mère. On peut mettre au monde avec son cœur et avec l'amour. Moi, mes enfants, je les ai mis au monde.

DO Les enfants sont merveilleux. Ils te ramènent tellement à la bonne place !

MB On infantilise les personnes âgées et les enfants. J'ai une amie que je connais depuis le Conservatoire de musique. Elle est dans un CHSLD, atteinte de la maladie d'Alzheimer. Ma petite-fille Thaïna et moi sommes allées la voir. J'ai prévenu Thaïna : « Tu vas voir, ce n'est pas facile : dans cet établissement, les gens sont très malades, mais c'est la réalité de la vie. » Au début, elle a été un peu surprise. Après, elle s'est mise à parler avec Rollande, qui lui faisait toujours répéter à cause de sa maladie. Elle lui a dit : « C'est pas grave, ça ne me dérange pas de répéter. Tu sais, Rollande, moi aussi, j'oublie. »

La mort

DO Il faut apprivoiser la mort et la faire apprivoiser aux enfants sans les traumatiser. Celui qui m'a vraiment aidée là-dedans, c'est monsieur Péladeau : « Danielle, le chauffeur vient te chercher. On va voir quelqu'un que tu ne connais pas qui est en train de mourir. » Je lui ai dit : « Voyons, Pierre, je ne le connais pas ! Qu'est-ce que je vais lui raconter ? » « T'as rien à lui raconter. Tu l'écoutes. »

Quelqu'un qu'il connaissait ?

DO Non. Pierre Péladeau était un homme fa-bu-leux ! On le connaît mal. Quand un journaliste qui l'avait trahi de la pire des façons est entré à l'hôpital, très malade, sans argent ni personne pour s'occuper de lui, Pierre est allé le chercher et l'a installé chez lui avec une infirmière jusqu'à ce qu'il se rétablisse.

L'avez-vous souvent accompagné auprès de gens en fin de vie?

DO Régulièrement. Ils mouraient dans la semaine ou peu de temps après. J'ai fait la même chose pour lui quand j'ai su qu'il était dans le coma. J'ai attendu 11 heures le soir pour être sûre que personne ne soit autour de l'hôpital et je suis allée lui tenir la main pendant 2 heures. J'étais avec son fils. On lui a parlé, on lui a mis de la musique, on a ri et on a pleuré, Pierre-Karl et moi. Je le fais encore quand on m'appelle. Je n'ai pas peur de la mort.

MB Moi non plus.

DO Pendant 14 ans, j'ai fait le Téléthon des étoiles. On m'a envoyée voir des enfants très malades en me disant : « Il faut que tu les voies pour savoir pourquoi tu demandes de l'argent. » Combien de fois j'ai pris un enfant dans mes bras, passé l'après-midi avec lui et appris pendant le téléthon qu'il était mort. J'avais beaucoup de ressentiment, mais je faisais chose utile. Après, bingo, je suis tombée sur Pierre Péladeau qui m'a amenée vers les personnes en fin de vie. Je suis persuadée qu'il y a une raison à tout. Quand on est gâté par la vie, des choses qui nous arrivent nous rendent plus conscients.

On reçoit, on donne.

DO Exactement. Mon père était dans le coma et on disait qu'il allait mourir. Au milieu de la nuit, je me suis réveillée : il fallait que j'aille à l'hôpital. Je lui ai tenu la main : « Est-ce que tu m'entends, papa ? Serre ! » Et ça serrait. L'infirmière est venue, elle a fait tous les tests. Elle m'a montré avec la lumière que la pupille ne se dilatait pas. Elle lui a chatouillé les pieds, elle l'a pincé. Je lui disais : « Mettez votre main avec moi. » Il recommençait. Elle disait : « Ça doit être les nerfs. » Mon père est mort à six heures le matin. Pourquoi suis-je allée à l'hôpital ? Je ne sais pas. Il y a quelque chose qui est relié à la mort qui ne me fait pas peur. Combien de fois j'ai sauvé des gens sur le bord de la route ! Il y a une dame sur le pont Jacques-Cartier, sa voiture était séparée en deux, et on m'a dit : « Elle est morte, oubliez ça ! » Je me suis occupée d'elle. J'ai sorti sa langue, coupé ses vêtements et l'ai mise droite. Elle s'est réveillée. Elle m'a regardée et elle m'a souri. Tout était correct. Je lui ai sauvé la vie !

Qui êtes-vous, Danielle Ouimet ?

DO Je ne le sais pas ! Quand ma grand-mère est morte, je m'assoyais dans sa tombe et je lui parlais. J'ai même marié un thanatologue ! [rires]

La totale ! [rires]

DO Pour moi, mourir va être une fête. J'ai tout prévu. Je vais accueillir les

Je n'ai pas peur de la mort.

Danielle Ouimet

gens à l'église avec un film et faire un bijou en verre dans lequel il y aura mes cendres. Les gens vont partir avec moi.

MB Je veux un bijou de verre! [rires]

Vous avez ça en tête depuis longtemps?

DO Des années! Vieillir, c'est sûr que c'est plate, mais je suis rendue là. S'il y a quelque chose de juste sur la Terre, c'est que tout le monde passe par là.

MB Tout le monde ne passe pas par là... Les enfants qu'on voit au Téléthon des étoiles n'ont pas eu cette chance.

DO C'est vrai.

MB C'est pour ça qu'il faut réfléchir au temps qu'il nous reste et à ce qu'on va en faire.

Vieillir, c'est sûr que c'est plate, mais je suis rendue là.

Danielle Ouimet

Les réalisations

Marguerite, dès 1979, à moins de 30 ans, vous vous êtes intéressée aux aînés. Comment est-ce arrivé?

MB Jacques Lalonde a eu le mandat de réaliser une émission de services à la communauté. Il m'a proposé de tenir une chronique quotidienne sur le troisième âge. Personne ne voulait entendre parler de ça! J'ai appelé l'Association québécoise des droits des retraités, les préretraités, la Fédération de l'âge d'or, tout ce qui existait. Quand je suis devenue la coanimatrice de l'émission, j'ai gardé cette chronique. Durant les années 80, Thérèse Lavoie-Roux, ministre de la Santé et des Services sociaux, m'a demandé de faire partie d'un comité sur les abus exercés à l'endroit des personnes âgées. Des années plus tard, j'ai déposé un plan d'action pour combattre la maltraitance envers les aînés en tant que ministre responsable des Aînés.

Vous êtes à l'origine de la création de ce ministère.

MB J'ai été la première ministre responsable des Aînés, mais comme le gouvernement était minoritaire, il ne pouvait pas créer un véritable ministère. Quand je suis arrivée, il y avait trois fonctionnaires et je n'avais pas de budget. Tout le monde riait de moi: «Ministre des Aînés, c'est juste des relations publiques.» Des relations publiques? Vous ne me connaissez pas! Je me suis battue. On a fait une consultation publique sur les conditions de vie des aînés. Le plan d'action pour combattre la maltraitance, c'était un investissement de 28 millions de dollars jusqu'en 2017. Quand j'ai quitté mes fonctions, je venais de déposer la première politique sur le vieillissement de l'histoire du Québec: 2,7 milliards de dollars. S'il n'y a pas de budget pour accompagner une politique, rien ne se passe. On a aussi créé les politiques des municipalités amies des aînés. Là encore, tout le monde riait. Selon l'Organisation mondiale de la santé, le Québec est la société la plus avancée dans l'implantation de politiques pour et avec les aînés. Les municipalités du Québec reçoivent de l'argent à la condition que les aînés soient assis à la même table que les élus. Sinon rien. Plus de 710 municipalités sont maintenant amies des aînés.

De plus, vous visitez les Petits Frères des pauvres, les maisons de retraite...

MB Je suis plus « terrain » que théorique. [rires] La théorie s'est développée tardivement. Danielle est aussi comme ça : le pif, l'intuition. On vient d'une époque où on apprenait sur le tas. C'est encore comme ça que je travaille.

Avec l'intuition. Celui qui m'a dit que j'étais trop vieille ne le sait pas, mais il m'a donné un coup de pied dans le derrière pour m'allumer autrement. Me réinventer. On peut se réinventer tout au long de sa vie. Un jour, je visite un CHSLD à Québec, Saint-Jean-Eudes. Une dame à mobilité réduite fait des tableaux, et je lui dis : « Madame, je ne pourrais jamais faire ce que vous faites. » Elle me répond : « Je vous défends de dire ça. J'ai appris à faire de la peinture à 92 ans ! » J'ai réalisé combien j'étais imbécile. On se met ses propres barrières, même si, bien sûr, on a des barrières physiques,

des limites. Il y a un magnifique festival international de la poésie à Trois-Rivières. La direction a lancé un concours destiné aux personnes âgées. La personne qui a remporté le premier prix était aphasique. Elle ne parlait plus, mais elle s'exprimait par la poésie.

Un jour, j'ai tout perdu. Je n'avais plus d'argent, et ma mère venait de mourir du cancer. On est en 1994, l'Année internationale de la famille. J'appelle monsieur Claude Charron, le propriétaire des magazines *7 jours* et *La semaine*, et il me donne un rendez-vous au Ritz-Carlton. J'étais très impressionnée. Il me propose de faire une chronique dans le cadre de l'Année internationale de la famille : « On a des correcteurs, des réviseurs.

> On peut se réinventer tout au long de sa vie.
>
> Marguerite Blais

On est une société vieillissante, mais on ne veut pas voir les personnes qui vieillissent.

Marguerite Blais

L'important, c'est d'aller chercher les vedettes et de faire les entrevues.» Ça m'humiliait un peu, je l'avoue, mais cette année a été formidable. Toutes les semaines, je regardais ce qu'ils avaient corrigé, comment ils l'avaient corrigé, comment je m'étais améliorée. Ça m'a permis d'écrire un projet pour être admise en maîtrise. Je n'avais même pas mon baccalauréat. Apprendre à écrire, c'est quelque chose de très puissant. Ma vie a changé grâce à l'écriture. J'ai fait ma maîtrise à 45 ans, puis un doctorat et un postdoctorat. Tout ça grâce à Claude Charron qui m'a donné ma chance.

DO Vieillir, vraiment vieillir, c'est se mettre une limite en se disant qu'on n'est plus capable, qu'on est trop vieux. Combien de gens m'ont dit: « J'aimerais ça peindre.» Vas-y! Ma mère a appris à 80 ans. Elle s'ennuyait. Je lui ai mis ça sur la table: «Tu prends un dessin et t'essaies de le reproduire. Ça va être tout croche, mais tu vas avoir essayé!» Elle est morte jeune, ma mère. Elle avait 83 ans. Vieillir, c'est se laisser aller. J'ai un ami pilote d'avion. Quand on était ensemble, on allait déjeuner à Trois-Rivières, à Rimouski, dans son petit avion. Une machine à coudre! J'avais peur pour mourir, mais on partait! [rires]

MB Elle me fait rire! Je voulais qu'elle vienne faire de la politique.

Ce ne sont que des épithètes

Aîné, personne âgée, senior, on a droit à tout. Être qualifiées de vieilles vous fait quoi?

DO Je trouvais ça épouvantable, je le prenais très mal, puis un jour je me suis dit: «Danielle, c'est peut-être parce que c'est vrai.» [rires] Un jour, ça leur arrivera!

MB On est une société vieillissante, mais on ne veut pas voir les personnes qui vieillissent. En ce moment, il y a une commission parlementaire sur les conditions de vie des adultes hébergés en CHSLD. Est-ce que vous en avez entendu parler? Zéro. Pourtant, 38 000 personnes vivent dans ces établissements. On ne veut pas regarder ce qui s'y passe, mais comme société, on doit se préoccuper de nos personnes vulnérables, qu'il s'agisse de jeunes enfants ou de personnes en lourde perte d'autonomie. Chaque acteur de la société a cette responsabilité. Quel journaliste va en parler?

Qu'est-ce qui vous agace le plus dans le vieillissement?

DO Les gens te casent. Comme si tu n'étais plus rien. L'homme est traité différemment. S'il a de l'expérience, il a fait ses preuves et c'est le Bon Dieu descendu sur la Terre !

MB On est valorisé par rapport à son statut. La journée où on n'a plus ce statut, où on décide de se retirer de ce statut – je n'aime pas tellement le mot *retraite* –, on n'est plus valorisé parce qu'on vit dans une société hyper branchée sur ce qu'on rapporte. On donne l'impression que les personnes qui ont pris leur retraite ne rapportent plus économiquement à la société, alors quand on transforme un hôtel en résidence pour personnes âgées sur Grande Allée à Québec, non loin des bars et des restaurants, ça suscite toutes sortes de réactions négatives.

DO Voyons donc ! Quand t'es vieux, t'as le temps d'aller t'asseoir au restaurant, surtout si c'est à côté de chez vous.

MB Ils ne veulent peut-être pas voir une population vieille dans ces restaurants. Incroyable ! Ces gens-là voyagent, paient des taxes et des impôts, consomment des biens et services, conduisent des voitures, mettent de l'essence. Et on ne les voit pas ! On ne veut pas tenir compte de leur opinion.

DO À la télévision, la publicité cherche à rejoindre les jeunes, mais les jeunes paient leurs études, leur maison. Ils paient pour leurs enfants et ne dépensent pas comme les vieux, ceux qui sont à la retraite et qui s'offrent du bon temps. Je ne comprends pas ce système.

Et la retraite ?

DO Les employeurs ne m'appellent plus, alors je me suis dit : « Danielle, t'es entrée dans la deuxième partie de ta vie. Qu'est-ce que tu fais ? » J'ai pris ce temps pour moi et j'ai décidé de faire quelque chose pour me sortir de mon espèce de marasme. Il faut que je me secoue !

MB Moi, c'est un peu l'inverse. Mon arbre est assez secoué depuis 7 ans ! La politique, c'est presque du 24 heures sur 24, 7 jours par semaine. J'ai peut-être besoin d'un temps d'arrêt. J'ai recommencé à jouer du piano

> Vieillir, c'est se mettre une limite en se disant qu'on n'est plus capable, qu'on est trop vieux.
>
> Danielle Ouimet

grâce à Alain Lefèvre que j'ai croisé l'autre jour et je me suis demandé comment j'ai pu laisser mon instrument de côté durant toutes ces années. Je suis retombée en amour avec le piano. Et j'aurais le goût d'écrire. [silence] Le goût aussi d'enseigner à l'université. J'aimerais faire tandem avec un professeur d'expérience. J'apporterais le côté terrain. Non pas que je ne veux plus faire de politique, mais on n'a pas le temps pour autre chose. Aller au théâtre, nouer des amitiés. J'en suis à vouloir aimer le temps. [Elle chante.] Le temps qu'il me reste pour dire je t'aime...

DO Tu dois t'en aller, Marguerite?

MB Je dois faire un tour à l'hôpital. Je vais vous dire ce qui me fait peur dans le vieillissement. Énormément peur. Ce qui est difficile dans le fait de vieillir, ce sont les pertes. Toutes les petites pertes qu'on accumule sur le fil de notre vie. J'ai un mari depuis 35 ans, que j'ai appris à aimer au fil des jours. [silence] Sa perte, c'est une des choses qui me fait peur sur la trajectoire de vie et qui est inévitable.

DO Chaque fois que meurt un ancien amoureux que j'ai beaucoup aimé, je meurs aussi. Je meurs, je te le jure. Le père de mon fils est mort et j'y pense régulièrement. Un autre est mort au Venezuela. Je n'écris que sur eux en ce moment.

MB Tu en as eu combien? [rires]

DO Beaucoup. J'ai été mariée trois ans. Imagine!

MB Les pertes. Des amis nous quittent. Alors on vit avec des personnes qui ne sont plus physiquement sur Terre, qui sont dans un « ailleurs » qu'on imagine. On m'a dit: « Ne dis jamais que tu communiques avec tes morts. » Je leur parle.

DO Bien sûr, c'est un bout de nous.

MB Je leur parle, c'est une partie de ma vie.

Danielle, comment aimeriez-vous vieillir?

DO En douceur. Et en beauté! [rires]

MB Encore la beauté!

DO La beauté du cœur. J'aimerais ne pas être aigrie. Et Dieu sait qu'aujourd'hui, quand on ouvre la radio et la télévision, on a toutes les raisons du monde d'être aigri. Je me fais un devoir de rester vivante jusqu'au mariage de ma petite-fille. Quand ma grand-mère est morte, j'avais 16 ans. Je lui disais: « À mon mariage, c'est toi qui vas tenir ma traîne, mettre mon voile. » Elle m'avait dit: « Danielle, j'espère que tu vas te marier vieille! Je ne serai plus là. » Elle disait la vérité. Je me rappelle lui avoir dit: « Si tu n'es pas là, je ne me marierai jamais! » Jusqu'à la veille de mon mariage, je me suis dit que je faisais une erreur. Je ne veux pas promettre à ma petite-fille d'être là: je veux le faire.

> Chaque fois que meurt un ancien amoureux que j'ai beaucoup aimé, je meurs aussi.
>
> Danielle Ouimet